초등 국어

일등급 독해력

⑤

KB052744

초등 국어 독해, 왜 필요할까요?

1 초등학생에게 국어 독해가 중요한 이유

'독해'란 글을 읽고 뜻을 이해하는 것을 말합니다.

초등학생 때는 한글을 배우고 처음 글을 접하면서 독해력을 키우는 시기입니다.

이때 형성된 독서 습관이 생각하는 힘을 길러 주며, 모든 학습 능력의 기초가 됩니다.

글 속의 중심 생각과 정보를 자기 것으로 만들어 문제를 해결하는 능력은 한 번에 생기는 것이 아니므로, 좋은 글을 읽으며 차근차근 쌓아야 합니다.

2 초등학생 때부터 국어 독해를 잘 하기 위한 방법

❶ 다양한 글감으로 재미있게 독해하기

생활 속의 현상과 관계된 재미있는 글, 이야기, 동시 등 다양한 글감으로 독해에 흥미를 느끼게 합니다.

❷ 쉬운 글부터 어려운 글을 단계별로 학습하기

처음에는 쉽고 짧은 글부터 시작하여, 점점 길고 어려운 글을 읽으면서 독해력을 조금씩 향상합니다.

❸ 교과서와 연계된 글로 학교 공부 잡기

개정 교과서에서 찾은 다양한 글감을 읽으면서 자연스럽게 전 과목 교과서와 연계하여 학습합니다.

❹ 문제를 풀면서 사고력 기르기

글을 읽고 문제를 푸는 과정을 통해, 글에서 답을 찾아내는 연습을 하면서 스스로 생각하는 힘을 기릅니다.

❺ 글에 나온 어휘를 꼼꼼하게 익히기

독해 마무리 활동으로 글에 쓰인 어휘의 뜻과 쓰임을 예문을 통해 복습하면서 독해력을 완성합니다.

3 교과서와 연계된
다양한 글감으로 독해력 향상

이 책의 구성

1 다양한 글로 **사고력 키우기**

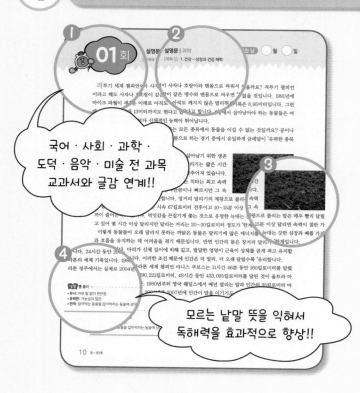

> 국어 · 사회 · 과학 · 도덕 · 음악 · 미술 전 과목 교과서와 글감 연계!!

> 모르는 낱말 뜻을 익혀서 독해력을 효과적으로 향상!!

① 쉽고 짧은 독해부터 길고 어려운 독해까지 10일씩 난이도를 높여 학습하는 40일 완성 독해 훈련서입니다.

② 학년별 **교과서 제재를 연계**하여 다양한 형식의 글로 엮었습니다.

③ 독해하면서 학생들이 지루해하지 않도록 글의 내용에 맞는 **재미있는 그림과 사진**을 실었습니다.

④ 글 속의 어려운 **낱말의 뜻을 풀이**하여, 그때그때 찾아보며 글을 읽을 수 있도록 하였습니다.

2 문제를 풀며 **독해력 키우기**

① 수능 문학, 비문학에 실제로 출제되는 **수능 출제 유형을 반영**하여 통일된 유형으로 문제를 출제하였습니다.

② 글을 읽은 뒤 스스로 글의 전체 구조를 학습하기 위한 **지문 구조화 문제**를 마지막에 수록하였습니다.

③ 1~2문장으로 간단히 쓸 수 있는 **서술형 문제를 제시**하여 글을 읽고 느낀 점을 생각하게 하였습니다.

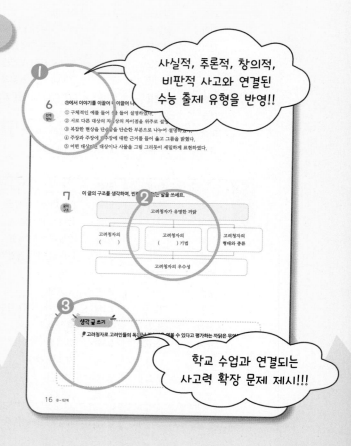

> 사실적, 추론적, 창의적, 비판적 사고와 연결된 수능 출제 유형을 반영!!

> 학교 수업과 연결되는 사고력 확장 문제 제시!!!

3 어휘 학습으로 **어휘력 키우기**

① 마무리 활동으로 글에 쓰인 어휘의 뜻과 쓰임을 복습하는 **어휘 다지기**, 문법 이론과 문제를 학습하는 **어법 다지기**를 수록하였습니다.

② 글을 읽고 어떤 문제 유형을 맞고 틀렸는지 **매일 스스로 평가하고 점검**할 수 있도록 하였습니다.

③ 매일매일 맞은 문제 수에 따라 스스로 느낀 **학습 난이도를 스티커**로 붙이도록 하였습니다.

※ 스티커는 문제편 마지막 장에 수록되어 있습니다.

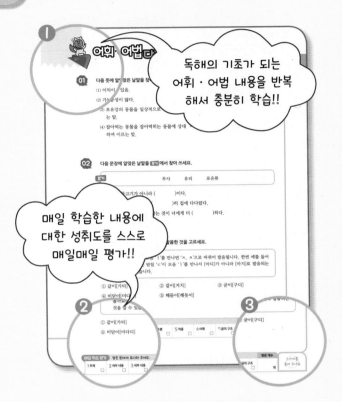

독해의 기초가 되는 어휘·어법 내용을 반복해서 충분히 학습!!

매일 학습한 내용에 대한 성취도를 스스로 매일매일 평가!!

4 해설을 보며 **문제 해결력 키우기**

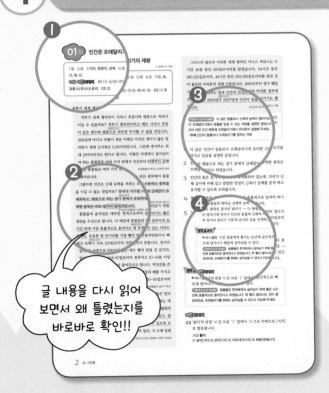

글 내용을 다시 읽어 보면서 왜 틀렸는지를 바로바로 확인!!

① 문제의 정답을 한 번에 맞춰 볼 수 있도록 **보기 쉽게 구성**하였습니다.

② **문단별 핵심 내용**과 문제 풀이의 근거가 되는 부분을 표시하고, 글 전체를 자세하고 꼼꼼하게 분석하였습니다.

③ 학생들을 돕기 위한 **가이드 해설**을 실어서 학부모님과 교사분들이 직접 설명하고 지도하기 쉽게 구성하였습니다.

④ 생각 글쓰기 문제의 **예시 답안**과, 학생들이 더 깊게 생각할 수 있는 해설을 수록하였습니다.

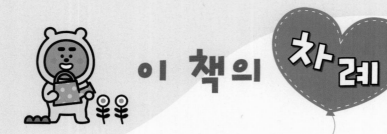

이 책의 차례

3 단계 사고력을 키우는 **다양한 독해**

4 단계 독해력을 완성하는 **긴 독해**

1단계

상상력을 키우는 **짧은 독해**

❀ 자신의 학습 능력과 상황에 따라 꾸준하게 공부하는 것이 가장 중요합니다.

❀ 학습 계획을 먼저 세우고, 스스로 지킬 수 있도록 노력해 보세요.

				학습할 날짜	
01회	인간은 오래달리기의 제왕	설명문	과학	☐월	☐일
02회	아름다운 비색을 지닌 고려청자	설명문	예술	☐월	☐일
03회	눈 건강을 좌우하는 습관	논설문	과학	☐월	☐일
04회	사회적 소수자	설명문	인문	☐월	☐일
05회	버섯은 식물일까?	설명문	과학	☐월	☐일
06회	뮤지컬	설명문	예술	☐월	☐일
07회	칭찬의 힘	논설문	인문	☐월	☐일
08회	봄은 고양이로다	문학	시	☐월	☐일
09회	동백꽃	문학	소설	☐월	☐일
10회	학자와 뱃사공	문학	동화	☐월	☐일

　격투기 세계 챔피언이 사자나 호랑이와 맨몸으로 싸워서 이길 수 있을까요? 격투기 챔피언이라고 해도 사자나 호랑이 같은 맹수와 맨몸으로 싸우면 ˙무사할 수 없을 것입니다. 1991년에 마이크 파월이 세운 이래로 아직도 깨지지 않은 멀리뛰기 세계 신기록은 8.95미터입니다. 그런데 캥거루는 최대 13미터까지도 뛴다고 합니다. 이렇듯 야생에서 살아남아야 하는 동물들은 여러 가지 면에서 인간보다 신체적인 능력이 뛰어납니다.

　그렇다면 인간은 신체 능력을 겨루는 모든 종목에서 동물을 이길 수 없는 것일까요? 공이나 기구를 사용하는 종목을 제외하고, 맨몸으로 하는 경기 중에서 유일하게 금메달이 ˙유력한 종목은 바로 장거리 달리기입니다.

　동물들의 움직임은 대부분 ˙천적으로부터 살아남기 위한 생존을 우선으로 합니다. 이 때문에 동물들의 달리기는 짧은 시간 안에 가장 효율적으로 움직이는 데 초점이 맞추어져 있습니다. ˙포유류 중 단거리를 가장 빨리 달릴 수 있는 치타는 최고 속력이 시속 120킬로미터 전후로, 자동차만큼이나 빠르지만 그 속력으로 600미터 이상 달리지 못합니다. 장거리 달리기의 제왕으로 불리는 말은 매우 빨리 달릴 것 같지만, 말의 최고 속력은 시속 67킬로미터 전후이고 10~15분 이상 달리면 속력이 절반 가까이 줄어든다고 합니다. 먹잇감을 끈질기게 쫓는 것으로 유명한 늑대는 강한 심장과 폐를 가지고 있어 몇 시간 이상 달리지만 달리는 거리는 20~30킬로미터 정도가 ˙한계입니다.

　이렇게 동물들이 오래 달리지 못하는 까닭은 동물은 달리기에 많은 에너지를 소비하고, 체온과 호흡을 유지하는 데 어려움을 겪기 때문입니다. 반면 인간의 몸은 장거리 달리기에 최적화되어 있습니다. 다리가 신체 길이에 비해 길고, 발달한 엉덩이 근육이 상체를 곧게 펴고 유지할 수 있도록 도와줍니다. 이러한 조건 때문에 인간은 더 멀리, 더 오래 달릴수록 ˙유리합니다.

　그리스의 울트라 마라톤 세계 챔피언 야니스 쿠로스는 11시간 46분 동안 160킬로미터를 달렸습니다. 24시간 동안 290.221킬로미터, 48시간 동안 433.095킬로미터를 달린 것이 울트라 마라톤의 세계 기록입니다. 1980년부터 영국 웨일스에서 매년 열리는 말과 인간의 35킬로미터 마라톤 경주에서는 실제로 2004년과 2007년에 인간이 말을 이기기도 했습니다.

낱말 뜻 풀이

• **무사**: 아무 탈 없이 편안함.
• **유력한**: 가능성이 많은.
• **천적**: 잡아먹는 동물을 잡아먹히는 동물에 상대하여 이르는 말.

• **포유류**: 포유강의 동물을 일상적으로 통틀어 이르는 말.
• **한계**: 능력이나 책임 등이 실제 작용할 수 있는 범위.
• **유리**: 이익이 있음.

▶ 정답과 해설 2쪽

1
주제

이 글의 내용은 무엇인가요?

① 동물의 체력이 뛰어남을 알리는 글이다.

② 인간이 달리기를 하는 과정을 설명한 글이다.

③ 동물이 빨리 달릴 수 있는 까닭을 설명한 글이다.

④ 인간이 동물보다 체력이 좋지 않은 까닭을 설명한 글이다.

⑤ 인간이 동물보다 오래달리기를 잘하는 까닭을 설명한 글이다.

2
세부
내용

이 글의 내용으로 알맞지 <u>않은</u> 것은 무엇인가요?

① 인간과 말의 마라톤 경주에서 인간이 이긴 적이 있다.

② 포유류 중 단거리를 가장 빨리 달리는 동물은 치타이다.

③ 격투기 챔피언은 사자와 맨몸으로 싸워서 이길 수 없다.

④ 인간은 신체 능력을 겨루는 모든 종목에서 동물을 이길 수 없다.

⑤ 인간의 몸이 동물의 몸보다 장거리 달리기에 적합하게 되어 있다.

3
세부
내용

인간의 몸이 장거리 달리기에 최적화된 조건은 무엇인가요?

(   )이/가 신체에 비해 길고, 발달한 (   ) 근육이 (   )을/를 곧게 펴고 유지할 수 있도록 도와준다.

4
추론

동물이 달리기에 많은 에너지를 소비하는 까닭은 무엇일까요?

① 강한 심장과 폐를 가지고 있기 때문에

② 인간보다 신체적인 능력이 뛰어나기 때문에

③ 오래 달리면 속력이 절반 가까이 줄어들기 때문에

④ 달리면서 체온과 호흡을 유지하는 것이 아주 쉽기 때문에

⑤ 살아남기 위해 짧은 시간 안에 빨리 움직여야 하기 때문에

5 다음 중 인간과 동물의 경주 결과를 예상한 것으로 알맞은 것의 기호를 쓰세요.

적용

> ㉮ 치타와 인간의 200미터 달리기 경주에서 인간이 이겼다.
> ㉯ 말과 인간의 5킬로미터 오래달리기 경주에서 인간이 이겼다.
> ㉰ 늑대와 인간의 200킬로미터 울트라 마라톤에서 인간이 이겼다.

6 이 글에서 의 뜻을 가진 낱말은 무엇인가요?

어휘

보기
> 오직 하나밖에 없음.

① 유력　　　② 유리　　　③ 유명　　　④ 유일　　　⑤ 유지

7 이 글에서 이야기한 내용의 순서대로 기호를 쓰세요.

글의
구조

> ㉠ 동물들의 달리기 특징
> ㉡ 인간의 장거리 달리기 기록
> ㉢ 동물들의 뛰어난 신체적 능력
> ㉣ 인간이 동물보다 잘하는 종목인 장거리 달리기
> ㉤ 달리기에 있어서 인간과 동물의 신체적 차이점

(　　　) → (　　　) → (　　　) → (　　　) → (　　　)

생각 글 쓰기

🖋동물들이 오래달리기를 못해도 천적으로부터 살아남을 수 있는 까닭은 무엇일까요?

어휘·어법 다지기

01 다음 뜻에 알맞은 낱말을 찾아 선으로 이으세요.

(1) 이익이 있음. •   • ㉠ 유력하다

(2) 가능성이 많다. •   • ㉡ 유리

(3) 포유강의 동물을 일상적으로 통틀어 이르 •   • ㉢ 천적
는 말.

(4) 잡아먹는 동물을 잡아먹히는 동물에 상대 •   • ㉣ 포유류
하여 이르는 말.

02 다음 문장에 알맞은 낱말을 보기 에서 찾아 쓰세요.

> **보기**
>
> 무사   유리   포유류

(1) 고래는 물고기가 아니라 (   )이다.

(2) 우리는 험한 길을 달려 (   )히 집에 다다랐다.

(3) 지금은 아무 말도 하지 않는 것이 너에게 더 (   )하다.

03 보기 를 읽고 다음 낱말을 정확하게 발음한 것을 고르세요.

> **보기**
>
> 받침 'ㄷ, ㅌ'이 모음 'ㅣ'를 만나면 'ㅈ, ㅊ'으로 바뀌어 발음됩니다. 한번 예를 들어 볼까요? '맏이'는 받침 'ㄷ'이 모음 'ㅣ'를 만나서 [마디]가 아니라 [마지]로 발음되는 것을 알 수 있습니다.

① 같이[가티]   ② 겉이[거치]   ③ 굳이[구디]

④ 미닫이[미다디]   ⑤ 해돋이[해돗이]

매일 학습 평가	맞은 문제에 표시해 주세요.						맞은 개수	
1 주제 ☐	2 세부 내용 ☐	3 세부 내용 ☐	4 추론 ☐	5 적용 ☐	6 어휘 ☐	7 글의 구조 ☐	개	스티커를 붙여 두세요

01회 13

고려청자는 청자의 빛깔, °독특한 장식 기법과 아름다운 형태로 유명하다. 고려청자를 만든 시기에는 중국과 우리나라에서만 질 높은 청자를 만들 수 있었다. 우리나라보다 중국이 먼저 청자를 만들고 세상에 알렸지만, 고려는 청자를 만드는 우수한 기술력과 아름다움을 인정받아 다른 나라 사람들에게 사랑을 받았다.

고려청자는 무엇보다 아름다운 빛깔로 더욱 주목받았다. 청자의 빛깔은 맑고 은은한 녹색이다. 이는 °유약 안에 아주 작은 °기포가 많아 빛이 반사되면서 은은하고 투명하게 비쳐 보이기 때문이다. 청자의 색이 짙고 푸른색 윤이 나는 구슬인 비취옥의 색깔과 닮았기 때문에 '비색'이라 불렀는데, 중국 송나라의 태평 노인이 『수중금』이라는 책에서 고려청자의 빛깔을 비색이라 부르며 천하제일이라고 칭찬했다.

청자의 상감 기법은 어느 나라에서도 찾아볼 수 없는 우리 고유의 °독창적인 도자기 장식 기법이다. 상감 기법은 그릇을 다 빚고 굳었을 때 그릇 바깥쪽에 조각칼로 무늬를 새긴 다음, 검은색이나 흰색의 흙을 메운 뒤 무늬가 드러나도록 바깥쪽을 매끄럽게 다듬는 기법이다. 이 기법은 금속 공예나 나전 칠기에 장식 기법으로 쓰고 있었지만, 고려 도공들이 도자기를 만들 때 장식에 처음으로 응용했다. 상감 기법으로 만든 고려청자는 '청자 상감 운학문 매병'이 대표적이다.

㉮ 청자의 형태는 기존의 단순한 그릇 모양에서 여러 형태로 발전했다. 그 당시 고려인들은 대접과 접시, 잔, 항아리, 병, 찻잔, 상자 등을 비롯해 심지어 베개와 기와까지도 청자로 만들었다. 특히 죽순, 표주박, 복숭아, 원앙, 사자, 용, 거북과 같이 여러 동식물의 모양을 본떠 만든 향로, 주전자, 꽃병, 연적 등이 오늘날까지 내려오고 있다. 이처럼 예술적 아름다움을 지닌 청자는 고려인의 생활 속에서 널리 쓰였다.

고려청자는 맑고 은은한 비색으로 부드러운 곡선을 강조하며 상감 기법으로 회화적인 아름다운 무늬를 표현한 것이 °특색이다. 우리는 이러한 고려청자로 고려인들의 독창성과 뛰어난 기술력을 엿볼 수 있다. 고려인들은 중국의 청자를 받아들이면서 그저 °모방하는 데 그친 것이 아니라, 아름다운 비색과 독특한 상감 기법으로 발전시킨 것이다. 따라서 고려청자는 여러 가지 형태의 아름다움을 일구어 낸 고려인들의 노력과 열정을 그대로 담고 있다.

낱말 뜻 풀이

● **독특**: 특별하게 다름.
● **유약**: 도자기의 몸에 덧씌우는 약.
● **기포**: 액체나 고체 속에 기체가 들어가 거품처럼 둥그렇게 부풀어 있는 것.
● **독창적**: 다른 것을 모방함이 없이 새로운 것을 처음으로 만들어 내거나 생각해 내는 것.
● **특색**: 보통의 것과 다른 점.
● **모방**: 다른 것을 본뜨거나 본받음.

1 이 글에 알맞은 제목을 쓰세요.
제목

아름다운 비색을 지닌 (   )

2 이 글의 내용으로 알맞지 <u>않은</u> 것은 무엇인가요?
세부
내용

① 우리나라보다 중국이 먼저 청자를 만들었다.

② 청자의 상감 기법은 중국에서부터 유래되었다.

③ 상감 기법은 금속 공예나 나전 칠기에 장식 기법으로 쓰였다.

④ 청자는 고려인의 실제 생활 속에서 여러 형태로 널리 사용되었다.

⑤ 고려청자는 중국의 것을 받아들여 우리만의 기법으로 발전시킨 것이다.

3 청자의 색이 비취옥의 색깔과 닮아서 부른 색의 이름은 무엇인가요?
핵심어

4 이 글에 나타난 상감 기법의 과정에 맞게 순서대로 기호를 쓰세요.
세부
내용

> ㉠ 그릇을 빚는다.
>
> ㉡ 검은색이나 흰색의 흙을 메운다.
>
> ㉢ 무늬가 드러나도록 매끄럽게 다듬는다.
>
> ㉣ 그릇 바깥쪽에 조각칼로 무늬를 새긴다.

(   ) → (   ) → (   ) → (   )

5 상감 기법으로 만든 대표적인 고려청자의 이름을 쓰세요.
세부
내용

6

전개
방식

㉮에서 이야기를 이끌어 나가는 방식으로 알맞은 것은 무엇인가요?

① 구체적인 예를 들어 설명하였다.

② 서로 다른 대상의 차이점을 위주로 설명하였다.

③ 복잡한 현상을 단순한 부분으로 나누어 설명하였다.

④ 주장과 주장에 대한 근거를 들어 옳고 그름을 밝혔다.

⑤ 어떤 대상이나 사물을 그림 그리듯이 세밀하게 표현하였다.

7

글의
구조

이 글의 구조를 생각하며, 빈칸에 알맞은 말을 쓰세요.

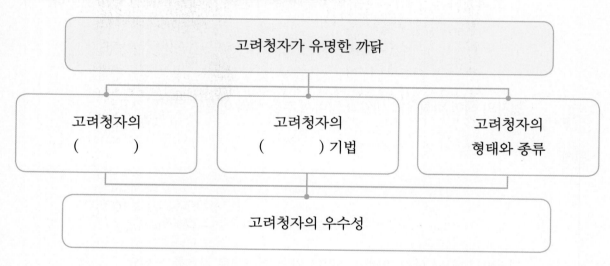

고려청자가 유명한 까닭

고려청자의
(   )

고려청자의
(   ) 기법

고려청자의
형태와 종류

고려청자의 우수성

생각 글 쓰기

🖊 고려청자로 고려인들의 독창성과 뛰어난 기술력을 엿볼 수 있다고 평가하는 까닭은 무엇일까요?

어휘·어법 다지기

01 다음 뜻에 알맞은 낱말을 찾아 선으로 이으세요.

(1) 보통의 것과 다른 점. • • ㉠ 독창적

(2) 다른 것을 본뜨거나 본받음. • • ㉡ 모방

(3) 다른 것을 모방함이 없이 새로운 것을 처 • • ㉢ 특색
    음으로 만들어 내거나 생각해 내는 것.

02 다음 문장에 알맞은 낱말을 고르세요.

(1) 콜라를 따르면 (기포 / 액체)가 생긴다.

(2) 편지를 읽고 어머님의 (독실 / 독특)한 문체를 한눈에 알아볼 수 있었다.

(3) 그는 외국의 음악을 (독보적 / 독창적)으로 발전시켜 노래를 작곡하였다.

03 보기를 읽고 다음 문장에 알맞은 낱말을 골라 ○표를 하세요.

> **보기** **'바라다'와 '바래다'**
> – **바라다:** ① 생각이나 바람대로 어떤 일이나 상태가 이루어지거나 그렇게 되었으면
>   하고 생각한다. ② 원하는 사물을 얻거나 가졌으면 하고 생각하다. ③ 어떤 것을
>   향하여 보다.
>   예 요행을 바라다. / 돈을 바라고 너를 도운 게 아니다. / 방향을 잃은 우리들은 해를 바라고 걸
>   었다.
> – **바래다:** ① 볕이나 습기를 받아 색이 변하다. ② 볕에 쬐거나 약물을 써서 빛깔을
>   희게 하다.
>   예 색이 바래다. / 나뭇가지가 햇볕에 바래다.

(1) 책을 펼쳤더니 색이 다 (바란 / 바랜) 편지가 나왔다.

(2) 나의 작은 (바람 / 바램)은 가족 모두가 건강했으면 좋겠다는 것이다.

매일 학습 평가	맞은 문제에 표시해 주세요.						맞은 개수	
1 제목 ☐	2 세부 내용 ☐	3 핵심어 ☐	4 세부 내용 ☐	5 세부 내용 ☐	6 전개 방식 ☐	7 글의 구조 ☐	개	스티커를 붙여 두세요

02회 **17**

우리 눈은 언제부터 *노화가 시작될까요? 놀랍게도 청소년기부터입니다. 그래서 어릴 때부터 안경을 써 온 학생이나 시력과 신체 방어력, *면역력이 크게 떨어지는 학생은 눈의 노화 속도를 늦추기 위해 더 노력해야 합니다.

왜 청소년기부터 눈의 노화가 시작될까요? 그 까닭은 눈과 혈관의 노화가 동시에 진행되기 때문입니다. 사실 눈은 혈관 덩어리라 해도 과언이 아닙니다. 만약 혈관에 문제가 생기면 혈액과 수분이 흐르지 않고 고이기 시작하며, 눈이 탁해지고 붓기 때문에 시력에 악영향을 줍니다.

눈의 혈관은 10대 중반부터 노화되기 시작하고, 시력은 20대부터 조절력이 떨어집니다. 멀리 보고 가까이 보는 것을 조절하는 기관이 수정체입니다. 수정체의 탄력이 떨어지면 가까이 볼 수 있는 능력도 약해집니다. 수정체의 조절력은 20대부터 떨어지기 시작해 40대 중반에는 30~40센티미터 앞의 글자도 명확히 보기 힘들어집니다. 이처럼 시간이 지날수록 눈의 노화는 심해집니다. 그러면 눈의 노화를 막고 조절력은 유지하는 습관을 알아볼까요?

먼저 대상을 바라볼 때 올바른 자세로 보는 습관이 중요합니다. 항상 어떤 사물을 볼 때 바른 자세로 몸을 세워서 바라보아야 눈의 피로를 줄일 수 있습니다. 그리고 책을 읽을 때 책과의 거리를 적절히 유지해야 합니다. 책과의 거리를 30~35센티미터 정도로 유지하는 습관을 기르는 것이 좋습니다. 그렇지 않으면 독서로 *유용한 지식을 얻는 대신 시력을 빼앗길 수 있으니까요.

신체를 건강하게 단련시키는 운동을 해야 눈도 건강해집니다. 몸의 *골격과 구조가 완성되는 청소년기에 눈 건강은 매우 중요합니다. 집을 지을 때 기초 공사가 탄탄하게 이루어져야 나중에 집을 완성했을 때 위험 부담도 줄어드는 것처럼, 눈도 마찬가지입니다. 한창 자라나는 시기에 신체를 건강하게 단련시키는 운동을 해야 눈 건강도 제대로 지킬 수 있습니다.

그리고 눈은 편식과 과식을 좋아하지 않습니다. 적당한 양의 음식을 골고루 먹도록 합니다. 편식을 하면 *예민한 눈이 금세 알아차립니다. 곧 영양 *결핍에 시달리게 되지요. 영양 결핍은 시력 저하를 일으켜 눈의 올바른 성장을 방해합니다. 또 과식하면 혈관에 기름이 끼어 눈의 혈관들이 손상될 위험이 있습니다.

마지막으로 잠을 잘 때는 반드시 어두운 환경을 유지해 주어야 합니다. 이불 속에서 잘못된 자세로 스마트폰을 들여다보는 행동은 우리의 눈뿐만 아니라 척추 건강까지 해칩니다. 따라서 잠자리에서는 스마트폰을 멀리하는 습관을 들여야 합니다.

낱말 뜻 풀이

- **노화**: 질병이나 사고에 의한 것이 아니라 시간이 흐름에 따라 생체 구조와 기능이 쇠퇴하는 현상.
- **면역력**: 외부에서 들어온 병원균에 저항하는 힘.
- **유용한**: 쓸모가 있는.
- **골격**: 동물의 체형(體型)을 이루고 몸을 지탱하는 뼈.
- **예민한**: 무엇인가를 느끼는 능력이나 분석하고 판단하는 능력이 빠르고 뛰어난.
- **결핍**: 있어야 할 것이 없어지거나 모자람.

1 제목

이 글에 알맞은 제목을 쓰세요.

눈 (   )을/를 좌우하는 (   )

2 주제

이 글에 나타난 글쓴이의 의견은 무엇인가요?

눈의 (   )을/를 막고 (   )을/를 유지하기 위해 평소에 올바른 생활 습관을 길러야 한다.

3 세부 내용

다음 중 눈의 노화가 청소년기부터 시작되는 까닭은 무엇인가요?

① 신체 방어력과 면역력이 떨어지기 때문에
② 눈과 혈관의 노화가 동시에 진행되기 때문에
③ 몸의 골격과 구조가 완성되기 전이기 때문에
④ 수정체의 탄력이 떨어지며 조절력이 약해지기 때문에
⑤ 성장하는 속도보다 눈의 노화 속도가 더 빠르기 때문에

4 세부 내용

다음 중 눈의 건강에 좋지 않은 습관은 무엇인가요?

① 대상을 바라볼 때 올바른 자세로 본다.
② 책을 읽을 때 책과의 거리를 적절히 유지한다.
③ 신체를 건강하게 단련시키는 운동을 꾸준히 한다.
④ 채소와 과일만 먹는 식습관으로 체중을 조절한다.
⑤ 잠을 잘 때는 반드시 어두운 환경을 유지하고 스마트폰을 멀리한다.

5 다음 중 눈 건강을 위해 바르게 생활하는 사람은 누구인지 쓰세요.

추론

- 예솔: 깜깜한 것을 싫어해서 불을 환하게 켜고 잠든다.
- 준하: 책을 읽을 때 1~5센티미터 거리에서 집중해서 읽는다.
- 유주: 눕거나 기대지 않고 곧게 앉은 자세로 텔레비전을 시청한다.

6 이 글의 구조를 생각하며, 빈칸에 알맞은 말을 쓰세요.

글의 구조

눈 건강을 위해 노력하자.

| ( )
이/가 노화
되는 원인 | – 눈과 혈관의 노화가 동시에 생기기 때문임.
– 혈관에 문제가 생기면 시력에 악영향을 줌.
– ( )의 조절력이 떨어짐. |

| 눈의
노화를
막는 습관 | – 올바른 자세로 보아야 한다.
– 책을 읽을 때 적절한 거리를 유지한다.
– 신체를 단련시키는 운동을 한다.
– 편식과 ( )을/를 하지 말아야 한다.
– 잠을 잘 때는 어두운 환경을 유지한다. |

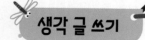 생각 글 쓰기

🖊 혈관에 문제가 생기면 눈 건강이 나빠지는 까닭을 찾아 쓰세요.

어휘·어법 다지기

01 다음 낱말에 알맞은 뜻을 찾아 선으로 이으세요.

(1) 결핍 •

(2) 면역력 •

(3) 유용하다 •

• ㉠ 쓸모가 있다.

• ㉡ 있어야 할 것이 없어지거나 모자람.

• ㉢ 외부에서 들어온 병원균에 저항하는 힘.

02 다음 문장에 알맞은 낱말을 보기 에서 찾아 쓰세요.

보기	결핍 골격 노화 예민

(1) 피부가 (　　　　)되면 주름살이 생긴다.

(2) 평상시의 수분 (　　　　)은/는 건강에 좋지 않다.

(3) 그는 눈이 안 보이는 대신 작은 움직임이나 소리에도 (　　　　)하다.

(4) 그 소년은 마치 서양인처럼 크고 튼튼한 (　　　　)을/를 가져서 건강해 보였다.

03 보기 를 읽고 다음 문장에 알맞은 낱말을 골라 ○표를 하세요.

보기 **'하릴없이'와 '할 일 없이'**
– **하릴없이**: ① 달리 어떻게 할 도리가 없이. ② 조금도 틀림이 없이.
예 하릴없이 발품만 들였지 제대로 된 일은 아무것도 없다. / 그러면 숫제 알거지가 되어 여덟 식구가 하릴없이 쪽박을 찰 수밖에 없었다.
– **할 일 없이**: 할 일이 없이.

• 그녀의 몸은 가냘프고 머리는 큼지막한 모양이 (하릴없이 / 할 일 없이) 막대 사탕 같다.

매일 학습 평가	맞은 문제에 표시해 주세요.					맞은 개수	
1 제목 ☐	2 주제 ☐	3 세부 내용 ☐	4 세부 내용 ☐	5 추론 ☐	6 글의 구조 ☐	개	스티커를 붙여 주세요

한 사회에는 사고 방식, 종교, 민족, 인종 등 다양한 사회적 · 문화적 배경을 가진 사람들이 모여 살고 있습니다. 그렇기 때문에 모든 사람들은 서로의 차이를 인정하고 평등하게 대우받아야 합니다. 하지만 실제로는 몸이 불편하거나 *국경을 넘어왔다는 까닭, 성적 취향이나 출신 지역이 남들과 다르다는 까닭으로 차별을 받기도 합니다. 이러한 차별은 인간의 *존엄성을 해치고 사회적 갈등을 유발하여 사회 통합을 어렵게 합니다.

사회적 소수자란 한 사회에서 다른 구성원들에게 차별을 받으며, 스스로 차별받는 집단에 속해 있다는 의식을 가진 사람을 말합니다. 즉, 인종, 성별, 장애, 종교, 사회적 출신 등을 이유로 다른 사회 구성원으로부터 소외와 차별을 받는 사람들을 일컫는 말입니다. 사회적 소수자는 다른 집단과 비교해 *세력이 약합니다. 하지만 *상대적으로 수가 적은 집단을 항상 사회적 소수자라고 하는 것은 아닙니다. 신체적 · 문화적으로 다른 집단과 구별되는 뚜렷한 차이가 있거나 자신이 차별받고 있다는 것을 *인식하고 있어야 사회적 소수자라고 합니다.

또한 사회적 소수자는 어디까지나 상대적인 개념입니다. 누구나 사회적 소수자가 될 수 있습니다. 사고나 질병으로 장애인이 될 수도 있고, 다른 나라로 이주하여 살 수도 있습니다. 실제로 한국에서 사회적 소수자가 아니었던 평범한 대학생이 외국으로 어학 연수를 가서 외국에서 사회적 소수자 집단이 되기도 하고, 다시 한국으로 귀국하여 사회적 소수자 집단에서 벗어나기도 합니다. 이렇게 사회적 소수자 집단은 특정 사회를 배경으로 존재할 뿐, 상황이나 배경이 바뀌면 ㉠그 특징이 사라지는 경우가 많습니다.

우리나라는 사회적 소수자의 차별을 금지하기 위해 '장애인 차별 금지 및 권리 *구제 등에 관한 법률', '외국인 근로자의 고용 등에 관한 법률' 등의 정책을 시행하고 있습니다. 이러한 정책이나 법률이 실제로 사회적 소수자들의 인권을 보장하는 데 부족한 점은 없는지, 실질적인 보호 대책이 될 수 있는지 수시로 따져 보아야 합니다.

우리 사회는 다수자뿐만 아니라 다양한 소수자로 구성되어 있습니다. 나와 다른 사람의 차이를 받아들이고 존중하려는 개인의 노력과 사회적 소수자를 배려하는 사회적 차원의 제도가 함께 이루어져야 다양한 사회 구성원들의 행복과 권리를 보장하는 사회가 될 수 있습니다.

낱말 뜻 풀이

● **국경**: 나라와 나라의 영역을 가르는 경계.
● **존엄성**: 감히 범할 수 없는 높고 엄숙한 성질.
● **세력**: 권력이나 기세의 힘.
● **상대적**: 서로 맞서거나 비교되는 관계에 있는.

● **인식**: 사물을 분별하고 판단하여 앎.
● **구제**: 자연적인 재해나 사회적인 피해를 당하여 어려운 처지에 있는 사람을 도와줌.

1
핵심어

이 글의 중심 글감은 무엇인가요?

2
세부
내용

이 글에 나타난 사회적 소수자를 보호하기 위해 만든 법률 두 가지를 쓰세요.

3
세부
내용

이 글의 내용으로 알맞지 <u>않은</u> 것은 무엇인가요?

① 문화적 배경에 따른 차별은 사회 통합을 어렵게 한다.
② 사회적 소수자는 자신이 차별받고 있다는 것을 알고 있다.
③ 사회적 소수자는 상황이나 배경이 바뀌면 달라지는 개념이다.
④ 다수에 비해 상대적으로 수가 적은 집단을 사회적 소수자라고 한다.
⑤ 사회적 소수자는 다른 사회 구성원으로부터 소외와 차별을 받는 사람들이다.

4
추론

㉠으로 볼 수 <u>없는</u> 것은 무엇인가요?

① 사회적 소수자로서 소외와 차별을 받게 만든 원인
② 사회적 소수자를 배려하는 개인적, 사회적 차원의 제도
③ 인종, 성별, 장애, 종교, 출신 등 다른 사람과 다른 문화적 배경
④ 다른 집단과 비교해 세력이 약한 집단이 가지고 있는 신체적 특성
⑤ 신체적·문화적으로 다른 집단과 구별되는 사회적 소수자로서의 특징

5
주제

이 글에 나타난 글쓴이의 의견은 무엇인가요?

서로의 (   )을/를 인정하고 사회적 소수자를 (   )하는 사회를 만들자.

6 다음 중 사회적 소수자가 상대적인 개념이라는 것을 뒷받침하는 사례의 기호를 쓰세요.

적용

> ○ 왼손잡이인 현빈이는 오른손잡이용 가위가 손에 맞지 않아 가위질할 때마다 불편을 겪었다.
> ○ 한국에서 차별받으며 힘들게 일하던 한 베트남인은 성실히 모은 돈으로 베트남에서 회사를 세워 사장이 되었다.
> ○ 어렸을 때부터 소수 종교를 믿어 온 신혜는 친구들에게 이 사실을 말했다가 사이비 종교를 믿는다는 비난을 받았다.

7 이 글의 구조를 생각하며, 빈칸에 알맞은 말을 쓰세요.

글의
구조

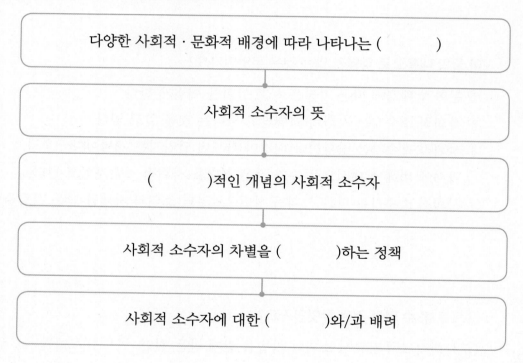

다양한 사회적 · 문화적 배경에 따라 나타나는 (   )

사회적 소수자의 뜻

(   )적인 개념의 사회적 소수자

사회적 소수자의 차별을 (   )하는 정책

사회적 소수자에 대한 (   )와/과 배려

생각 글 쓰기

✒ 사회적 소수자를 배려하기 위하여 가져야 할 마음은 무엇일까요?

어휘·어법 다지기

01 다음 낱말에 알맞은 뜻을 찾아 선으로 이으세요.

(1) 국경 •

(2) 세력 •

(3) 인식 •

(4) 존엄성 •

• ㉠ 권력이나 기세의 힘.

• ㉡ 사물을 분별하고 판단하여 앎.

• ㉢ 나라와 나라의 영역을 가르는 경계.

• ㉣ 감히 범할 수 없는 높고 엄숙한 성질.

02 다음 문장에 알맞은 낱말을 보기 에서 찾아 쓰세요.

> 보기
>
> 구제   국경   세력   인식

(1) 난민들은 자유와 희망을 찾아 (   )을/를 넘었다.

(2) 정부는 과장 광고로 인한 소비자 피해 (   ) 대책을 마련하였다.

(3) 정치가들은 자신의 정치 (   )을/를 확장하기 위해 모든 노력을 기울였다.

(4) 용돈 기입장은 청소년에게 소비에 관한 올바른 (   )을/를 심어 줄 수 있다.

03 보기 를 읽고 낱말을 잘못 발음한 것을 고르세요.

> 보기
>
> 글로 적은 낱말과 낱말의 실제 발음이 다를 때가 있습니다. 받침 'ㄱ, ㄷ, ㅂ' 뒤에 'ㄱ, ㄷ, ㅂ, ㅅ, ㅈ'이 오면, 뒤에 오는 말이 'ㄲ, ㄸ, ㅃ, ㅆ, ㅉ'로 세게 발음됩니다. 예를 들면 '박사'는 받침 'ㄱ' 뒤에 오는 'ㅅ'이 세게 발음되어 [박사]가 아니라 [박싸]로 발음되는 것을 알 수 있습니다.

① 국자[국짜]

② 닫고[닫꼬]

③ 밥솥[밥쏱]

④ 옆집[엽찝]

⑤ 학교[학꾜]

매일 학습 평가	맞은 문제에 표시해 주세요.						맞은 개수
1 핵심어 ☐	2 세부 내용 ☐	3 세부 내용 ☐	4 추론 ☐	5 주제 ☐	6 적용 ☐	7 글의 구조 ☐	개

스티커를 붙여 두세요

우리들은 매일 밥과 반찬을 먹고, 과일, 우유, 고기, 생선 등 여러 가지를 먹어야 힘을 내어 살 수 있어요. 또 집에서 키우는 개나 고양이는 사료를 먹고, 사자나 코끼리처럼 야생에서 사는 동물들도 다른 동물을 잡아먹거나 풀과 나뭇잎을 먹어야 살 수 있지요. 하지만 식물은 무엇을 먹지 않아도 자라나고 열매를 맺어요. 왜냐하면 식물은 자신의 안에 있는 °엽록소와 햇빛을 이용해서 살아가는 데 필요한 °양분을 만들기 때문이에요. 즉 식물은 움직이거나 무엇을 먹지 않아도 스스로 양분을 만들어 살아갈 수 있는 생물이지요.

그런데 나무 밑에서 자라는 버섯도 식물일까요? 버섯은 식물처럼 보이지만 사실은 식물이 아니에요. 버섯은 균류의 일종이에요. 균류의 '균'은 '곰팡이'라는 뜻으로, 버섯은 곰팡이의 한 종류라는 말이에요. 식물은 °광합성을 해서 스스로 영양분을 만들지만, 균류인 버섯은 스스로 영양분을 만들지 못해요. 식물처럼 뿌리가 있는 것도 아니지요. 예를 들면 초록색 잎을 가진 소나무는 엽록소가 있는 식물이고, 소나무 뿌리에 °기생해서 자라는 송이버섯은 식물이 아니라 균류랍니다.

버섯의 몸은 대부분 갓과 자루로 이루어져 있어요. 우산처럼 생긴 갓 안쪽에는 수많은 주름이 있고 그 속에는 '포자'라는 것이 있지요. 포자는 식물의 씨앗과 같아요. 포자는 작고 가벼워서 눈에 잘 보이지 않고 공기 중에 떠서 멀리 이동할 수 있어요. 이런 포자가 자라서 어린 버섯이 되고, 어린 버섯이 °성숙한 버섯이 되면 포자를 갖게 되지요.

식물이 살아갈 수 있는 것은 엽록소를 가지고 영양분을 만들기 때문인데, 버섯을 포함한 곰팡이류는 엽록소가 없어서 그런 능력이 없답니다. 그래서 곰팡이가 살아가기 위해서는 다른 것으로부터 영양분을 얻어야 해요. 버섯이 죽은 나무에 붙어서 자라는 것도 다른 곰팡이들처럼 스스로 영양분을 만들어 내지 못하기 때문이지요. 버섯은 보통 나무껍질, 나무 밑동, 동물의 사체 등에서 자라면서 죽은 생물로부터 영양분을 얻어요.

버섯은 이렇게 여러 가지 생물에서 영양분을 얻는 과정에서 생물들의 사체를 아주 작은 조각으로 °분해하고, 점점 더 많이 썩게 해서 흙을 기름지게 만들지요. 이처럼 식물이나 동물의 사체, 배설물 등을 분해하는 버섯과 같은 생물을 '분해자'라고 한답니다.

낱말 뜻 풀이

● **엽록소**: 빛 에너지를 유기 화합물 합성을 통하여 화학 에너지로 전환시키는 녹색 색소.
● **양분**: 영양이 되는 성분.
● **광합성**: 녹색 식물이 빛 에너지를 이용하여 이산화 탄소와 수분으로 유기물을 합성하는 과정.

● **기생**: 서로 다른 종류의 생물이 함께 생활하며, 한쪽이 이익을 얻고 다른 쪽이 해를 입고 있는 일.
● **성숙한**: 생물의 발육이 완전히 이루어진.
● **분해**: 여러 부분이 결합되어 이루어진 것을 그 낱낱으로 나눔.

1 이 글은 무엇에 대해 쓴 글인가요?

핵심어

2 버섯의 포자는 식물의 무엇과 같을까요?

세부
내용

3 이 글에서 대상을 설명한 방법으로 알맞은 것은 무엇인가요?

전개
방식

① 버섯을 다른 것에 빗대어 설명하고 있다.

② 다양한 곰팡이의 예를 들어 설명하고 있다.

③ 버섯과 식물의 공통점을 비교하여 설명하고 있다.

④ 버섯의 종류를 기준에 따라 묶어서 설명하고 있다.

⑤ 버섯과 식물을 대조하여 버섯의 특징을 설명하고 있다.

4 이 글의 중심 내용이 잘 드러나도록 요약하여 빈칸에 알맞은 말을 쓰세요.

요약

> 버섯은 식물이 아니라 (   )의 한 종류이다. 버섯은 스스로 영양분을 만들지 못
> 하기 때문에 죽은 (   )에서 자라면서 영양분을 얻으며, 그 과정에서 흙을 기름지
> 게 만드는 (   )이다.

5 이 글에서 다루지 않은 내용은 무엇인가요?

세부
내용

① 버섯과 식물의 차이점

② 버섯의 몸을 구성하는 요소

③ 버섯이 영양분을 얻는 방법

④ 버섯이 분해자로 불리는 까닭

⑤ 버섯의 영양분이 몸에 좋은 까닭

6 이 글의 내용으로 맞는 것은 ○표, 틀린 것은 ×표를 하세요.

세부
내용

(1) 곰팡이는 버섯에 속하는 식물이다. ( )

(2) 버섯의 포자가 자라나면 어린 버섯이 된다. ( )

(3) 식물은 무엇을 먹지 않아도 자라날 수 있다. ( )

(4) 버섯은 흙을 기름지게 만들어 흙에서 영양분을 얻는다. ( )

7 이 글의 내용을 생각하며, 빈칸에 알맞은 말을 쓰세요.

글의
구조

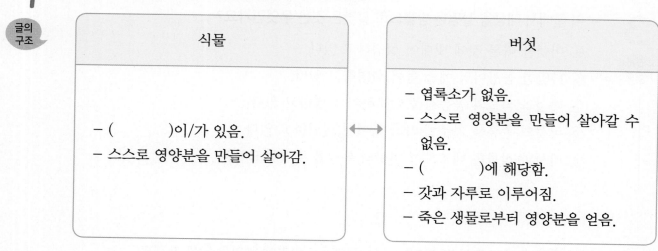

식물	버섯
– ( )이/가 있음. – 스스로 영양분을 만들어 살아감.	– 엽록소가 없음. – 스스로 영양분을 만들어 살아갈 수 없음. – ( )에 해당함. – 갓과 자루로 이루어짐. – 죽은 생물로부터 영양분을 얻음.

생각 글 쓰기

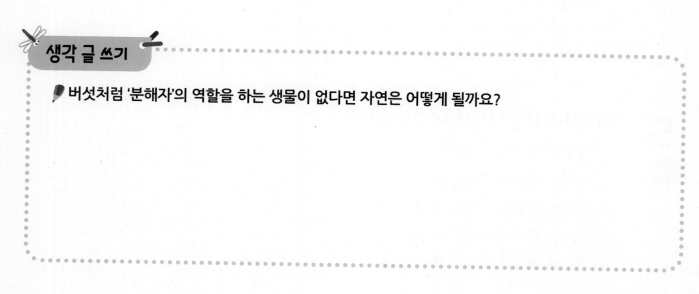

🖋 버섯처럼 '분해자'의 역할을 하는 생물이 없다면 자연은 어떻게 될까요?

 어휘·어법 다지기

01 다음 낱말에 알맞은 뜻을 찾아 선으로 이으세요.

(1) 기생 •

(2) 분해 •

(3) 성숙하다 •

• ㉠ 생물의 발육이 완전히 이루어지다.

• ㉡ 여러 부분이 결합되어 이루어진 것을 그 낱낱으로 나눔.

• ㉢ 서로 다른 종류의 생물이 함께 생활하며, 한쪽이 이익을 얻고 다른 쪽이 해를 입고 있는 일.

02 다음 문장에 알맞은 낱말을 보기 에서 찾아 쓰세요.

보기
분해   성숙   양분

(1) 기후가 따뜻해지면서 농작물의 (   )이/가 빨라지고 있다.

(2) 그는 동생의 컴퓨터를 (   )하여 고장 난 부분을 수리하였다.

(3) 어항 속의 (   )이/가 갑자기 증가하면 이끼가 많이 끼게 된다.

03 보기 를 읽고 다음 문장에 알맞은 낱말을 골라 ○표를 하세요.

보기
'되–'와 '돼'
– '되–' : '되다'의 어간
예 끝날 시간이 다 되다. / 선생님이 되다. / 배우가 되면 어떻겠니? / 봄이 되었다. / 걱정이 되다.
– '돼' : '되다'의 활용형 '되어'의 준말.
예 도서관에서 떠들면 안 돼. / 이런 방법으로 하면 돼요.

(1) 나는 가수가 (될 / 됄) 거야.

(2) 청소는 이렇게 하면 (되 / 돼).

(3) 내일 시간 (되는 / 돼는) 사람 있니?

매일 학습 평가   맞은 문제에 표시해 주세요.   맞은 개수

1 핵심어	2 세부 내용	3 전개 방식	4 요약	5 세부 내용	6 세부 내용	7 글의 구조	개
□	□	□	□	□	□	□	

스티커를 붙여 주세요

05회 29

여러분은 뮤지컬을 본 적이 있나요? 뮤지컬은 노래를 중심으로 무용과 연극이 더해진 현대적 음악극의 한 형식입니다. 20세기 초반에 영국과 미국에서 시작되었으며, 연극에서 발전한 장르입니다. 비교적 줄거리가 단순하고 배우가 노래하며 춤을 추기 때문에 연극보다 좀 더 ˙대중적이고 오락적인 공연입니다.

뮤지컬과 비슷한 음악극으로 오페라가 있습니다. 오페라는 16세기 말에 이탈리아에서 시작된 음악극으로, 문학, 연극, 미술, 무용 등의 요소가 합쳐진 종합 무대 예술입니다. 뮤지컬과 오페라의 가장 큰 공통점은 음악입니다. 연극에서 음악은 주로 배경의 분위기를 ˙조성하거나 효과음을 내는 데만 쓰이고, 전체적인 내용은 배우들의 대사를 통해 전달됩니다. 하지만 뮤지컬과 오페라는 배우가 노래를 통해서 관객에게 극의 내용과 감정을 전달하기 때문에 음악이 중심이 됩니다. 또한 화려한 분장과 의상, 조명과 무대 장치 등이 어우러진 종합 예술이라는 점도 공통점입니다.

뮤지컬과 오페라의 가장 큰 차이점은 대사의 전달 방법입니다. 오페라는 모든 대사를 노래로 대신하지만, 뮤지컬은 배우들이 노래를 부르기도 하고 연극처럼 대사로 전달하기도 합니다. 그리고 뮤지컬은 배우가 노래와 연기를 하면서 안무에 맞추어 춤을 추지만, 오페라는 무용수가 따로 있고 가수는 노래만 부릅니다. 즉 뮤지컬의 주연 배우는 노래를 할 뿐만 아니라 춤을 추는 사람이지만, 오페라의 가수는 성악가로서의 ˙기량을 중점적으로 발휘하는 사람입니다. 그리고 오페라는 ˙고전이나 문학 작품 속 내용을 주로 다루는 고전적이고 문학적인 장르인 반면, 뮤지컬은 오페라보다 전반적으로 소재와 형식 등이 더 현대적이고 대중적인 장르입니다.

뮤지컬의 노래는 넘버(Number)라고 불립니다. 뮤지컬은 제작 과정에서 특정 장면의 노래를 숫자로 정해 놓고 이후에 제목을 붙이기 때문입니다. 특히 뮤지컬의 시작 부분이나 ˙전환 장면 등에서 중요한 역할을 하는 넘버는 뮤지컬의 대표곡으로 사랑을 받습니다. 그중에서 뮤지컬의 주제가는 '아리아'라고 하는데 주로 극의 주요 장면에 주인공이 등장해서 부르는 독창 또는 이중창입니다. 아리아는 아름다운 ˙선율과 구성으로 작품의 주제를 다룹니다. 주인공은 이야기하듯이 노래를 부르다가 감정이 ˙고조되면 극의 주제를 드러내고 긴장감을 해소합니다.

연극은 대체로 관객들의 감상에 초점이 맞추어져 있습니다. 오페라도 공연자와 관객이 마주 보고 있지만 연극과 크게 다르지 않고, 관객은 조용하게 노래를 들으며 작품을 감상합니다. 하지만 뮤지컬은 배우들이 관객을 의식하면서 공연을 진행하고 때로는 관객의 참여를 ˙유도합니다. 특히 뮤지컬 공연이 끝나고 나면 관객의 박수와 ˙환호성에 맞추어 배우가 다시 무대로 등장하는데, 이를 커튼콜이라고 합니다. 배우들이 한 명씩 나와서 관객들의 환호에 답하는 의미에서 중요한 넘버나 아리아 등을 부르며 노래와 춤을 다시 보여 주는 것이지

요. 마지막으로 전체 배우들이 나와서 손을 맞잡고 관객들에게 인사하는 것으로 막을 내리면 공연은 끝이 납니다.

 낱말 뜻 풀이 ┄┄

- **대중적**: 수많은 사람의 무리를 중심으로 한 것.
- **조성**: 분위기나 정세 등을 만듦.
- **기량**: 사람의 재능과 도량을 아울러 이르는 말.
- **고전**: 오랫동안 많은 사람에게 널리 읽히고 모범이 될 만한 문학이나 예술 작품.

- **전환**: 다른 방향이나 상태로 바뀌거나 바꿈.
- **선율**: 소리의 높낮이가 길이나 리듬과 어울려 나타나는 음의 흐름.
- **고조**: 사상이나 감정, 세력 등이 한창 무르익거나 높아짐.
- **유도**: 사람이나 물건을 목적한 장소나 방향으로 이끎.
- **환호성**: 기뻐서 크게 부르짖는 소리.

---

1 이 글의 중심 글감은 무엇인가요?

 핵심어

2 이 글에서 설명한 뮤지컬의 특징이 <u>아닌</u> 것은 무엇인가요?

세부내용
① 뮤지컬은 20세기 초반에 영국과 미국에서 시작되었다.
② 뮤지컬은 분장과 의상, 조명과 무대 장치가 어우러진 예술이다.
③ 뮤지컬은 제작 과정에서 특정 장면의 노래를 숫자로 정해 놓는다.
④ 뮤지컬에서 음악은 배경의 분위기를 조성하는 효과음으로만 쓰인다.
⑤ 뮤지컬은 배우들이 공연을 진행할 때 관객의 참여를 유도하기도 한다.

3 뮤지컬의 주요 장면에 주인공이 등장해서 부르는 주제가를 무엇이라고 하나요?

 세부내용

4 이 글의 중심 내용이 잘 드러나도록 요약하여 빈칸에 알맞은 말을 쓰세요.

요약

┌───┐
│   뮤지컬은 노래를 중심으로 무용과 (   )이/가 더해진 현대적 음악극이다. 음악이 중심이 되는 종합 예술인 (   )와/과의 공통점과 차이점을 모두 가지고 있다. 차이점 중 하나는 뮤지컬이 전반적으로 소재와 형식이 더 (   )이고 대중적인 장르라는 점이다. │
└───┘

5 다음은 뮤지컬과 오페라의 특징을 비교한 것입니다. 빈칸에 알맞은 말을 쓰세요.

추론

특징	뮤지컬	오페라
대사 전달	노래, 대사	
성격		고전적, 문학적
배우의 역할	노래, 연기, 춤	

6 이 글의 구조를 생각하며, 빈칸에 알맞은 말을 쓰세요.

글의
구조

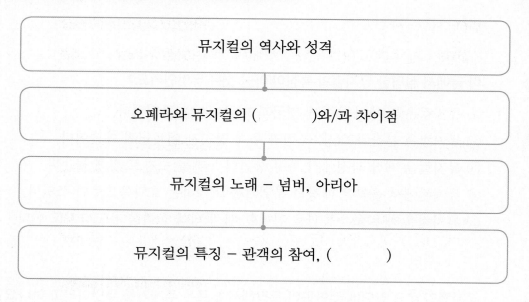

뮤지컬의 역사와 성격

오페라와 뮤지컬의 (   )와/과 차이점

뮤지컬의 노래 – 넘버, 아리아

뮤지컬의 특징 – 관객의 참여, (   )

생각 글 쓰기

🖊 현대에 오페라보다 뮤지컬이 더 대중적인 종합 예술이 된 까닭은 무엇일까요?

어휘·어법 다지기

01 다음 낱말에 알맞은 뜻을 찾아 선으로 이으세요.

(1) 기량 •

(2) 유도 •

(3) 전환 •

• ㉠ 다른 방향이나 상태로 바뀌거나 바꿈.

• ㉡ 사람의 재능과 도량을 아울러 이르는 말.

• ㉢ 사람이나 물건을 목적한 장소나 방향으로 이끎.

02 다음 문장에 알맞은 낱말을 보기 에서 찾아 쓰세요.

보기

고전   기량   전환   조성

(1) 어릴 때부터 동양과 서양의 (   )을 읽어야 한다.

(2) 봄이 되어 기분 (   )을 위해 집안 대청소를 계획하고 있다.

(3) 그는 결승전에서 예상 밖으로 뛰어난 (   )을 발휘하여 우승하였다.

(4) 구청 도서관에서는 주민들의 독서 분위기 (   )을 위해 노력하고 있다.

03 보기 를 읽고 다음 중 올바르지 않은 문장을 고르세요.

보기   '–든지'와 '–던지'

　　어느 것이 선택되어도 차이가 없는 둘 이상의 일을 나열할 때는 '–든지'를 쓰고, 뒤에 이어지는 문장의 내용에 대한 어렴풋한 추측이나 판단을 나타낼 때는 '–던지'를 써요.

① 무엇을 그리든지 잘만 그려라.

② 배든지 사과든지 마음대로 먹어라.

③ 어디에 살던지 고향을 잊지는 말아라.

④ 얼마나 춥던지 언 손이 펴지지 않았다.

⑤ 동생도 놀이가 재미있었던지 더 이상 엄마를 찾지 않았다.

매일 학습 평가	맞은 문제에 표시해 주세요.					맞은 개수	
1 핵심어 ☐	2 세부 내용 ☐	3 세부 내용 ☐	4 요약 ☐	5 추론 ☐	6 글의 구조 ☐	개	스티커를 붙여 주세요

어린이 여러분, "칭찬은 고래도 춤추게 한다."라는 말을 들어 본 적이 있나요? 이 말처럼 들을 때마다 항상 기분이 좋아지는 말이 칭찬이에요. 우리는 칭찬을 들으면 기분이 좋아질 뿐만 아니라 일을 더욱 잘하려고 노력하기도 해요. 이게 바로 칭찬의 힘이랍니다. 칭찬 한마디는 누군가에게 용기를 주고 자신을 긍정적으로 바라보게 해요. 또 올바른 °습관을 기르고 능력을 키우는 데도 도움이 돼요. 그리고 다른 사람의 긍정적인 모습을 칭찬하는 것은 그 사람과의 관계를 좋아지게 만들어요. 칭찬 한마디는 누군가의 인생을 변화시키는 결정적인 계기가 되기도 한답니다.

그러나 우리는 칭찬받기를 좋아하는 것에 비해 누군가를 칭찬하는 일에는 °인색한 편이에요. 또 칭찬을 한다고 하지만 칭찬이 힘을 °발휘하지 못하는 경우도 많아요. 그렇다면 어떻게 해야 칭찬이 힘을 발휘할 수 있을까요?

먼저, 분명하고 자세하게 칭찬해야 해요. 누군가를 칭찬할 때 두루뭉술하게 칭찬하지 말고 칭찬하는 내용이 무엇인지를 자세하게 말하는 것이 좋아요. "우와 멋지다!", "정말 대단해!"와 같이 칭찬하기보다는 "다른 사람을 생각해서 양보하는 모습이 정말 멋지구나!"와 같이 분명하고 자세하게 칭찬해야 해요. 그래야 상대가 무엇을 잘했는지 알고 칭찬을 받으려고 더 노력하게 된답니다.

둘째, ㉠결과보다 과정을 칭찬해야 해요. 누군가를 칭찬할 때 일의 결과가 아닌 과정을 칭찬하는 것이 좋아요. "100점이네. 정말 좋겠다."와 같이 칭찬하기보다 "그렇게 열심히 하니 좋은 결과가 나오는구나!"와 같이 칭찬하면 좋은 결과가 나오지 않았더라도 상대는 노력의 의미를 깨닫게 됩니다.

셋째, ㉡평가하지 말고 설명하는 칭찬을 해야 해요. 누군가를 칭찬할 때에는 평가하기보다 잘한 일이나 행동을 설명하듯이 칭찬하는 것이 좋아요. "넌 정말 착하구나!"와 같이 칭찬하면 착한 아이로 평가받으려고 억지스럽거나 °과장된 행동을 할 수도 있어요. 이렇게 칭찬하기보다 "잃어버린 물건을 찾아 주어 친구가 참 고마워하겠다!"와 같이 칭찬하면 상대가 행동의 가치를 이해한답니다.

마지막으로 ㉢가능성을 키워 주는 칭찬을 할 수 있으면 더욱 좋아요. 누군가를 칭찬할 때 지금의 능력보다 °잠재 능력을 보고 칭찬하는 것이지요. 현재 겉으로 드러난 결과는 °미약하고 부족해 보이더라도 앞으로의 가능성을 보고 "미술에 소질이 많은 것 같아. 앞으로 계속 노력한다면 훌륭한 화가가 될 수 있을 거야."와 같이 칭찬하면 상대가 자신의 재능을 발견하고 꿈을 °실현하는 데 큰 도움을 줄 수 있답니다.

또 어떻게 칭찬하면 좋을까요? 무엇보다 칭찬이 힘을 발휘할 수 있게 하려면 칭찬하는 말에 마음을 담아야 해요. 달콤한 칭찬의 말이지만 진실된 마음이 없으면 그것은 결코 힘을 발휘할 수 없어요. 진심 어린 칭찬이야말로 힘을 발휘할 수 있는 최고의 칭찬이라는 것을 잊지 마세요.

낱말 뜻 풀이

- **습관**: 어떤 행위를 오랫동안 되풀이하는 과정에서 저절로 익혀진 행동 방식.
- **인색한**: 재물을 아끼는 태도가 몹시 지나친.
- **발휘**: 재능, 능력 등을 떨치어 나타냄.
- **과장**: 사실보다 지나치게 불려서 나타냄.
- **잠재**: 겉으로 드러나지 않고 속에 잠겨 있거나 숨어 있음.
- **미약**: 미미하고 약함.
- **실현**: 꿈, 기대 등을 실제로 이룸.

1 주제

이 글의 주제로 가장 알맞은 것은 무엇인가요?

① 칭찬의 종류
② 칭찬하는 말과 글
③ 칭찬의 효과와 중요성
④ 칭찬할 때 필요한 언어 예절
⑤ 칭찬을 받을 수 있는 여러 가지 방법

2 세부 내용

이 글의 내용으로 알맞지 <u>않은</u> 것은 무엇인가요?

① 칭찬은 들을 때마다 기분이 좋아지는 말이다.
② 다른 사람의 부정적인 모습까지도 칭찬할 수 있어야 한다.
③ 칭찬은 듣는 사람에게 용기를 주고 긍정적으로 생각하게 한다.
④ 칭찬은 누군가의 인생을 변화시키는 결정적인 계기가 될 수도 있다.
⑤ 사람들은 칭찬을 듣는 것은 좋아하지만 칭찬을 하는 것에는 인색하다.

3 적용

이 글의 내용에 알맞게 현수를 칭찬한 사람은 누구인지 쓰세요.

> (우등상을 받은 현수에게)
> - 유빈: "와! 너무 기쁘겠다!"
> - 지아: "축하해! 성적이 가장 중요하지!"
> - 우주: "열심히 노력한 결과구나. 나도 너무 기뻐!"

4 다음은 ㉠~㉢ 중 어떤 방법으로 칭찬한 것인지 찾아 기호를 쓰세요.

추론

> (1) 너는 이야기를 참 재미있게 하는구나. 계속 소질을 키운다면 좋은 작가가 될 수 있을 거야.　　　　　　　　　　　　　　　　　　　　　　　　　　　　（　　　　）
>
> (2) 매일 꾸준히 달리기 연습을 하더니 좋은 결과를 얻었구나! 지난번보다 훨씬 기록이 좋아졌어.　　　　　　　　　　　　　　　　　　　　　　　　　　　（　　　　）
>
> (3) 엄마가 출장 가신 동안에 강아지도 돌보고 집안일을 스스로 해서 엄마가 정말 고마워하시겠다!　　　　　　　　　　　　　　　　　　　　　　　　　（　　　　）

5 이 글의 구조를 생각하며, 빈칸에 알맞은 말을 쓰세요.

글의
구조

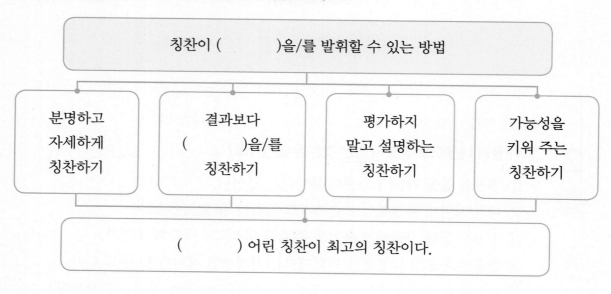

칭찬이 (　　　　)을/를 발휘할 수 있는 방법

| 분명하고 자세하게 칭찬하기 | 결과보다 (　　　　)을/를 칭찬하기 | 평가하지 말고 설명하는 칭찬하기 | 가능성을 키워 주는 칭찬하기 |

(　　　　) 어린 칭찬이 최고의 칭찬이다.

생각 글 쓰기

✐ 다른 사람을 칭찬하면 좋은 점을 쓰세요.

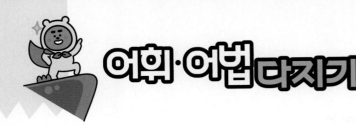

어휘·어법 다지기

01 다음 뜻에 알맞은 낱말을 찾아 선으로 이으세요.

(1) 재능, 능력 등을 떨치어 나타냄. •　　　　　　　• ㉠ 과장

(2) 사실보다 지나치게 불려서 나타냄. •　　　　　　　• ㉡ 발휘

(3) 재물을 아끼는 태도가 몹시 지나치다. •　　　　　• ㉢ 인색하다

(4) 겉으로 드러나지 않고 속에 잠겨 있거나 숨어 •　　　• ㉣ 잠재
　　 있음.

02 다음 문장에 알맞은 낱말을 보기 에서 찾아 쓰세요.

> **보기**
> 　　　　　　미약　　　발휘　　　인색　　　잠재

(1) 그의 노래에서 (　　　　　)된 가능성이 엿보였다.

(2) 영감은 씀씀이가 (　　　　　)하기로 소문이 난 사람이다.

(3) 어머님은 음식 솜씨를 최대한 (　　　　　)하여 생일상을 차리셨다.

(4) 방바닥을 만져 보니 방바닥에 남은 온기가 (　　　　　)하게 느껴졌다.

03 보기 를 읽고 다음 낱말을 정확하게 발음한 것을 고르세요.

> **보기**
> 　　'국화'를 읽어 보면 [구콰]로 소리가 나요. '국'의 받침 'ㄱ'과 '화'의 'ㅎ'이 합쳐져서 'ㅋ'으로 발음되는 것을 알 수 있어요. '옳지'는 어떨까요? '옳'의 받침 'ㅀ' 중 'ㅎ'과 '지'의 'ㅈ'이 합쳐져서 'ㅊ'이 되면서 [올치]로 소리가 납니다.
> 　　공통점이 무엇일까요? 낱말에서 받침 'ㄱ, ㄷ, ㅂ, ㅈ'이 'ㅎ'과 만나면 둘이 합쳐져서 'ㅋ, ㅌ, ㅍ, ㅊ'으로 발음되는 것을 알 수 있어요.

① 맞혀서[맞혀서]　　　② 받혀서[받여서]　　　③ 잡혀서[자혀서]

④ 젖히다[저치다]　　　⑤ 축하[추가]

매일 학습 평가	맞은 문제에 표시해 주세요.				맞은 개수	
1 주제 □	**2** 세부 내용 □	**3** 적용 □	**4** 추론 □	**5** 글의 구조 □	개	스티커를 붙여 주세요

봄은 고양이로다

꽃가루와 같이 °부드러운 고양이의 털에
㉠고운 봄의 향기가 °어리우도다.

㉡금방울과 같이 호동그란 고양이의 눈에
미친 봄의 불길이 흐르도다.

고요히 다물은 고양이의 입술에
°포근한 봄의 졸음이 떠돌아라.

날카롭게 쭉 뻗은 고양이의 수염에
푸른 봄의 °생기가 뛰놀아라.

– 이장희

낱말 뜻 풀이

- **부드러운**: 닿거나 스치는 느낌이 거칠거나 뻣뻣하지 아니한.
- **어리우도다**: 어떤 현상, 기운, 추억 등이 배어 있거나 은근히 드러나도다.
- **포근한**: 감정이나 분위기 등이 보드랍고 따뜻하여 편안한 느낌이 있는.
- **생기**: 싱싱하고 힘찬 기운.

1

소재

다음 중 이 시의 중심 글감으로만 짝지어진 것은 무엇인가요?

① 봄, 여름
② 봄, 향기
③ 봄, 고양이
④ 고양이, 꽃
⑤ 고양이, 수염

2 이 시에서 고양이의 부드러운 털을 무엇에 빗대었는지 쓰세요.

세부
내용

3 다음 중 ㉠과 같은 감각적 표현이 사용된 구절은 무엇인가요?

표현

① 샛노란 은행잎

② 짭조름한 미역

③ 차가운 눈송이

④ 향기로운 풀 냄새

⑤ 고요한 빗방울 소리

4 이 시에 대한 설명으로 알맞은 것은 무엇인가요?

표현

① 총 5연으로 이루어져 있다.

② 시를 읽는 사람에게 교훈을 주고 있다.

③ 사람이 아닌 것을 사람처럼 빗대어 표현했다.

④ 연마다 어떤 한 자리에 같은 글자가 나타난다.

⑤ 소리를 흉내 내는 말을 사용해서 실감나게 표현했다.

5 이 글을 읽고 난 후의 생각으로 알맞지 <u>않은</u> 것은 무엇인가요?

감상

① 글쓴이는 고양이와 봄이 비슷하다고 생각했구나.

② 새싹이 자라나는 봄을 '푸른 봄'이라고 표현했나 봐.

③ 첫째 연과 셋째 연을 읽으니 나른하고 포근한 느낌이 들어.

④ 둘째 연과 넷째 연에서는 봄의 생생하고 활기찬 기운이 느껴져.

⑤ '미친 봄의 불길'에는 고양이에 대한 부정적인 생각이 담겨 있어.

6 다음 중 ⓒ과 같은 표현 방법이 쓰인 문장의 기호를 쓰세요.

적용

⑦ 병아리 같은 내 동생
⑭ 자고 있던 꽃들이 나를 반겨요.
⑭ 냇물아 퍼져라 멀리멀리 퍼져라.

7 이 시의 구조를 생각하며, 빈칸에 알맞은 말을 쓰세요.

글의
구조

	고양이의 모습		봄의 특성		느낌
1연	고양이의 ( )	+	봄의 향기	=	부드러움
2연	고양이의 눈	+	봄의 ( )	=	생명력
3연	고양이의 ( )	+	봄의 졸음	=	나른함
4연	고양이의 수염	+	봄의 생기	=	생기 넘침

 생각 글 쓰기

🖊 고양이의 생김새에서 또 어떤 봄의 특성을 떠올릴 수 있는지 생각해서 쓰세요.

어휘·어법 다지기

01 다음 감각적 표현이 사용된 구절을 찾아 선으로 이으세요.

(1) 눈으로 보는 것처럼 표현한 것 •

(2) 귀로 들리는 것처럼 표현한 것 •

(3) 코로 냄새 맡는 것처럼 표현한 것 •

(4) 입으로 맛보는 것처럼 표현한 것 •

(5) 손으로 만지는 것처럼 표현한 것 •

• ㉠ 달콤한 딸기 맛

• ㉡ 보드라운 봄

• ㉢ 풀피리 소리

• ㉣ 하얀 손가락

• ㉤ 향긋한 냄새

02 다음 문장에 알맞은 말을 보기 에서 찾아 쓰세요.

> **보기**
>
> 부드러운   포근한

(1) (   ) 솜이불을 덮으니 잠이 솔솔 온다.

(2) (   ) 밀가루를 뭉쳐서 맛있는 빵을 만들었다.

03 보기 를 읽고 다음 문장에 알맞은 낱말을 골라 ○표를 하세요.

> **보기**
>
> **'금세'와 '금새'**
>
> "방금 전만 해도 여기에 있었는데 금새 사라졌네!"
>
> 위의 문장에서 잘못된 말은 무엇일까요? '금세'와 '금새'를 헷갈리는 경우가 많아요. 아래 낱말 풀이를 읽고 어떤 표현이 맞는지 생각해 보세요.
>
> – **금세**: 지금 바로. '금시에'가 줄어든 말로 일상적인 대화에서 많이 사용된다.
> – **금새**: 물건의 값. 또는 물건값의 비싸고 싼 정도.

(1) 요즈음 시장의 (금새 / 금세)가 많이 올랐다.

(2) 난로를 틀자 (금새 / 금세) 방 안이 따뜻해졌다.

매일 학습 평가 맞은 문제에 표시해 주세요.

1 소재	2 세부 내용	3 표현	4 표현	5 감상	6 적용	7 글의 구조	맞은 개수
☐	☐	☐	☐	☐	☐	☐	개

스티커를 붙여 두세요

08회 41

오늘도 또 우리 수탉이 막 쪼이었다. 내가 점심을 먹고 나무를 하러 갈 양으로 나올 때이었다. 산으로 올라서려니까 등 뒤에서 푸드덕푸드덕하고 닭의 ˙홰소리가 야단이다. 깜짝 놀라서 고개를 돌려 보니 아니나 다르랴, 두 놈이 또 얼리었다.

점순네 수탉(은 대강이가 크고 똑 오소리같이 실팍하게 생긴 놈)이 덩저리 작은 우리 수탉을 함부로 해내는 것이다. 그것도 그냥 해내는 것이 아니라 푸드덕하고 ˙면두를 쪼고 물러섰다가 좀 사이를 두고 푸드덕하고 모가지를 쪼았다. 이렇게 멋을 부려 가며 여지없이 닦아 놓는다. 그러면 이 못생긴 것은 쪼일 적마다 주둥이로 땅을 받으며 그 비명이 킥, 킥 할 뿐이다. 물론 미처 아물지도 않은 면두를 또 쪼이어 붉은 선혈은 뚝뚝 떨어진다.

이걸 가만히 내려다보자니 내 대강이가 터져서 피가 흐르는 것같이 두 눈에서 불이 번쩍 난다. 대뜸 지게막대기를 메고 달려들어 점순네 닭을 ˙후려칠까 하다가 생각을 고쳐먹고 헛매질로 떼어만 놓았다.

이번에도 점순이가 쌈을 붙여 났을 것이다. 바짝바짝 내 기를 올리느라고 그랬음에 틀림없을 것이다. 고놈의 계집애가 요새로 들어서서 왜 나를 못 먹겠다고 고렇게 아르릉거리는지 모른다.

나흘 전 감자 쪼간만 하더라도 나는 저에게 조금도 잘못한 것은 없다.

계집애가 나물을 캐러 가면 갔지 남 울타리 엮는데 ˙쌩이질을 하는 것은 다 뭐냐. 그것도 발소리를 죽여 가지고 등 뒤로 살며시 와서,

"애! 너 혼자만 일하니?"

하고 긴치 않는 수작을 하는 것이다.

어제까지도 저와 나는 이야기도 잘 않고 서로 만나도 본척만척하고 이렇게 점잖게 지내던 터이련만 오늘로 갑작스레 대견해졌음은 웬일인가. 항차 망아지만 한 계집애가 남 일하는 놈 보구……

"그럼 혼자 하지 떼루 하디?"

내가 이렇게 내배앝는 소리를 하니까

"너 일하기 좋니?" / 또는

"한여름이나 되거든 하지 벌써 울타리를 하니?"

잔소리를 두루 늘어놓다가 남이 들을까 봐 손으로 입을 틀어막고는 그 속에서 깔깔댄다. 별로 우스울 것도 없는데 날씨가 풀리더니 이놈의 계집애가 미쳤나 하고 의심하였다. 게다가 조금 뒤에는 제 집께를 할금할금 돌아다보더니 행주치마의 속으로 꼈던 바른손을 뽑아서 나의 턱 밑으로 불쑥 내미는 것이다. 언제 구웠는지 아직도 더운 김이 홱 끼치는 굵은 감자 세 개가 손에 ˙뿌듯이 쥐였다.

"느 집엔 이거 없지?"

하고 생색 있는 큰소리를 하고는 제가 준 것을 남이 알면 큰일 날 테니 여기서 얼른 먹어 버리란다. 그리고 또 하는 소리가

"너 봄 감자가 맛있단다."

"난 감자 안 먹는다. 니나 먹어라."

나는 고개도 돌리지 않고 일하던 손으로 그 감자를 도로 어깨 너머로 쑥 밀어 버렸다.

그랬더니 그래도 가는 기색이 없고, 뿐만 아니라 쌔근쌔근하고 심상치 않게 숨소리가 점점 거칠어진다. 이건 또 뭐야 싶어서 그때에야 비로소 돌아다보니 나는 참으로 놀랐다. 우리가 이 동네에 들어온 것은 근 삼 년째 되어 오지만 여태껏 가무잡잡한 점순이의 얼굴이 이렇게까지 홍당무처럼 새빨개진 법이 없었다. 게다가 ㉠눈에 독을 올리고 한참 나를 요렇게 쏘아보더니 나중에는 눈물까지 어리는 것이 아니냐. 그리고 바구니를 다시 집어 들더니 이를 꼭 악물고는 엎더질 듯 자빠질 듯 논둑으로 횡허케 달아나는 것이다.

– 김유정, 「동백꽃」

낱말 뜻 풀이

● **횃소리**: 닭이 날개를 벌려 올라앉은 나무 막대를 탁탁 치는 소리.
● **면두**: '볏'의 방언.
● **후려칠까**: 주먹이나 채찍 등을 휘둘러 힘껏 갈길까.

● **쌩이질**: 한창 바쁠 때에 쓸데없는 일로 남을 귀찮게 구는 짓.
● **뿌듯이**: 집어넣거나 채우는 것이 한도보다 조금 더하여 불룩하게.
● **횡허케**: '횡하니'를 예스럽게 이르는 말.

---

1 이 글의 '나'에 대한 설명으로 알맞은 것은 무엇인가요?

전개
방식

① 작품 바깥에서 주인공을 관찰하고 있다.

② 자신이 겪은 일에 대해 이야기하고 있다.

③ 점순이의 마음속 생각을 잘 이해하고 있다.

④ 다른 사람에게 들었던 이야기를 전달하고 있다.

⑤ 신처럼 사건과 인물에 대한 모든 것을 알고 있다.

2 이 글의 내용으로 알맞지 않은 것은 무엇인가요?

세부
내용

① 점순이는 요즘 들어 '나'를 괴롭히고 있다.

② '나'는 일을 하는데 말을 거는 점순이를 귀찮아했다.

③ 점순이는 '나'가 일하는 것을 도와주기 위해 다가왔었다.

④ '나'는 자신의 수탉이 괴롭힘당하는 것을 속상해하고 있다.

⑤ '나'는 나무를 하러 가는 길에 닭싸움이 일어난 것을 보았다.

3 점순이가 닭싸움을 붙인 까닭이 무엇인지 쓰세요.

추론

'나'와 친해지고 싶은 점순이가 ( )을/를 엮던 '나'에게 다가와 몰래 가져온 ( )을/를 건넸는데, '나'가 이것을 받지 않았기 때문이다.

4 ㉠에서 점순이의 마음으로 알맞지 <u>않은</u> 것은 무엇인가요?

감상

① 분함
② 무안함
③ 불안함
④ 속상함
⑤ 창피함

5 보기의 ㉮~㉰를 일이 일어난 순서에 따라 차례대로 쓰세요.

글의 구조

보기
㉮ 점순이가 울며 논둑으로 달아남.
㉯ '나'가 일을 하는데 점순이가 관심을 보임.
㉰ 점순이가 자신의 집 수탉과 '나'의 집 수탉끼리 싸움을 붙임.
㉱ 점순이가 '나'에게 구운 감자를 건네지만, '나'가 이를 거절함.

( ) → ( ) → ( ) → ( )

생각 글 쓰기

'나'가 점순이의 감자를 받지 않은 까닭은 무엇일까요?

01 다음 낱말에 알맞은 뜻을 찾아 선으로 이으세요.

(1) 쌩이질   •

(2) 후려치다   •

(3) 휭허케   •

• ㉠ '휭하니'를 예스럽게 이르는 말.

• ㉡ 주먹이나 채찍 등을 휘둘러 힘껏 갈기다.

• ㉢ 한창 바쁠 때에 쓸데없는 일로 남을 귀찮게 구는 짓.

02 다음 문장에 알맞은 낱말을 보기 에서 고르세요.

보기

뿌듯이   쌩이질   후려쳤다

(1) 영화 속에서 주인공이 악당을 (   ).

(2) 작년에 키가 많이 자라 옷이 (   ) 맞는다.

(3) 밭일하는데 (   )을/를 한다고 할머니가 나를 야단치셨다.

03 보기 를 읽고 다음 문장에 알맞은 낱말을 골라 ○표를 하세요.

보기   '결재'와 '결제'

– **결재(決裁)**: 결정할 권한이 있는 상관이 부하가 제출한 안건을 검토하여 허가하거나 승인함.
예 결재 서류 / 결재가 나다. / 결재를 받다.

– **결제(決濟)**: ① 일을 처리하여 끝을 냄. ② 증권 또는 대금을 주고받아 매매 당사자 사이의 거래 관계를 끝맺는 일.
예 결제 자금 / 어음의 결제

(1) 현금이 없어서 신용 카드로 (결재 / 결제)하였다.

(2) 부장님께 기획안을 내고 (결재 / 결제)를 받았다.

매일 학습 평가	맞은 문제에 표시해 주세요.				맞은 개수	스티커를 붙여 두세요
1 전개 방식 ☐	2 세부 내용 ☐	3 추론 ☐	4 감상 ☐	5 글의 구조 ☐	개	

큰 강에서 작은 나룻배로 사람들을 태워다 주며 하루하루 살아가는 뱃사공이 있었습니다. 건너편에 있는 도시로 들어가려면 누구나 강을 건너야 했기에 날마다 많은 사람이 배에 오르곤 했습니다.

하루는 양손에 커다란 가방을 든 학자가 배에 올랐습니다. 뱃사공은 얼른 달려가 가방을 대신 들어 주었습니다. 그러고는 학자를 편안한 자리에 앉게 한 뒤 °노를 젓기 시작했습니다. 학자는 가방을 열어 책을 한 권 꺼내 들고 읽기 시작했습니다. 가방에는 책이 가득 들어 있었습니다.

"학자이신 모양이군요. 그 많은 책을 다 읽으셨습니까?"

뱃사공이 물었습니다.

"벌써 몇 번이나 읽은 책들이오. 인생의 지혜가 가득 담긴 책들이라 읽을 때마다 새로운 깨달음을 얻을 수 있다오. 한데 뱃사공 양반은 책을 읽을 줄 아시오?"

뱃사공은 고개를 저었습니다.

"책은커녕 학교 °문턱에도 가 본 적이 없습니다. 할 줄 아는 것이라곤 그저 노를 저어 배를 움직이는 일밖에 없지요."

"그럼 °여태 책 한 권조차 읽은 적이 없단 말이오?"

"저 같은 뱃사공이 책은 읽어서 뭐합니까?"

"허, ㉠책을 한 권도 안 읽었다니……. 인생의 절반을 잃은 거나 다름없구려."

"예? 그게 무슨 뜻입니까?"

학자는 뱃사공이 무식해서 말이 안 통한다고 생각하고, 고개를 돌려 다시 책을 읽기 시작했습니다. 뱃사공은 학자의 태도에 기분이 상할 법도 했지만 °묵묵히 노만 저었습니다.

배가 강 한가운데쯤 이르렀을 때였습니다. 갑자기 바람이 세차게 불어오는가 싶더니 물결이 크게 일었습니다. 뱃사공은 파도를 피해 힘껏 노를 저었습니다. 하지만 배는 거센 물결에 휩쓸려 그만 뒤집히고 말았습니다. 그 바람에 뱃사공과 학자는 순식간에 물에 풍덩 빠져 허우적거렸습니다.

"살려 주시오, 제발 살려 주시오!"

학자는 점점 물속으로 가라앉고 있었습니다. 뱃사공은 학자를 향해 열심히 헤엄을 쳤지만 물살이 워낙 거센 탓에 좀처럼 거리가 좁혀지지 않았습니다.

"헤엄을 쳐요! 팔다리를 움직여서 헤엄을 치란 말이에요!"

뱃사공이 소리쳤습니다.

"나, 난 헤엄을 못 친단 말이오!"

학자의 말에 뱃사공은 깜짝 놀라 이렇게 외쳤습니다.

"그럼 여태 헤엄치는 법을 못 배웠단 말입니까?"

"모, 못 배웠소."

그러자 뱃사공이 학자에게 말했습니다.

ⓒ"그렇다면 선생께서는 인생의 전부를 잃어버린 셈이군요."

뱃사공의 말에 학자는 아무 대답도 못 하고 그저 물속으로 꼬르륵 잠겨 들었습니다.

잠시 후 뱃사공은 가까스로 학자에게 다가갔습니다. 그리고 학자가 정말로 인생의 전부를 잃어버리지 않게끔 있는 힘껏 그를 끌어 올렸습니다.

― 김진락, 「학자와 뱃사공」

낱말 뜻 풀이

- **노:** 물을 헤쳐 배를 나아가게 하는 기구.
- **문턱:** 문짝의 밑이 닿는 문지방의 윗부분.
- **여태:** 지금까지. 또는 아직까지.
- **묵묵히:** 말없이 잠잠하게.

1 이 글의 내용으로 알맞지 **않은** 것은 무엇인가요?

세부
내용

① 뱃사공은 학자에게 책을 많이 읽었다고 말하였다.

② 뱃사공은 책을 읽은 적은 없지만 헤엄은 무척 잘 쳤다.

③ 뱃사공은 강에서 나룻배로 사람들을 태워다 주며 살았다.

④ 학자는 책을 읽는 일이 인생에서 매우 중요하다고 생각하였다.

⑤ 뱃사공과 학자는 거센 물결에 휩쓸려 둘 다 물에 빠지게 되었다.

2 뱃사공과 학자에 대한 설명으로 거리가 **먼** 것은 무엇인가요?

인물

① 뱃사공은 자신이 맡은 일에 충실한 사람일 것이다.

② 뱃사공은 학자의 태도에 기분이 상해 일부러 말을 하지 않았다.

③ 학자는 자신이 책을 많이 읽어서 뱃사공보다 뛰어나다고 여겼다.

④ 학자는 자신의 관점에서만 생각하고 뱃사공의 일을 존중하지 않았다.

⑤ 학자는 물에 빠진 뒤에야 자신이 뱃사공을 무시한 일을 후회했을 것이다.

3 이 글의 학자와 비슷한 태도를 가진 사람은 누구인지 기호를 <u>모두</u> 쓰세요.

적용

㉮ 자신과 의견이 다르다고 욕하거나 무시하는 사람

㉯ 친구와 시간 약속을 지키지 못하고 항상 늦는 사람

㉰ 나이 많은 식당 종업원에게 함부로 반말을 하는 사람

㉱ 남들이 사는 비싼 물건은 빚을 내서라도 꼭 사야 하는 사람

4 보기 는 ㉠에 대한 의견입니다. 빈칸에 들어갈 말로 알맞지 <u>않은</u> 것은 무엇인가요?

추론

보기

학자는 겸손과 양심을 갖추어야 합니다. 시간이 흐르면 모든 것이 변하는 세상에서 진정으로 지식을 추구하는 태도는 자신이 모른다는 것을 아는 태도입니다. 언제나 겸손한 자세로 배우는 것이 학자의 참된 도리입니다. 그런 점에서 ㉠과 같이 말한 학자는 진정한 (   )를 보이지 못한 셈입니다.

① 겸손의 태도   ② 배움의 태도   ③ 승리의 태도

④ 학자의 도리   ⑤ 학자의 태도

5 이 글을 읽고 느낀 점으로 알맞은 말을 빈칸에 쓰세요.

감상

학자는 뱃사공이 책을 읽지 못한다는 것을 알고 그에게 (   )을/를 잃은 것이나 다름없다고 말하며 그를 무시하였습니다. 그러나 막상 물에 빠졌을 때에는 뱃사공에게 의지하여 목숨을 건졌습니다.

이 글의 학자처럼 상대의 가치를 인정하지 않거나 무시하는 사람들이 있습니다. 자기의 생각과 자기가 하는 일만 가치 있다고 여기기 때문입니다. 하지만 다른 사람을 (   )하지 않으면 자신도 존중받을 수 없습니다.

생각 글 쓰기

✎ 학자의 행동을 보았을 때, 뱃사공이 이야기한 ㉡의 뜻은 무엇인가요?

어휘·어법 다지기

01 다음 낱말에 알맞은 뜻을 찾아 선으로 이으세요.

(1) 묵묵히 •

(2) 문턱 •

(3) 여태 •

• ㉠ 말없이 잠잠하게.

• ㉡ 지금까지. 또는 아직까지.

• ㉢ 문짝의 밑이 닿는 문지방의 윗부분.

02 다음 밑줄 친 부분의 뜻으로 알맞은 것을 보기 에서 골라 기호를 쓰세요.

> **보기**
> ㉠ 접근하기 어렵게 만들다.
> ㉡ 어떤 곳에 매우 쉽게 잘 드나들다.
> ㉢ 쉽고 편하게 접할 수 있게 만들다.

(1) 형은 학원 앞의 편의점을 제집 문턱 드나들듯 하였다. ( )

(2) 피해자들이 다가가기 어려워하는 상담소의 문턱을 낮추어야 한다. ( )

(3) 여러 국가들은 불법적인 난민의 출입을 막기 위해 문턱을 높이고 있다. ( )

03 보기 의 ㉮와 같은 현상이 나타나는 낱말을 모두 고르세요.

> **보기**
> '바느질'은 어떤 뜻이죠? '바늘'에 실을 꿰어 옷을 짓거나 꿰매는 일을 '바느질'이라고 합니다. 이때 '바늘'과 '그 도구를 가지고 하는 일'이라는 뜻을 가진 '질'이 만나 '바느질'이 되면서, '바늘'의 받침 'ㄹ'이 없어진 것을 알 수 있어요.
> **바늘 + 질 → 바느질**
> 어떤 낱말에서 ㉮받침 'ㄹ'이 없어지는 현상이 나타나는지 알아볼까요?

① 맨입 ② 술잔 ③ 가위질

④ 소나무 ⑤ 아드님

매일 학습 평가	맞은 문제에 표시해 주세요.				맞은 개수	스티커를 붙여 두세요
1 세부 내용 ☐	2 인물 ☐	3 적용 ☐	4 추론 ☐	5 감상 ☐	개	

2단계

이해력을 키우는 **재미있는 독해**

❀ 자신의 학습 능력과 상황에 따라 꾸준하게 공부하는 것이 가장 중요합니다.
❀ 학습 계획을 먼저 세우고, 스스로 지킬 수 있도록 노력해 보세요.

				학습할 날짜
11회	세계의 탑	설명문	사회	☐월 ☐일
12회	저작물의 올바른 이용 방법	논설문	사회	☐월 ☐일
13회	운필과 서체의 개념과 궁체의 특징	설명문	예술	☐월 ☐일
14회	어린이 보행 안전	논설문	사회	☐월 ☐일
15회	뇌 성장을 돕는 622 법칙 식단	설명문	과학	☐월 ☐일
16회	원자력 에너지 이용 문제	논설문	사회	☐월 ☐일
17회	인구 증가의 문제점	설명문	사회	☐월 ☐일
18회	(가) 반딧불 (나) 꽃	문학	동시	☐월 ☐일
19회	레 미제라블	문학	소설	☐월 ☐일
20회	심청전	문학	고전	☐월 ☐일

탑은 여러 층으로 짓거나 높고 뾰족하게 세운 건축물을 가리킵니다. 사람들은 다양한 목적으로 탑을 세웁니다. 교회의 종탑이나 피라미드처럼 종교 목적으로 탑을 만들기도 하고, 감시탑이나 방어탑처럼 군사 목적으로 탑을 만들기도 합니다. 뿐만 아니라 사람들은 무엇인가를 기념하기 위해 탑을 짓습니다. 이처럼 여러 가지 목적으로 만들어진 세계 여러 도시의 유명한 탑을 알아봅시다.

이탈리아 토스카나주에는 피사의 사탑이 있습니다. 피사의 사탑은 피사 대성당에 °딸린 종탑으로, 종교 목적으로 만들어졌습니다. 흰 대리석으로 만든 이 탑은 원통형 모양이고, 높이는 55미터입니다. 피사의 사탑은 땅의 한 부분이 다른 부분에 비해 너무 무른 °지반 위에 세워진 탓에 완성되기도 전에 조금씩 한쪽으로 기울기 시작했습니다. 탑이 너무 기울어져서 무너질 위기에 놓이자 이탈리아 정부는 1990년부터 11년간 °보수 공사를 했습니다. 하지만 피사의 사탑은 여전히 기울어져 있습니다. 그 아슬아슬한 모습은 눈길을 많이 끕니다.

프랑스 파리에는 에펠 탑이 있습니다. 에펠 탑은 프랑스의 건축가 구스타브 에펠이 지은 탑으로, 1889년에 프랑스 혁명 100주년을 기념하여 세워졌습니다. 324미터에 달하는 에펠 탑은 건축될 당시 세계에서 가장 높은 건축물이었습니다. 에펠 탑이 처음 만들어졌을 때 프랑스의 예술가와 지식인들은 이 고철 탑이 파리의 경치를 해친다며 아주 싫어했습니다. 하지만 시간이 지날수록 에펠 탑을 싫어하는 사람보다 좋아하는 사람이 더 많아졌습니다. 에펠 탑은 이제 해마다 세계 여러 나라에서 수백만 명의 관광객이 찾을 만큼 유명합니다. 또한 파리뿐만 아니라 프랑스 전체를 °상징하는 건축물이 되었습니다.

중국 상하이에는 높이가 468미터인 동방명주 탑이 있습니다. 이 탑은 1994년에 방송을 °송신하려고 세웠습니다. 방송을 송신하기 위해 세운 탑을 전파탑이라고 하는데, 동방명주 탑은 세계에서 다섯 번째로 높은 전파탑입니다. 관광객들은 이 높은 탑 안에 놓인 전망대에서 상하이 시내를 감상합니다. 동방명주 탑은 독특한 생김새를 하고 있습니다. 높은 기둥을 중심축으로 하여 구슬 세 개를 꿰어 놓은 것 같은 생김새 때문에 사람들은 이 탑을 '동양의 진주'라고 부릅니다.

낱말 뜻 풀이

- **딸린:** 어떤 것에 매이거나 붙어 있는.
- **지반:** 땅의 표면.
- **보수:** 건물이나 시설 등의 낡거나 부서진 것을 손보아 고침.
- **상징:** 추상적인 개념이나 사물을 구체적인 사물로 나타냄.
- **송신:** 주로 전기적 수단을 이용하여 전신이나 전화, 라디오, 텔레비전 방송 등의 신호를 보냄. 또는 그런 일.

1 이 글의 내용으로 알맞지 <u>않은</u> 것은 무엇인가요?

세부
내용

① 동방명주 탑은 '동양의 진주'로 불린다.

② 피사의 사탑은 이탈리아 토스카나주에 있다.

③ 에펠 탑이 동방명주 탑보다 더 먼저 세워졌다.

④ 글에 소개된 세 탑 중 가장 높은 탑은 동방명주 탑이다.

⑤ 프랑스 예술가와 지식인들은 에펠 탑이 세워지는 것을 반겼다.

11
회

▶ 정답과 해설 14쪽

2 이 글을 읽고 알 수 <u>없는</u> 것은 무엇인가요?

세부
내용

① 에펠 탑의 높이

② 동방명주 탑의 높이

③ 에펠 탑이 세워진 시기

④ 피사의 사탑이 있는 위치

⑤ 피사의 사탑이 세워진 시기

3 피사의 사탑과 비슷한 목적으로 세워진 탑은 무엇인가요?

추론

① 파리 노트르담 대성당의 종탑

② 서울 전경을 볼 수 있는 남산 서울 타워

③ 디지털 방송을 송신하는 도쿄 스카이트리

④ 도시의 거리를 지키기 위해 만들어진 프라하 화약탑

⑤ 전투에서 넬슨이 세운 공을 기리는 런던 넬슨 기념탑

4 전파탑을 세우는 목적은 무엇인가요?

세부
내용

(   )을/를 (   )하기 위해서이다.

5 다음 중 여행 계획을 잘못 세운 사람은 누구인지 쓰세요.

적용

> • 다빈: 한쪽으로 기울어진 에펠 탑 앞에서 사진을 찍을 거야.
> • 은우: 피사의 사탑을 다 구경한 다음엔 피사 대성당도 둘러봐야겠어.
> • 성수: 동방명주 탑 안에 있는 전망대에서 상하이 시내를 관람해야겠어.

6 이 글의 구조를 생각하며, 빈칸에 알맞은 말을 쓰세요.

글의
구조

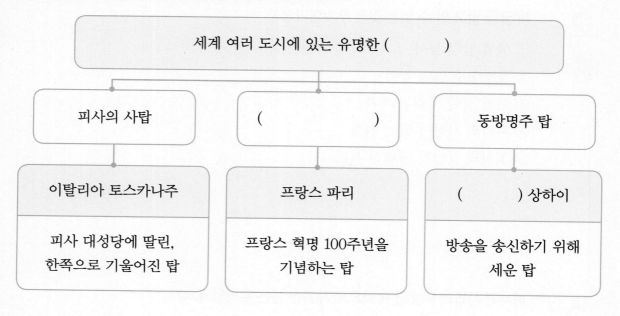

세계 여러 도시에 있는 유명한 (   )

피사의 사탑	( )	동방명주 탑
이탈리아 토스카나주	프랑스 파리	( ) 상하이
피사 대성당에 딸린, 한쪽으로 기울어진 탑	프랑스 혁명 100주년을 기념하는 탑	방송을 송신하기 위해 세운 탑

생각 글 쓰기

동방명주 탑에 '동양의 진주'라는 별명이 붙은 까닭은 무엇일까요?

어휘·어법 다지기

01 다음 뜻에 알맞은 낱말을 찾아 선으로 이으세요.

(1) 땅의 표면. •　　　　　　　　　　　• ㉠ 딸리다

(2) 어떤 것에 매이거나 붙어 있다. •　　　　　　　　　• ㉡ 보수

(3) 건물이나 시설 등의 낡거나 부서진 것을 손보 •　　　　　• ㉢ 지반
아 고침.

02 다음 문장에 알맞은 낱말을 보기에서 찾아 쓰세요.

보기　　　　　　　　딸려　　　　보수　　　　송신　　　　지반

(1) 정희네 집에는 넓은 마당이 (　　　　　) 있다.

(2) 교실 천장에서 비가 새서 (　　　　　)하기로 했다.

(3) 비가 많이 내리면 (　　　　　)이/가 약해져서 산사태가 날 수 있다.

(4) 달에 착륙한 탐사기가 달에서 찍은 사진을 지구로 (　　　　　)하였다.

03 보기를 읽고 다음 문장에서 잘못된 표현을 찾아 바르게 고쳐 쓰세요.

보기　'삼가다'와 '삼가하다'
　– 삼가다: ① 몸가짐이나 언행을 조심하다. 예 말을 삼가다.
　　　　　　② 꺼리는 마음으로 양(量)이나 횟수가 지나치지 아니하도록 하다.
　　　　　　　예 출입을 삼가다.
　– 삼가하다: '삼가다'의 잘못.

• 이곳은 학교 앞입니다. 학생들을 위해 흡연을 삼가해 주세요.

(1) 틀린 표현: ＿＿＿＿＿＿＿　　　(2) 올바른 표현: ＿＿＿＿＿＿＿

사람의 생각이나 감정을 표현한 결과물을 저작물이라고 합니다. 저작물에는 소설, 시, 음악, 춤, 그림, 건축물, 사진, 영화 등이 포함됩니다. 이러한 작품들을 창작하려면 많은 노력이 필요합니다. 그런데 만약 힘들게 만든 저작물을 다른 사람이 함부로 쓰거나 자신이 만든 것이라고 속이면 어떻게 될까요? 저작물을 만든 사람은 더 이상 새로운 작품을 만들고 싶지 않을 것입니다. 이러한 일을 막기 위해 저작자를 보호하는 저작권이 생겼습니다. 저작권은 저작자가 자신의 저작물에 *행사하는 권리를 말합니다. 저작권을 보호하면 저작자는 더욱 힘을 내어 좋은 작품을 만들 수 있고, 우리는 저작자의 작품을 누릴 수 있습니다. 저작권을 보호할 수 있는 저작물의 올바른 이용 방법이 무엇인지 알아봅시다.

먼저 정품을 구입해서 이용해야 합니다. 우리가 일상생활에서 접하는 음악, 영화, 컴퓨터 게임 등은 대부분 저작권이 있습니다. 그래서 그것들을 이용하려면 대가를 *지불해야 합니다. 하지만 어떤 사람들은 저작권료를 지불하지 않으려고 저작물을 무단으로 *도용한 복제품을 만듭니다. 이러한 복제품을 이용하면 저작자에게 저작권료가 돌아가지 않습니다. 복제품을 이용하는 행동은 저작자와 정당하게 저작권료를 내고 저작물을 이용하는 사람에게 피해를 주는 행동입니다. 그러므로 저작권을 보호하려면 정당한 대가를 치르고 정품을 구입해서 이용해야 합니다.

다음으로 저작권자에게 허락을 받고 저작물을 이용해야 합니다. 저작권료를 내는 것으로 저작권자에게 허락받는 일을 대신하는 경우도 있지만 저작물을 이용하기 전에 반드시 저작권자의 허락을 받아야 하는 경우도 있습니다. 예를 들어 정품 음악 CD나 영화 DVD를 사서 혼자 이용할 때는 저작권자의 허락을 따로 받을 필요가 없습니다. 하지만 그것을 다시 여러 사람과 함께 이용하려고 한다면 반드시 저작권자의 허락을 받아야 합니다.

마지막으로 저작권자의 허락 없이 저작물을 이용할 경우 저작자와 *출처를 표시해야 합니다. 다른 사람의 저작물을 이용할 때는 원칙적으로 저작권자의 허락을 받아야 하지만, 허락 없이 이용할 수 있는 저작물도 있습니다. 이럴 때는 저작자, 출처 등을 반드시 표시하고 이용해야 합니다. 예를 들어 국어 숙제로 어떤 시를 소개하는 글을 쓰려고 한다면 그 시를 쓴 사람의 이름과 시의 제목, 시가 들어 있는 시집의 이름 등을 꼭 밝혀야 합니다.

낱말 뜻 풀이

- **행사**: 부려서 씀.
- **지불**: 돈을 내어 줌. 또는 값을 치름.
- **도용**: 남의 물건이나 명의를 몰래 씀.
- **출처**: 사물이나 말 등이 생기거나 나온 근거.

1 저작권은 무엇인가요?

핵심어

저작자가 자신의 (   )에 행사하는 권리

2 이 글의 내용으로 알맞지 않은 것은 무엇인가요?

세부
내용

① 음악, 영화, 컴퓨터 게임 등은 대부분 저작권이 있다.
② 저작물은 사람의 생각이나 감정을 표현한 결과물이다.
③ 복제품을 이용하면 저작자에게는 저작권료가 돌아가지 않는다.
④ 허락 없이 저작물을 이용할 경우 저작자와 출처를 표시해야 한다.
⑤ 정품을 구입하면 저작권자의 허락 없이 여러 사람과 저작물을 쓸 수 있다.

12
회

▶정답과 해설 15쪽

3 정품을 구입해서 이용해야 하는 까닭은 무엇인가요?

추론

① 복제품을 구하기가 더 어렵기 때문이다.
② 정품과 복제품에 큰 차이가 없기 때문이다.
③ 복제품이 정품보다 더 잘 고장 나기 때문이다.
④ 정품과 복제품의 내용이 서로 다르기 때문이다.
⑤ 복제품을 이용하면 저작자에게 피해가 가기 때문이다.

4 글쓴이의 주장에 맞게 빈칸에 알맞은 말을 쓰세요.

주제

저작물을 올바르게 (   )해서 저작권을 (   )하자.

5 다음 중 저작물을 올바르게 이용한 사람은 누구인지 쓰세요.

적용

• 수민: 인터넷에서 복제된 영화 파일을 내려받는 대신 정품 DVD를 샀다.
• 희영: 짝꿍이 쓴 글이 근사해서 똑같이 베껴 쓴 다음 친구에게 보여 주었다.
• 다희: 누리집에 있는 바다 사진이 멋있어서 내려받기를 하여 컴퓨터에 저장하였다.

6 다음 중 저작물이 <u>아닌</u> 것은 무엇인가요?

적용

① 미술관에 전시된 조각들

② 조선 시대 사람이 지은 시

③ 아침에 새들이 지저귀는 소리

④ 학급 문고에 실린 친구의 일기

⑤ 눈에 강아지 발자국이 찍힌 것을 담은 사진

7 이 글의 구조를 생각하며, 빈칸에 알맞은 말을 쓰세요.

글의
구조

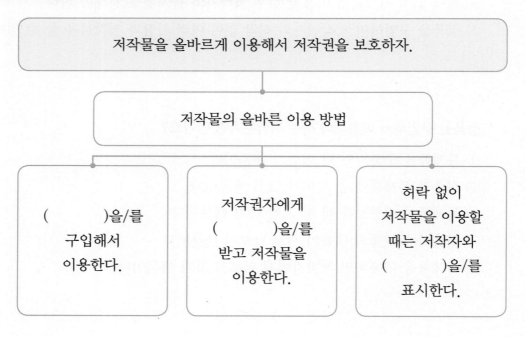

저작물을 올바르게 이용해서 저작권을 보호하자.

저작물의 올바른 이용 방법

(   )을/를 구입해서 이용한다.

저작권자에게 (   )을/를 받고 저작물을 이용한다.

허락 없이 저작물을 이용할 때는 저작자와 (   )을/를 표시한다.

생각 글 쓰기

🖊 저작권을 보호해야 하는 까닭은 무엇일까요?

어휘·어법 다지기

01 다음 뜻에 알맞은 낱말을 찾아 선으로 이으세요.

(1) 부려서 씀. • • ㉠ 도용

(2) 돈을 내어 줌. 또는 값을 치름. • • ㉡ 지불

(3) 남의 물건이나 명의를 몰래 씀. • • ㉢ 출처

(4) 사물이나 말 등이 생기거나 나온 근거. • • ㉣ 행사

▶ 정답과 해설 15쪽

02 다음 문장에 알맞은 낱말을 보기 에서 찾아 쓰세요.

> 보기   지불   출처   행사

(1) 이 글을 믿지 못하겠으니 글의 (   )를 밝혀라.

(2) 공원에 들어가려면 한 사람당 오천 원씩 (   )하세요.

(3) 나이가 더 많다고 동생에게 폭력을 (   )하여서는 안 된다.

03 보기 를 읽고 낱말의 쓰임이 잘못된 문장을 고르세요.

> 보기   '있다가'와 '이따가'
>   '있다가'는 한 곳에 머물러 있는 상태를 유지하다가 그만두고 다른 일을 하는 것을 말해요. 또, '있다가'는 사람이나 물건이 한 곳에 있는 상태였는데 이제는 그렇지 않을 때도 쓴답니다. 한편 '이따가'는 '조금 지난 뒤에'라는 뜻을 갖지요. 이처럼 '있다가'와 '이따가'는 서로 뜻이 다른 표현이랍니다.

① 지금은 바쁘니까 이따가 말해라.
② 이따가 우리 집에 저녁 먹으러 올래?
③ 우리 여기서 오 분만 더 있다가 가자.
④ 민지는 조금 전까지 여기 이따가 집으로 갔는데.
⑤ 다빈이가 우리 반 반장으로 있다가 다른 곳으로 전학을 갔어.

매일 학습 평가	맞은 문제에 표시해 주세요.						맞은 개수	
1 핵심어 □	2 세부 내용 □	3 추론 □	4 주제 □	5 적용 □	6 적용 □	7 글의 구조 □	개	스티커를 붙여 주세요

붓으로 글씨를 써 본 적이 있나요? 똑같은 글자를 써도 내가 쓴 것과 친구가 쓴 것은 글자 모양이 서로 다르지 않았나요? 그 까닭은 나와 친구의 '운필' 방법이 서로 다르기 때문입니다. 운필이란 글씨를 쓰거나 그림을 그리기 위해 붓을 움직이는 것을 말합니다. 이 과정은 기필, 행필, 수필의 세 단계로 구분할 수 있습니다. 기필은 점이나 획을 그을 때 처음 붓을 대는 단계이고, 행필은 기필에서부터 시작한 획을 그어 가는 단계입니다. 수필은 획을 마무리하는 단계입니다. 각 단계를 어떻게 ˚수행하느냐에 따라 글자 모양도 달라집니다.

운필 방법은 글씨를 쓰는 사람이 누구냐에 따라 달라지기도 하지만 쓰는 사람의 기분이 어떠한가, 쓰는 사람이 무엇을 말하고 싶은가에 따라 달라지기도 합니다. 따라서 우리는 글의 내용뿐만 아니라 글씨 모양을 통해서도 글을 쓴 사람이 무엇을 표현하고 싶은지 알 수 있어요. 이렇게 운필 방법에 따라 독특하게 굳어진 글씨 모양을 '서체'라고 합니다. 서체는 그 서체를 쓰는 사람의 ˚개성이 담긴 것이지요.

'궁체'는 조선 시대에 만들어진 서체로, 한글을 적는 데 사용되었습니다. 하지만 한글이 ˚창제되자마자 많이 쓰인 것은 아닙니다. 맨 처음 한글이 만들어졌을 때는 획의 굵기가 일정하고 반듯해서 읽기 쉬운 '판본체'가 쓰였지요. 하지만 판본체로 글씨를 쓰려면 시간이 아주 많이 걸렸답니다. 그래서 점점 쓰기 편한 서체로 발전하게 되었는데, 그것이 바로 궁체입니다. 궁체는 특히 궁중 나인들이 많이 썼던 서체이기 때문에 붙여진 이름이지요. 궁체는 쓰기 편할 뿐만 아니라 아름다운 서체입니다. 글씨의 선이 곧고 맑으며 단정하고 아담합니다. 또한 전체적으로 부드럽고 우아하면서도 글에서 ˚품위가 느껴집니다.

궁체의 운필 방법은 다음과 같습니다. 먼저 둥근획을 쓸 때는 'ㅇ'의 위나 아래에 뾰족한 봉우리가 만들어지지 않도록 조심하며 고른 굵기로 씁니다. 손가락이 아닌 팔 전체를 움직여야 쓰기 쉽지요. 다음으로 세로획을 쓸 때는 붓을 45도 방향으로 대고 내리긋습니다. 내리그으면서 글씨의 굵기를 점점 가늘게 하다가 마지막에는 왼쪽으로 모아서 마무리합니다. 가로획은 왼쪽보다 오른쪽이 약간 올라가게, 그리고 양쪽 끝보다 중간이 더 가늘게 씁니다. 마지막으로 꺾은획을 쓸 때는 획을 꺾을 부분에서 붓을 약간 세워서 수직으로 내리면 된답니다.

낱말 뜻 풀이

- **수행**: 생각하거나 계획한 대로 일을 해냄.
- **개성**: 다른 사람이나 개체와 구별되는 고유의 특성.
- **창제**: 전에 없던 것을 처음으로 만들거나 제정함.
- **품위**: 사물이 지닌 고상하고 격이 높은 인상.

1 이 글을 쓴 목적은 무엇인가요?

주제

① 한글의 우수성을 알리기 위해
② 궁체와 판본체를 비교하기 위해
③ 글씨를 잘 쓰는 방법을 소개하기 위해
④ 붓글씨를 쓸 때 필요한 도구를 설명하기 위해
⑤ 운필과 서체의 개념과 궁체의 특징을 설명하기 위해

2 이 글의 내용으로 알맞지 <u>않은</u> 것은 무엇인가요?

세부
내용

① 운필은 세 단계로 구분된다.
② 궁체는 궁중 나인들이 특히 많이 쓴 서체이다.
③ 판본체는 읽기 불편하고 쓸 때 시간이 오래 걸렸다.
④ 서체에는 그 서체를 쓰는 사람의 개성이 담겨 있다.
⑤ 운필 방법에 따라 독특하게 굳어진 글씨 모양을 서체라고 한다.

3 운필의 단계와 그 단계에 따른 이름을 찾아 선으로 이으세요.

세부
내용

(1) 획을 마무리하는 단계 •   • ㉠ 기필
(2) 점이나 획을 그을 때 처음 붓을 대는 단계 •   • ㉡ 행필
(3) 기필에서부터 시작한 획을 그어 가는 단계 •   • ㉢ 수필

4 의 밑줄 친 부분에 해당하는 낱말을 이 글에서 찾아 쓰세요.

어휘

 판본체는 획의 굵기가 <u>하나로 정하여져 있다.</u>

5 궁체의 특징에 <u>모두</u> ○표를 하세요.

추론

우아하다   투박하다   쓰기 편하다
쓰기 불편하다   배우기 어렵다   글씨의 선이 곧다

6 궁체를 쓸 때 <u>잘못된</u> 운필 방법을 사용한 사람은 누구인지 쓰세요.

적용

- 정희: 가로획을 쓸 때 양쪽 끝보다 중간을 더 가늘게 썼어.
- 서란: 둥근획을 쓰면서 손가락이 아니라 팔 전체를 움직였어.
- 재은: 세로획을 내리그으면서 글씨 폭을 점점 가늘게 하다가 오른쪽으로 모았어.

7 이 글의 순서에 맞게 차례대로 기호를 쓰세요.

 글의 구조

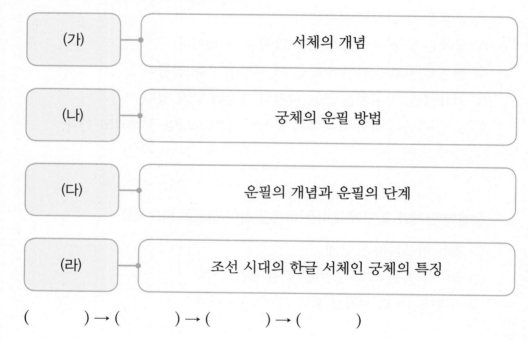

(가)	서체의 개념
(나)	궁체의 운필 방법
(다)	운필의 개념과 운필의 단계
(라)	조선 시대의 한글 서체인 궁체의 특징

(   ) → (   ) → (   ) → (   )

생각 글 쓰기

✒ 똑같은 글자를 써도 사람마다 글씨의 모양이 다른 까닭은 무엇인가요?

어휘·어법 다지기

01 다음 뜻에 알맞은 낱말을 찾아 선으로 이으세요.

(1) 생각하거나 계획한 대로 일을 해냄. •   • ㉠ 개성

(2) 사물이 지닌 고상하고 격이 높은 인상. •   • ㉡ 수행

(3) 전에 없던 것을 처음으로 만들거나 제정함. •   • ㉢ 창제

(4) 다른 사람이나 개체와 구별되는 고유의 특성. •   • ㉣ 품위

13 아 ▶ 정답과 해설 16쪽

02 다음 문장에 알맞은 낱말을 보기 에서 찾아 쓰세요.

보기   개성   수행   창제   품위

(1) 국회는 법률을 제정하는 임무를 (   )한다.

(2) 그 가수의 목소리는 (   )이/가 강해 잊을 수가 없다.

(3) 거북선은 이순신 장군이 왜적을 물리치기 위해 (   )한 것이다.

(4) 박물관 한가운데 놓인 그 유물은 한눈에 보아도 (   )이/가 있었다.

03 보기 를 읽고 낱말을 잘못 발음한 것을 고르세요.

보기
　　자음으로 끝나는 말 뒤에 '이, 야, 여, 요, 유'로 시작하는 말이 붙어서 만들어진 낱말은 '이, 야, 여, 요, 유'가 '니, 냐, 녀, 뇨, 뉴'로 발음됩니다. 예를 들어 자음으로 끝나는 '솜'과 '이'로 시작하는 '이불'이 만나서 만들어진 '솜이불'은 [솜니불]로 발음됩니다.

① 담요[담뇨]   ② 콩엿[콩엳]   ③ 식용유[시공뉴]

④ 신여성[신녀성]   ⑤ 한여름[한녀름]

매일 학습 평가	맞은 문제에 표시해 주세요.						맞은 개수	
1 주제 ☐	2 세부 내용 ☐	3 세부 내용 ☐	4 어휘 ☐	5 추론 ☐	6 적용 ☐	7 글의 구조 ☐	개	스티커를 붙여 주세요

　자동차가 많아지면서 교통사고는 심각한 사회 문제가 되었습니다. 우리는 신문 기사나 방송으로 교통사고 소식을 자주 접할 수 있습니다. 그중에서도 어린이 교통사고는 가벼운 사고로도 심각한 결과를 가져올 수 있기 때문에 주의가 필요합니다. 어린이가 교통사고로 사망하는 °유형을 보면 보행 중에 교통사고로 사망하는 경우의 비율이 매우 높습니다. 어린이의 생명을 지키기 위해서는 보행 중인 어린이의 교통사고를 줄일 수 있는 방법을 찾아야 합니다.

　어린이 보행 중 교통사고를 줄이는 방법은 무엇일까요? 운전자를 대상으로 어린이 보행에 대한 안전 교육을 철저히 해야 합니다. 전체 교통사고 가운데 보행 중에 발생한 사고의 나이대별 °분포를 살펴보면, 초등학생이 다른 나이대보다 상대적으로 높게 나타나는 것을 알 수 있습니다. 이는 초등학생들이 바깥 활동이 잦은데다 위험 상황을 판단하고 그에 °대처하는 능력이 부족하기 때문입니다. 그러므로 운전자에게 어린이 보행자를 보호할 수 있는 안전 교육을 실시해 어린이 보행 중 교통사고가 일어나지 않도록 해야 합니다.

　어린이를 고려한 보행 안전시설도 더 필요합니다. 학교 앞길에는 과속 차량을 단속하는 장치를 마련해야 합니다. 그리고 학교 근처의 어린이 보호 구역을 현재 반지름 300미터보다 더 넓게 하여 어린이들이 안전하게 다닐 수 있게 해야 합니다. 또한 어린이가 많이 다니는 길에는 과속 방지 턱을 만들어 차량 속도를 낮추도록 합니다. 이와 같은 안전시설은 어린이 교통사고를 줄이는 데 많은 도움이 될 것입니다.

　어린이 스스로도 보행 중 교통사고를 당하지 않도록 노력해야 합니다. ㉠도로에서 발생하는 수많은 °비극은 교통 법규를 무시하고 조금 빨리 가려다가 발생합니다. 그러므로 운전자와 보행자 모두 도로에서 시간적 여유를 가지는 마음이 필요합니다. 보행 신호가 초록색으로 바뀌지도 않았는데 보행자가 무리하게 길을 건너면 사고를 당할 수 있습니다. 그리고 신호가 바뀌자마자 좌우를 살피지 않고 출발하는 것도 사고의 위험성을 높입니다. 신호가 바뀐 뒤에도 신호 위반을 하는 차가 있을 수 있기 때문에 늘 조심해야 합니다. 운전자와 보행자는 모두 도로에서 조급하게 서두르지 말고 교통 법규와 안전 수칙을 지키며 생활해야 합니다.

　우리는 모두 이제부터라도 어린이 보행 중 교통사고를 줄이는 일에 힘써야 합니다. 어린이 보행 안전은 남에게 미룰 수도 없고, 남이 대신해 줄 수도 없습니다. 우리 모두 노력해 어린이 보행 중 교통사고가 일어나지 않도록 합시다. 어린이는 미래의 희망이요, 우리 모두의 꿈입니다.

낱말 뜻 풀이

● **유형**: 성질이나 특징 등이 공통적인 것끼리 묶은 하나의 틀. 또는
그 틀에 속하는 것.
● **분포**: 일정한 범위에 흩어져 퍼져 있음.

● **대처**: 어떤 정세나 사건에 대하여 알맞은 조치를 취함.
● **비극**: 인생의 슬프고 애달픈 일을 당하여 불행한 경우를 이르는 말.

---

1 이 글의 주제는 무엇인가요?

주제

① 어린이는 미래의 희망이다.

② 과속 차량을 단속해야 한다.

③ 새로운 보행 안전시설을 개발해야 한다.

④ 어린이 보행 중 교통사고를 줄여야 한다.

⑤ 조급하게 서두르지 말고 여유를 가져야 한다.

2 글쓴이가 문제 상황에 대한 해결 방안으로 말하지 <u>않은</u> 것은 무엇인가요?

세부
내용

① 학교 근처 어린이 보호 구역을 지금보다 더 넓힌다.

② 운전자와 보행자 모두 교통 법규와 안전 수칙을 지키며 생활한다.

③ 운전자에게 어린이 보행자를 보호할 수 있는 안전 교육을 실시한다.

④ 어린이가 많이 다니는 길에 과속 방지 턱을 만들어 차량 속도를 낮춘다.

⑤ 어린이는 위험 상황을 판단하는 능력이 부족하므로 어른과 항상 함께 다닌다.

3 이 글에 대한 설명으로 알맞은 것은 무엇인가요?

전개
방식

① 교통사고를 막기 위해 자동차 수를 줄이자고 주장하였다.

② 운전자가 어린이 보호 구역에서 어떻게 운전해야 하는지 설명하였다.

③ 어린이 보행 중 교통사고가 많다고 지적한 뒤 해결 방안을 제시하였다.

④ 몇 살 때 보행 중 교통사고를 가장 많이 당하는지 나이대별로 분석하였다.

⑤ 어린이의 안전한 등·하교를 위해 등·하교 도우미가 필요하다고 주장하였다.

4 ㉠과 같은 상황에 알맞은 속담은 무엇인가요?

어휘

① 계란으로 바위 치기이다.

② 하룻강아지 범 무서운 줄 모른다.

③ 가는 말이 고와야 오는 말이 곱다.

④ 급하다고 바늘 허리에 실 매어 쓸까.

⑤ 호랑이에게 물려 가도 정신만 차리면 산다.

5 교통 법규와 안전 수칙을 지키지 <u>않은</u> 사람은 누구인지 쓰세요.

적용

- 민주: 학원에 늦을 것 같아서 보행 신호가 빨간불일 때 횡단보도를 건넜다.
- 현호: 보행 신호가 초록불로 바뀌었을 때 좌우를 살핀 뒤 횡단보도를 건넜다.
- 성훈: 길에 달리는 차가 없었지만 보행 신호가 빨간불이어서 횡단보도를 건너지 않았다.

6 이 글의 구조를 생각하며, 빈칸에 알맞은 말을 쓰세요.

글의
구조

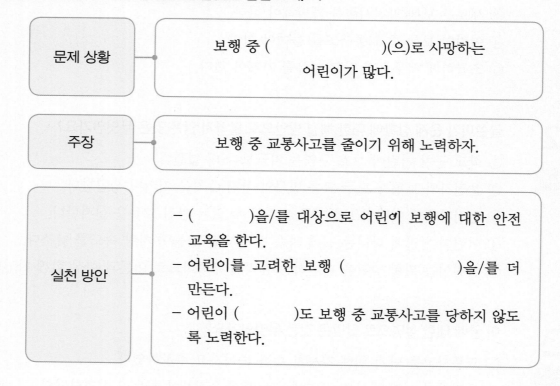

문제 상황	보행 중 ( )(으)로 사망하는 어린이가 많다.
주장	보행 중 교통사고를 줄이기 위해 노력하자.
실천 방안	– ( )을/를 대상으로 어린이 보행에 대한 안전 교육을 한다. – 어린이를 고려한 보행 ( )을/를 더 만든다. – 어린이 ( )도 보행 중 교통사고를 당하지 않도록 노력한다.

생각 글 쓰기

✏️ 어린이 교통사고를 특히 더 주의해야 하는 까닭은 무엇일까요?

어휘·어법 다지기

▶ 정답과 해설 17쪽

01 다음 뜻에 알맞은 낱말을 찾아 선으로 이으세요.

(1) 일정한 범위에 흩어져 퍼져 있음. •

(2) 어떤 정세나 사건에 대하여 알맞은 조치를 취함. •

(3) 성질이나 특징 등이 공통적인 것끼리 묶은 하나 •
    의 틀. 또는 그 틀에 속하는 것.

• ㉠ 대처

• ㉡ 분포

• ㉢ 유형

02 다음 문장에 알맞은 낱말을 보기에서 찾아 쓰세요.

> **보기**
>
> 분포　　　비극　　　유형

(1) 우리나라의 귤나무는 대부분 제주도에 (　　　　)해 있다.

(2) 혈액형은 혈구가 가진 성격에 따라 나눈 혈액의 (　　　　)이다.

(3) 산불로 아름다운 꽃과 나무가 불타는 (　　　　)이/가 벌어졌다.

03 보기를 읽고 다음 문장에 알맞은 낱말을 골라 ○표를 하세요.

> **보기**
>
> **부정할 때 쓰는 표현**
> - **안**: '아니'가 줄어든 말 = '안' 자리에 '아니'를 넣어도 된다.
>   바로 뒤에 다른 말을 쓰지 않고 혼자서만 쓴다.
>   예 아무 데도 안 갈 거야.
> - **않다**: '아니하다'가 줄어든 말 = '않' 자리에 '아니하'를 넣어도 된다.
>   '않고, 않지, 않아'처럼 반드시 '않' 뒤에 다른 말을 이어서 쓴다.
>   예 이제 울지 않을 거야.

(1) 영희가 말을 (안 / 않)고 웃기만 한다.

(2) 지금은 배부르니까 밥 (안 / 않) 먹을래요.

(3) 일기 예보에서 오늘은 비가 (안 / 않) 온다고 했어.

매일 학습 평가	맞은 문제에 표시해 주세요.					맞은 개수
1 주제 ☐	2 세부 내용 ☐	3 전개 방식 ☐	4 어휘 ☐	5 적용 ☐	6 글의 구조 ☐	개

스티커를 붙여 주세요

청소년기에 식단은 매우 중요합니다. 청소년기는 몸이 만들어지고 키가 크는 시기이기 때문입니다. 이 시기에 자라는 신체 조직들은 아주 다양합니다. 뼈, 근육, 간, 콩팥, 눈, 치아 등 모든 조직이 자라지요. 그중에서 가장 중요한 기관은 바로 뇌입니다. 뇌는 우리의 °사고력, 판단력, 행동력, 결정력 등에 관한 명령을 몸에 내리고 모든 이성과 감성 활동을 주관합니다. 뇌는 운동, 수면, 스트레스 관리 등 다양한 요인의 영향을 받는데, 특히 성장기의 뇌는 어떤 음식을 먹느냐에 따라 달라집니다. 그러므로 올바른 식단을 유지해야 뇌가 잘 성장할 수 있습니다. '622 법칙 식단'은 뇌의 성장을 돕는 좋은 식단이랍니다.

622 법칙 식단은 탄수화물, 단백질, 지방의 비율이 6:2:2인 식단을 말합니다. 탄수화물 비율이 가장 높지요? 뇌는 오로지 탄수화물만을 활동 에너지원으로 쓰기 때문에 몸에 좋은 탄수화물을 꼭 섭취해야 합니다. 몸에 좋은 탄수화물은 섬유질이 풍부해 °혈당을 갑자기 올리지 않는 복합당질을 말합니다. 반면 단순당은 소화, 흡수되고 분해되는 속도가 매우 빠르기 때문에 섭취하자마자 혈당이 확 오르는 탄수화물이지요. 혈당이 °가파르게 상승하면 우리 뇌는 불안정한 상태가 되고, 이 상태가 반복되면 당뇨 같은 질병에 걸릴 수 있답니다. 따라서 좋은 탄수화물을 섭취하는 것은 매우 중요합니다. 좋은 탄수화물이 들어 있는 대표적인 음식은 채소와 나물입니다. 그래서 식사할 때 채소나 나물을 먼저 먹는 것이 좋습니다. 간식을 먹을 때도 °즉석 식품보다 당근, 토마토, 오이를 활용한 간식을 먹는 것이 뇌 건강에 훨씬 도움이 됩니다. 흰쌀밥 대신 보리밥이나 잡곡밥을 먹는 것도 좋습니다.

단백질은 우리 몸의 세포와 °면역 물질 그리고 호르몬을 생산하는 중요한 영양소입니다. 우리 몸의 조직 영양소이자 소통 영양소, 방어 영양소라고 할 수 있지요. 따라서 단백질 섭취가 부족하면 몸도 부실해질 수밖에 없습니다. 단백질은 고등어, 청어, 연어 같은 생선이나 두부, 대두, 콩 등으로 섭취하는 것이 바람직합니다. 식물성 단백질과 동물성 단백질이 제공하는 영양소의 구성이 다르므로 생선이나 달걀, 살코기 등의 동물성 단백질과 콩, 두부 등의 식물성 단백질을 골고루 섭취해야 합니다.

지방은 우리가 흔히 알고 있는 것처럼 몸에 나쁜 영양소인 것만은 아닙니다. 지방이 없으면 사람은 살아갈 수 없습니다. 지방은 지방 세포에 °비축되며 신체 조직의 구성 원료가 됩니다. 저장 영양소이자 바탕 영양소라고 할 수 있지요. 그러나 포화 지방산을 지나치게 많이 섭취하면 혈관 속에 기름이 끼이는 동맥경화증이 발생할 수 있으므로 불포화 지방산 위주로 섭취하도록 합니다. 특히 견과류나 생선에 불포화 지방산이 풍부하게 들어 있습니다. 지방이 주는 혈관 문제를 보완하기 위해 사과, 바나나 등 섬유질이 많아 포만감을 주는 음식을 함께 섭취하면 더욱더 좋습니다.

▶정답과 해설 19쪽

낱말 뜻 풀이

- **사고력**: 생각하고 궁리하는 힘.
- **혈당**: 혈액 속에 포함되어 있는 당.
- **가파르게**: 산이나 길이 몹시 기울어져 있게.
- **즉석**: 어떤 일이 진행되는 바로 그 자리.

- **면역**: 몸속에 들어온 병원(病原) 미생물에 대항하는 항체를 생산하여 독소를 중화하거나 병원 미생물을 죽여서 다음에는 그 병에 걸리지 않도록 된 상태.
- **비축**: 만약의 경우를 대비하여 미리 갖추어 모아 두거나 저축함.

---

1 핵심어

이 글은 무엇에 대해 설명한 글인가요?

(   ) 법칙 식단

2 세부 내용

이 글의 내용으로 알맞지 않은 것은 무엇인가요?

① 지방은 몸에 나쁜 영양소이다.
② 성장기의 뇌는 어떤 음식을 먹느냐에 따라 달라진다.
③ 단백질은 우리 몸의 조직 영양소이자 소통 영양소, 방어 영양소이다.
④ 식물성 단백질과 동물성 단백질은 제공하는 영양소의 구성이 다르다.
⑤ 622 법칙 식단은 탄수화물, 단백질, 지방의 비율이 6:2:2인 식단이다.

3 세부 내용

탄수화물에 대해 바르게 말한 것은 무엇인가요?

① 탄수화물에는 단순당과 복합당질이 있다.
② 좋은 탄수화물은 즉석 식품에 많이 들어 있다.
③ 뇌는 탄수화물과 단백질을 함께 활동 에너지원으로 쓴다.
④ 복합당질은 소화, 흡수되고 분해되는 속도가 매우 빠르다.
⑤ 좋은 탄수화물을 먹으려면 보리밥보다는 흰쌀밥을 먹어야 한다.

4 세부 내용

단백질이 많이 들어 있는 음식에 모두 ○표를 하세요.

| 고등어 | 달걀 | 두부 | 사과 | 오이 | 흰쌀밥 |

5 622 법칙 식단을 잘 지켜서 식사한 사람은 누구인지 쓰세요.

적용

> • 지현: 콩이랑 고기는 둘 다 단백질이 풍부하니까 고기만 먹었어.
> • 용준: 견과류나 생선 같은 지방이 많은 음식을 먹은 다음엔 꼭 사과를 먹어.
> • 준성: 즉석 식품인 햄버거가 먹기도 편하고 맛있어서 간식으로 자주 먹고 있어.

6 이 글의 구조를 생각하며, 빈칸에 알맞은 말을 쓰세요.

글의
구조

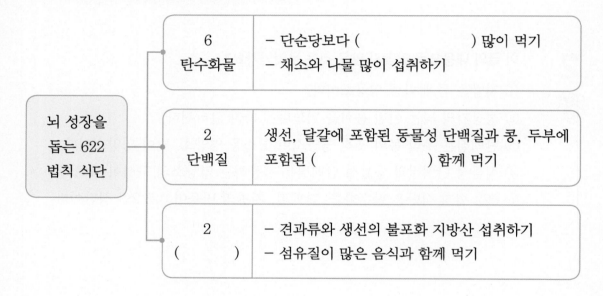

뇌 성장을 돕는 622 법칙 식단	6 탄수화물	– 단순당보다 ( ) 많이 먹기 – 채소와 나물 많이 섭취하기
	2 단백질	생선, 달걀에 포함된 동물성 단백질과 콩, 두부에 포함된 ( ) 함께 먹기
	2 ( )	– 견과류와 생선의 불포화 지방산 섭취하기 – 섬유질이 많은 음식과 함께 먹기

생각 글 쓰기

🖋 탄수화물 중에서도 복합당질을 섭취해야 하는 까닭은 무엇일까요?

어휘·어법 다지기

01 다음 뜻에 알맞은 낱말을 보기 에서 찾아 쓰세요.

> 보기   비축   사고력   즉석

(1) 생각하고 궁리하는 힘. ( )

(2) 어떤 일이 진행되는 바로 그 자리. ( )

(3) 만약의 경우를 대비하여 미리 갖추어 모아 두거나 저축함. ( )

02 다음 문장에 알맞은 낱말을 보기 에서 찾아 쓰세요.

> 보기   면역   비축   사고력   혈당

(1) 책을 많이 읽으면 ( )을 키울 수 있다.

(2) 아기들은 ( )력이 약하기 때문에 함부로 만지면 안 된다.

(3) 의사 선생님께서 아버지께 ( )이 높으니 주의하라고 하셨다.

(4) 언제 또 태풍이 들이닥칠지 몰라 집에 생수와 라면을 ( )해 놓았다.

03 보기 를 읽고 다음 문장에서 잘못된 낱말을 찾아 바르게 고쳐 쓰세요.

> 보기   '-하다'로 끝나는 말은 '-하다' 대신 '-이'나 '-히'를 붙여서 새 낱말을 만들 수 있어요. 예를 들어 '깨끗하다', '꾸준하다'에서 '-하다'를 떼고 '-이'와 '-히'를 붙이면 새 낱말 '깨끗이', '꾸준히'가 만들어지지요. 그렇지만 '-하다'로 끝나는 말이 아니라면 '-하다' 대신 '-히'를 붙여서 새 낱말을 만들 수 없어요. '-이'를 붙여야만 새 낱말이 되지요.

• 낮에 틈틈히 숙제를 해 놓으면 저녁 때 쉴 수 있어.

(1) 틀린 낱말: _____   (2) 올바른 낱말: _____

매일 학습 평가	맞은 문제에 표시해 주세요.				맞은 개수	
1 핵심어 ☐	2 세부 내용 ☐	3 세부 내용 ☐	4 세부 내용 ☐	5 적용 ☐	6 글의 구조 ☐	개

스티커를 붙여 두세요

삶과 에너지는 떼려야 뗄 수 없는 관계입니다. 거의 모든 일상생활에는 반드시 에너지가 필요하기 때문입니다. 기술이 발달하고 생활 양식이 복잡해질수록 에너지 사용량도 점차 증가해, 2030년이 되면 전 세계의 에너지 소비량은 53퍼센트 이상 증가할 것으로 보입니다. 하지만 오늘날 °요긴하게 쓰이는 석유와 천연가스는 50년 안에 °고갈될 예정입니다. 석탄의 경우도 채굴할 때 환경을 파괴하고 온실가스를 배출하는 문제점을 지니고 있습니다. 이에 따라 세계 각국에서는 °화석 연료를 대체할 만한 에너지를 개발하는 일에 관심을 기울이고 있습니다.

오늘날 원자력 에너지는 화석 연료를 대체할 에너지 자원으로 주목받고 있습니다. 특히 에너지 자원이 부족한 우리나라에서는 원자력 에너지를 이용한 발전을 적극적으로 받아들이고 있습니다. 우리나라의 에너지 자원별 발전 비중을 살펴보면 원자력이 31퍼센트로, 전체 발전 비중의 42퍼센트를 차지하는 석탄 바로 다음으로 많이 쓰이는 에너지가 원자력인 것을 알 수 있습니다. 또한, 원자력 발전 비중은 시간이 지날수록 더욱 높아질 것으로 보입니다.

원자력 에너지가 긍정적으로 평가받는 까닭은 원자력 발전이 화력 발전이나 수력 발전 같은 다른 발전 방식보다 발전 °단가가 저렴하기 때문입니다. ㉠원자력 에너지 이용에 °호의적인 사람들은 발전 단가가 저렴한 원자력 발전을 확대하면 에너지 수급의 불균형을 해소하고 소외 계층에게 저렴한 에너지를 공급할 수 있다고 말합니다.

원자력 에너지가 긍정적으로 평가받는 또 다른 까닭은 석유 및 석탄을 이용한 발전은 발전 시 배출되는 이산화 탄소의 양이 매우 많은 데 비해 원자력을 이용한 발전은 이산화 탄소가 배출되지 않기 때문입니다. 이산화 탄소는 온실가스 중 하나로, 지구 표면의 온도를 높이는 주범입니다.

하지만 ㉡원자력 에너지를 부정적으로 평가하는 사람들도 적지 않습니다. 이들은 원자력 에너지에 치명적인 단점이 있다고 말합니다. 원자력 에너지를 이용하다가 사고가 날 경우 방사성 물질이 유출되는데, 방사성 물질에 의한 피해는 되돌리기 힘들뿐더러 아주 오래도록 지속된다는 것입니다. 한번 유출된 방사성 물질은 수백 년 동안 지속적으로 사람들의 건강을 해치고 자연환경을 파괴합니다.

원자력 에너지 사용을 반대하는 사람들이 지적하는 다른 문제는 원자력 발전에 드는 °부대 비용 문제입니다. 원자력 에너지가 발전 단가가 가장 낮은 에너지 자원인 것은 사실이지만 방사성 폐기물 처리비, 주변 지역 보상비 등이 든다는 것을 °감안하면 그렇게 저렴한 에너지는 아니라는 것입니다.

이처럼 우리 사회에는 원자력 에너지에 대한 두 가지 시선이 공존합니다. 원자력 에너지가 친환경적이고 경제적이기 때문에 적극적으로 사용해야 한다고 주장하는 사람들이 있는 반면 원자력 에너지가 안전하지 못하다는 까닭으로 사용하지 말아야 한다고 말하는 사람들도 있습니다. 우리는 두 가지 의견에 모두 귀 기울이며 원자력 에너지를 어떻게 사용할 것인지에 대해 신중히 생각해 보아야 합니다.

 낱말 뜻 풀이 -

- **요긴**: 꼭 필요하고 중요함.
- **고갈**: 어떤 일의 바탕이 되는 돈이나 물자, 소재, 인력 등이 다하여 없어짐.
- **화석 연료**: 지질 시대에 생물이 땅속에 묻히어 화석같이 굳어져 오늘날 연료로 이용하는 물질.

- **단가**: 물건 한 단위(單位)의 가격.
- **호의적**: 좋게 생각해 주는 것.
- **부대**: 기본이 되는 것에 곁달아 덧붙임.
- **감안**: 여러 사정을 참고하여 생각함.

1

제목

이 글에 알맞은 제목을 쓰세요.

(   ) 에너지 이용 문제

2

세부
내용

이 글의 내용으로 알맞지 <u>않은</u> 것은 무엇인가요?

① 석유와 천연가스는 50년 안에 고갈될 예정이다.
② 원자력 발전 비중은 시간이 지날수록 낮아질 예정이다.
③ 원자력을 이용한 발전은 이산화 탄소가 배출되지 않는다.
④ 원자력 발전은 다른 발전 방식에 비해 발전 단가가 저렴하다.
⑤ 우리나라는 원자력 에너지를 이용한 발전을 적극적으로 받아들이고 있다.

3

전개
방식

이 글에 대해 바르게 말한 것은 무엇인가요?

① 원자력 에너지 이용을 반대하고 있다.
② 온실가스가 일으키는 문제점을 나열하고 있다.
③ 원자력 에너지 이용에 대한 두 가지 의견을 소개하고 있다.
④ 원자력 발전이 이루어지는 과정을 순서대로 설명하고 있다.
⑤ 화석 연료를 대체할 에너지 자원이 개발되어야 한다고 주장하고 있다.

4 보기 는 ㉠과 ㉡ 중 어느 의견을 뒷받침하는 내용인가요?

추론

보기
　　최근에 원인을 알 수 없는 문제가 발생해 ○○ 원자력 발전소가 발전을 멈추는 일이 일어났다. 이렇게 한 번 원자력 발전소가 멈출 때마다 엄청난 금전적 피해가 발생하고 발전소 주변의 시민들은 공포에 떨 수밖에 없다.

5 이 글의 구조를 생각하며, 빈칸에 알맞은 말을 쓰세요.

글의
구조

원자력 에너지 이용에 대한 두 가지 의견

긍정적인 의견	부정적인 의견
－ 다른 발전 방식보다 (　　　　　) 이/가 저렴함. － 이산화 탄소가 배출되지 않음.	－ 이용 중 사고가 날 경우 방사성 물질이 유출될 수 있음. － (　　　　　) 이/가 많이 들어감.

원자력 에너지 사용에 대해
신중히 생각해 보아야 한다.

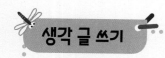

생각 글 쓰기

🖋 세계 각국에서 화석 연료를 대체할 에너지를 개발하려는 까닭은 무엇인가요?

어휘·어법 다지기

01 다음 문장에 알맞은 낱말을 보기 에서 찾아 쓰세요.

보기

단가   부대   요긴

(1) 이 연필은 (   )이/가 얼마입니까?

(2) 비가 와서 날마다 가지고 다니던 우산을 (   )하게 썼다.

(3) 가수 선발 대회에는 노래 부르기말고도 다양한 (   ) 행사가 있었다.

02 다음 뜻에 알맞은 낱말을 보기 에서 찾아 쓰세요.

보기

고갈   단가   부대   호의적

(1) 좋게 생각해 주는 것.   (   )

(2) 물건 한 단위(單位)의 가격.   (   )

(3) 기본이 되는 것에 곁달아 덧붙임.   (   )

(4) 어떤 일의 바탕이 되는 돈이나 물자, 소재, 인력 등이 다하여 없어짐.   (   )

03 보기 를 읽고 괄호 안에 낱말의 발음을 적으세요.

보기
사잇소리 현상

두 개의 낱말을 합해 새 낱말을 만들 때 낱말 사이에 새로운 소리가 덧생기는 것을 '사잇소리 현상'이라고 합니다. 우리는 사잇소리 현상을 'ㅅ' 받침으로 적고, 낱말과 낱말 사이의 'ㅅ' 받침을 '사이시옷'이라고 부릅니다.

사이시옷의 발음 예

① 배 + 속 → 뱃속[배쏙/밷쏙]   ② 아래 + 마을 → 아랫마을[아랜마을]

(1) 코 + 등 → 콧등[/   ]

(2) 비 + 물 → 빗물[   ]

매일 학습 평가	맞은 문제에 표시해 주세요.				맞은 개수	
1 제목 ☐	2 세부 내용 ☐	3 전개 방식 ☐	4 추론 ☐	5 글의 구조 ☐	개	스티커를 붙여 두세요

전 세계에는 몇 명의 사람들이 살고 있을까요? 한 *실시간 통계 누리집에서 제시한 자료에 의하면 전 세계의 인구 수는 2015년 2월 기준으로 약 72억 9천 명이며, 2050년이 되면 지구에 약 93억 명 이상의 사람이 살게 될 것이라고 합니다. 이러한 인구 증가는 우리의 삶과 직접적인 연관이 없는 것처럼 보이지만 실제로는 그렇지 않습니다. 인구 증가가 때로는 우리의 삶에 문제를 일으키기도 합니다.

인구 증가는 우선 자원의 고갈 문제를 가져옵니다. 인구가 증가하면 인구가 소비하는 자원의 양도 자연스럽게 증가합니다. 문제는 지구가 가지고 있는 자원이 한정되어 있다는 것입니다. 철, 금 등의 *광물이나 석유 같은 화석 연료는 인간의 힘으로 만들 수 없는 천연 자원입니다. 이러한 자원들은 쓰면 쓸수록 양이 줄어들다가 언젠가는 고갈됩니다. 숲과 바다에 존재하는 생물 자원은 써도 다시 재생된다는 점에서 광물, 화석 연료와 대비되지만 사정은 크게 다르지 않습니다. 식물이 자라고 동물이 번식하는 속도보다 인간이 소비하는 속도가 빠르다면 결국 생물 자원도 씨가 마를 것입니다. 이러한 자원의 고갈 문제는 자원의 *배분 문제와도 연결됩니다. 가난한 사람들에게 자원이 더 적게 돌아갈 것이기 때문입니다.

다음으로 인구가 증가하면 생물 다양성이 보존되기 어렵다는 문제가 발생합니다. 생물 다양성은 지구상에 존재하는 생물종, 그들이 가지는 유전자, 생물종이 만들어 내는 생태계의 다양성을 아울러 일컫는 말입니다. 지구를 구성하는 모든 생물종들은 서로 영향을 주고받으며, 하나의 생물종이 감소할 때마다 그 생물종과 연결된 생물 전체는 큰 변화를 경험합니다. 따라서 생물 다양성이 보존되어야 인간을 비롯한 모든 생물이 안전할 수 있습니다. 그런데 인구가 계속해서 증가한다면 생물 다양성은 감소할 수밖에 없습니다. 늘어나는 인구를 수용할 공간을 마련하려면 산을 깎고 여러 생물들의 서식지를 파괴해야 하기 때문입니다. 또한, 사람들이 배출하는 쓰레기와 오염 물질은 생태계가 훼손되는 속도를 높입니다. 이러한 생태계 파괴는 결국 인간에게 악영향을 미칠 수 있습니다.

마지막으로 인구가 증가하면 특정 지역에 인구가 *밀집되는 문제가 일어납니다. 많은 사람들은 일자리와 학교, 병원 등 기반 시설이 풍부한 도시로 모여듭니다. 하지만 한 도시가 책임질 수 있는 사람보다 더 많은 수의 사람이 한꺼번에 몰리게 되면 실업률은 오히려 증가하고, 기반 시설도 넘쳐 나는 *수요를 감당하기 어려워집니다. 곧 다수의 도시 인구는 한정된 일자리와 기반 시설을 두고 경쟁하면서 빈곤과 불평등 속에서 살아가게 됩니다.

▶ 정답과 해설 22쪽

낱말 뜻 풀이 • -

● **실시간**: 실제 흐르는 시간과 같은 시간.
● **광물**: 천연으로 나며 질이 고르고 화학적 조성이 일정한 물질.
● **배분**: 몫몫이 별러 나눔.

● **밀집**: 빈틈없이 빽빽하게 모임.
● **수요**: 어떤 재화나 용역을 일정한 가격으로 사려고 하는 욕구.

1

제목

이 글에 알맞은 제목을 쓰세요.

(   )의 문제점

2

**세부
내용**

이 글의 내용으로 알맞지 않은 것은 무엇인가요?

① 인구가 증가하면 생물 다양성이 보존되기 어렵다.

② 자원 고갈 문제는 자원의 배분 문제와도 연결된다.

③ 숲과 바다에 존재하는 생물 자원은 써도 다시 재생된다.

④ 한두 생물종이 감소하는 일은 인간에게 문제가 되지 않는다.

⑤ 2050년이 되면 지구에 약 93억 명 이상의 사람이 살게 된다.

3

추론

보기와 같은 일이 생기면 어떤 결과가 나타날까요?

> **보기**
>
> 최근 동해 바다에 그물코 크기를 줄여 아직 다 자라지 않은 물고기까지 모두 낚는 불법 어획선이 늘고 있다.

① 불법 어획선이 환경 오염을 일으켜 돌연변이가 증가한다.

② 물고기를 잡으려는 사람들이 몰리면서 바닷가에 인구가 밀집된다.

③ 물고기들이 더 많이 번식해서 바닷속 물고기 양은 엄청나게 늘어난다.

④ 물고기의 번식 속도보다 인간의 소비 속도가 빨라서 물고기가 고갈된다.

⑤ 물고기에게 잡아먹혔던 플랑크톤 수가 많아져서 생물 다양성이 늘어난다.

4

**세부
내용**

생물 다양성은 어떤 뜻인지 빈칸에 알맞은 말을 쓰세요.

지구상에 존재하는 (   ), 그들이 가지는 (   ), 생물종이 만들어 내는 (   )
의 다양성을 아울러 일컫는 말이다.

5 는 인구 증가로 인한 문제 중 어떤 것과 연관이 있는지 기호를 쓰세요.

　　민영이는 올해 초등학교에 입학할 나이가 되었다. 집에서 가장 가까운 ㉮ 학교를 다니고 싶었지만 지원한 학생 수가 너무 많아서 갈 수 없었다. 민영이는 결국 30분 넘게 걸어가야 하는 ㉯ 학교에 입학했다.

㉠ 자원의 고갈 문제
㉡ 생물 다양성 감소 문제
㉢ 도시의 인구 밀집 문제

6 이 글의 구조를 생각하며, 빈칸에 알맞은 말을 쓰세요.

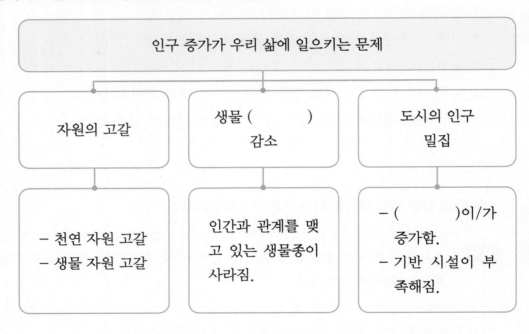

🖊 생각 글 쓰기

✏ 자원의 고갈 문제가 자원의 배분 문제와 연결되는 까닭은 무엇일까요?

어휘·어법 다지기

01 다음 뜻에 알맞은 낱말을 **보기** 에서 찾아 쓰세요.

> **보기**　　　　　밀집　　　배분　　　실시간

(1) 몫몫이 별러 나눔. 　　　　　　　　　　　　　(　　　)

(2) 빈틈없이 빽빽하게 모임. 　　　　　　　　　　(　　　)

(3) 실제 흐르는 시간과 같은 시간. 　　　　　　　(　　　)

02 다음 문장에 알맞은 낱말을 **보기** 에서 찾아 쓰세요.

> **보기**　　　　　광물　　　밀집　　　배분

(1) 종합 병원 주변에는 약국이 (　　　)되어 있다.

(2) 다이아몬드는 지구상에서 가장 단단한 (　　　)이다.

(3) 이번에 학교 축제에서 쓸 돈을 모든 조에게 똑같이 (　　　)하기로 했다.

03 **보기** 를 보고 다음 문장에 알맞은 낱말을 골라 ○표를 하세요.

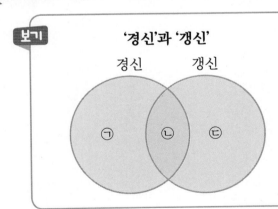

> **보기**
>
> **'경신'과 '갱신'**
>
> 경신　　　갱신
>
> ㉠: 기록경기 등에서, 종전의 기록을 깨뜨림.
> 예 마라톤 세계 기록 경신
> ㉡: 이미 있던 것을 고쳐 새롭게 함.
> 예 환경을 경신하다 = 환경을 갱신하다.
> ㉢: 법으로 인정되는 기간이 끝났을 때 그 기간을 연장하는 일.
> 예 비자를 갱신하다.

(1) 여행을 가려면 여권을 (경신 / 갱신)하여야 한다.

(2) 철수는 어린이 수영 대회에서 자유형 50미터 대회 신기록을 (경신 / 갱신)하였다.

매일 학습 평가	맞은 문제에 표시해 주세요.					맞은 개수	
1 제목 ☐	2 세부 내용 ☐	3 추론 ☐	4 세부 내용 ☐	5 적용 ☐	6 글의 구조 ☐	개	스티커를 붙여 두세요

가 반딧불

가자 가자 가자
숲으로 가자
달 조각을 주으러
숲으로 가자.

㉠ °그믐밤 반딧불은
°부서진 달 조각

가자 가자 가자
숲으로 가자
달 조각을 주으러
숲으로 가자.

– 윤동주

나 꽃

꽃이 얼굴을 °내밀었다

내가 먼저 본 줄 알았지만
봄이 °쫓아가던 °길목에서
내가 보아 주기를 날마다 기다리고 있었다

내가 먼저 말 건 줄 알았지만
바람과 인사하고 햇살과 인사하며
날마다 내게 말을 걸고 있었다

내가 먼저 웃어 준 줄 알았지만
떨어질 꽃잎도 지켜 내며
나를 향해 더 많이 활짝 웃고 있었다

내가 더 나중에 보아서 미안하다.

– 정여민

▶정답과 해설 23쪽

낱말 뜻 풀이 •--------------------------------

- **그믐**: 음력으로 그달의 마지막 날.
- **부서진**: 단단한 물체가 깨어져 여러 조각이 난.
- **내밀었다**: 신체나 물체의 일부분이 밖이나 앞으로 나가게 하였다.
- **쫓아가던**: 어떤 사람이나 물체 등의 뒤를 급히 따라가던.
- **길목**: 큰길에서 좁은 길로 들어가는 어귀.

1

세부
내용

, 나에 대한 설명으로 알맞지 <u>않은</u> 것은 무엇인가요?

① 가는 반복되는 표현을 사용했다.

② 나는 꽃을 마치 사람처럼 표현했다.

③ 나는 색깔을 나타내는 표현을 자주 썼다.

④ 가는 밤이 배경이고, 나는 낮이 배경이다.

⑤ 가는 반딧불에 대해 썼고, 나는 꽃에 대해 썼다.

2

추론

가의 말하는 이가 숲으로 가자고 한 까닭은 무엇일까요?

(   )을/를 보기 위해

3

표현

 에서 ㉠과 같은 표현 방법을 사용한 것의 기호를 쓰세요.

>
> (가) 쟁반 같이 둥근 달
> (나) 간이 콩알만해졌다.
> (다) 책은 마음의 양식이다.

4

표현

나의 말하는 이는 꽃이 핀 것을 어떻게 표현하였나요?

꽃이 (   )을/를 내밀었다.

18회 81

5 의 말하는 이는 꽃에게 어떤 마음을 느끼고 있나요?

화자

① 놀라움   ② 두려움   ③ 미안함

④ 외로움   ⑤ 뿌듯함

6 보기 를 읽고 나 를 잘못 감상한 사람은 누구인지 쓰세요.

감상

> 보기
>
> 시인은 자신이 경험한 일을 시에 있는 그대로 표현할 때도 있지만 다른 일에 빗대어 표현하기도 합니다. 따라서 하나의 시는 여러 가지 뜻으로 해석될 수 있습니다. 나 를 예로 들어 볼까요? 시인은 꽃이 피기를 기다리고 있었는데 알고 보니 꽃이 이미 피어 있었던 경험을 시로 표현하였습니다. 하지만 이것은 친구와 친해지고 싶어서 말을 걸었는데 알고 보니 친구도 자신과 친해지고 싶었다고 말한 경험을 빗대어 표현한 것일 수도 있습니다.

- 지현: 친구와 다시 사이좋게 지내고 싶어서 사과했는데 친구도 나와 화해하고 싶었다고 말했던 일이 기억났어.
- 수일: 이 시를 읽으니 작년 봄에 꽃놀이 갔던 일이 떠오르네. 우리 반 친구들도 모두 나와 같은 생각을 하고 있겠지?
- 희영: 시를 읽고 나서 내가 지난주에 심었던 꽃씨가 떠올랐어. 이미 싹이 났을지도 모르는데 잊고 있었다니 미안하다.

생각 글 쓰기

✏️ 가 의 말하는 이는 왜 반딧불을 '부서진 달 조각'이라고 표현하였을까요?

어휘·어법 다지기

01 다음 뜻에 알맞은 낱말을 찾아 선으로 이으세요.

(1) 음력으로 그달의 마지막 날. • • ㉠ 그믐

(2) 단단한 물체가 깨어져 여러 조각이 나다. • • ㉡ 내밀다

(3) 어떤 사람이나 물체 등의 뒤를 급히 따라가다. • • ㉢ 부서지다

(4) 신체나 물체의 일부분이 밖이나 앞으로 나가게 하다. • • ㉣ 쫓아가다

02 다음 문장에 알맞은 낱말을 보기 에서 찾아 쓰세요.

> 보기
>
> 그믐   길목   부서졌다

(1) 범인이 (   )에서 나오는 경찰에게 붙잡혔다.

(2) (   )날 밤 할머니께서 옛날 이야기를 해 주셨다.

(3) 갑자기 어디선가 축구공이 날아와 유리창이 (   ).

03 보기 를 읽고 다음 문장에 알맞은 낱말을 골라 ○표를 하세요.

> 보기
>
> '매다'와 '메다'
>
> **– 매다**
>
> ① 끈이나 줄의 두 끝을 서로 마주 걸고 잡아당겨 풀어지지 않게 마디를 만들다.
>   예 신발 끈을 매다. / 옷고름을 매다.
>
> ② 끈이나 줄 등을 몸에 두르거나 감아 잘 풀어지지 않게 마디를 만들다.
>   예 넥타이를 매다.
>
> **– 메다**
>
> ① 어깨에 걸치거나 올려놓다. 예 엿판을 멘 엿장수 / 배낭을 메다.
>
> ② 어떤 책임을 지거나 임무를 맡다. 예 나라의 장래를 메다.

(1) 엄마가 목도리를 (매어 / 메어) 주셨다.

(2) 형이 어깨에 기타를 (매고 / 메고) 간다.

매일 학습 평가	맞은 문제에 표시해 주세요.					맞은 개수
1 세부 내용 ☐	2 추론 ☐	3 표현 ☐	4 표현 ☐	5 화자 ☐	6 감상 ☐	개

스티커를 붙여 두세요

18회 83

가 1815년 10월에 그는 °석방되었다. 유리창을 깨뜨리고 한 개의 빵을 훔쳤기 때문에 그는 1796년 감옥에 들어갔던 것이다. 여기서 잠깐 한마디 덧붙이겠다. 작가가 형법 문제 및 법률상의 °처형 판결에 관해서 연구하던 중, 한 개의 빵을 훔친 일이 한 인간의 운명을 파멸로 이끄는 출발점이 되었다는 예에 접한 것은 이것으로 두 번째이다. 클로드 괴(위고의 작품  에 나오는 인물)라는 사나이도 빵 한 개를 훔쳤다. 장 발장도 빵 한 개를 훔쳤다. 영국의 어느 통계가 증명하는 바에 의하면 런던에서는 도둑질 다섯 건 중의 네 건까지가 굶주림이 직접적인 원인이었다고 한다.

장 발장은 흐느끼고 떨면서 항구의 감옥에 들어갔다. 그리고 무감동한 인간이 되어 거기서 나왔다. 그 영혼 속에는 어떤 일이 일어나고 있었던가?

나 "20루이도 벌고 이 가엾은 노인의 목숨을 구할 사람이 없단 말이오?"

아무도 움직이지 않았다. 자베르가 다시 말하였다.

㉠"손 °기중기를 대신할 수 있는 사람은 단 하나밖에 보지 못하였는데, 그 도형수입니다."

"아! 몸이 으스러지는구나!"

노인이 비명을 질렀다. 마들렌이 고개를 쳐들었다. 자기를 계속 °주시하고 있던 자베르의 매 눈과 마주쳤다. 꼼짝도 하지 않고 서 있던 촌사람들을 둘러보았다. 구슬픈 미소를 지었다. 그런 다음, 아무 말 없이 무릎을 꿇더니, 사람들이 놀라 비명을 지를 겨를도 주지 않고, 마차 밑으로 들어갔다.

기다림과 침묵 속에서 끔찍한 시간이 흘렀다. 마들렌이 그 무시무시한 무게 밑에서 배를 깔고 엎드려, 자기의 두 팔꿈치와 두 무릎을 접근시키려 하였다. 두 번 시도하였으나 뜻을 이루지 못하였다. 사람들이 그에게 소리쳤다.

"마들렌 아저씨! 어서 빠져나오세요!"

늙은 포슐르방조차도 그에게 말하였다.

"마들렌 씨! 어서 나가세요! 보시다시피 제가 죽을 수밖에 없어요! 저를 내버려 두세요! 자칫 당신마저 다치시겠어요!" / 마들렌은 아무 대꾸도 하지 않았다.

바라보고 있던 사람들의 숨결이 가빠졌다. 그동안에도 바퀴들은 계속 깊이 박혀, 마들렌이 마차 밑에서 빠져나오기가 거의 불가능해졌다.

문득 그 거대한 덩어리가 흔들리더니 마차가 서서히 쳐들리고, 바퀴들이 진흙 °골창으로부터 반쯤 솟아올랐다. 숨 막히는 소리가 들려왔다.

"서둘러요! 도와줘요!"

마들렌이 마지막 *사력을 다하였다.

모두들 서둘러 달려들었다. ⓛ단 한 사람의 희생적 열정이 모든 이들에게 힘과 용기를 주었다. 팔스물이 마차를 들어 올렸다. 늙은 포슐르방이 구출되었다.

마들렌이 다시 일어섰다. 비록 땀을 흘리고 있었지만 얼굴은 창백하였다. 옷은 찢기고 진흙투성이였다. 모두들 눈물을 흘렸다. 노인이 그의 무릎에 입을 맞추며, 그를 착한 신이라고 불렀다. 그의 얼굴에는 행복한, 그리고 *천상의 고통이 서려 있는데, 그의 평온한 눈이 그를 여전히 주시하고 있던 자베르를 그윽이 바라보고 있었다.

– 빅토르 위고, 「레 미제라블」

낱말 뜻 풀이

● **석방**: 법에 의하여 구속하였던 사람을 풀어 자유롭게 하는 일.
● **처형**: 형벌에 처함.
● **기중기**: 무거운 물건을 들어 올려 아래위나 수평으로 이동시키는 기계.

● **주시**: 어떤 목표물에 주의를 집중하여 봄.
● **골창**: 폭이 좁고 깊은 고랑.
● **사력**: 목숨을 아끼지 않고 쓰는 힘.
● **천상**: 하늘 위.

1

이 글의 인물에 대한 설명으로 알맞지 <u>않은</u> 것은 무엇인가요?

인물

① 장 발장은 빵 한 개를 훔쳐서 감옥에 들어갔다.
② 마들렌은 자신의 목숨을 걸고 포슐르방을 구하였다.
③ 자베르는 마들렌이 포슐르방을 구하는 것을 도왔다.
④ 포슐르방은 마들렌에게 고마워하며 그를 착한 신이라고 불렀다.
⑤ 촌사람들은 마들렌이 위험에 처하자 그에게 빠져나오라고 하였다.

2

보기 의 뜻을 가진 낱말을 이 글에서 찾아 빈칸에 쓰세요.

어휘

> **보기**
> 어떤 현상을 종합적으로 한눈에 알아보기 쉽게 일정한 체계에 따라 숫자로 나타냄.

• 영국의 어느 (   )에 의하면 런던에서 일어나는 도둑질 다섯 건 중 네 건은 굶주림이 원인이다.

3

자베르는 어떤 성격을 가진 인물인가요?

인물

① 냉정함   ② 느긋함   ③ 솔직함   ④ 쾌활함   ⑤ 너그러움

이 글의 일부를 요약한 를 읽고, 다음 물음에 답하세요.

>
> 장 발장은 감옥에서 풀려 난 뒤 또 다시 미리엘 주교의 은 그릇을 훔친다. 하지만 미리엘 주교는 오히려 장 발장이 감옥에 가지 않게 도와준다. 장 발장은 미리엘 주교의 용서에 감동해 이름을 마들렌으로 바꾸고 새 삶을 살아간다. 하지만 마들렌이 장 발장이었을 때의 모습을 알고 있는 경감 자베르는 마들렌을 계속 의심하고 처벌하려 한다. 어느 날 마들렌은 포슐르방이라는 노인이 마차에 깔린 것을 발견한다. 마들렌은 포슐르방을 도우면 자베르에게 자신의 정체를 들키게 되는 위험을 무릅쓰고 마차에 깔린 포슐르방을 구한다.

4

(추론)

자베르가 한 말인 ㉠은 무슨 뜻일까요?

① 기중기를 구해 와야 한다는 뜻이다.

② 자신은 포슐르방을 도울 수 없다는 뜻이다.

③ 마들렌의 정체를 자신이 알고 있다는 뜻이다.

④ 포슐르방이 죽는 것은 어쩔 수 없다는 뜻이다.

⑤ 자신이 보았던 도형수를 데리고 오겠다는 뜻이다.

5

(추론)

㉮와 ㉯ 사이에 있었던 일은 무엇일까요?

① 장 발장이 클로드 괴를 만났다.

② 장 발장이 포슐르방에게 자신의 정체를 들켰다.

③ 장 발장이 마들렌을 만나 새 삶을 살기로 결심했다.

④ 장 발장이 미리엘 주교의 은 그릇을 훔쳐 감옥에 들어갔다.

⑤ 장 발장이 미리엘 주교의 도움을 받고 이름을 마들렌으로 바꾸었다.

✏ ㉡이 뜻하는 사건은 무엇일까요?

어휘·어법 다지기

01 다음 뜻에 알맞은 낱말을 보기 에서 찾아 쓰세요.

보기
석방   주시   천상

(1) 하늘 위. ( )

(2) 어떤 목표물에 주의를 집중하여 봄. ( )

(3) 법에 의하여 구속하였던 사람을 풀어 자유롭게 하는 일. ( )

19아
▶정답과 해설 24쪽

02 다음 문장에 알맞은 낱말을 보기 에서 찾아 쓰세요.

보기
골창   석방

(1) 사기죄로 구속되었던 김 씨가 곧 ( )된다.

(2) 누구든지 나한테 덤비면 ( )에 던져 주겠다.

03 보기 를 읽고 다음 문장의 종류는 무엇인지 쓰세요.

보기
문장의 종류
– **평서문:** 말하는 사람이 특별한 요구 없이 아는 것을 이야기하는 문장.
　　　예 학교에 <u>간다.</u>
– **의문문:** 듣는 사람에게 질문하여 대답을 요구하는 문장.　예 학교에 <u>가니?</u>
– **명령문:** 듣는 사람에게 어떤 행동을 하라고 요구하는 문장.　예 학교에 <u>가라.</u>
– **청유문:** 듣는 사람에게 어떤 행동을 함께 하자고 요청하는 문장.
　　　예 학교에 <u>가자.</u>
– **감탄문:** 말하는 사람이 자신의 기분을 표현하는 문장.　예 학교에 <u>가는구나!</u>

(1) 밤이 늦었으니 어서 자라. ( )

(2) 내일 학교 끝나고 같이 떡볶이 먹자. ( )

(3) 너희 동생은 생일이 몇 월 며칠이니? ( )

매일 학습 평가	맞은 문제에 표시해 주세요.				맞은 개수	
1 인물 ☐	2 어휘 ☐	3 인물 ☐	4 추론 ☐	5 추론 ☐	개	스티커를 붙여 두세요

[앞부분 줄거리] 황해도 황주군 도화동에 심학규라는 봉사가 살고 있었습니다. 심 봉사의 부인은 딸 청이를 낳고 죽고 말았습니다. 마을 사람들의 도움으로 자란 심청은 삯바느질을 하며 아버지를 극진히 모시며 살았습니다.

심청이 나이가 열한 살이 되었을 때 집안 형편이 가난하고 아버지가 병이 들어 어리고 약한 심청이가 의지할 곳이 없었습니다. 하루는 심청이 아버지께 여쭈었습니다.

"아버지 들으세요. 말 못 하는 ㉮까마귀도 쓸쓸한 숲에서 날 저문 날에 효도할 줄을 알고, 맹종이란 사람은 추운 날씨에도 죽순을 얻어 부모를 모셨다고 합니다. 저도 나이가 십여 세라, 옛 이야기의 효자만은 못할망정 맛난 음식으로 아버지를 모시지 못하겠습니까. 아버지의 어두우신 눈으로 험한 길을 다니시다가 넘어져 다치시기 쉽고, 비바람을 무릅쓰고 다니시면 병이 날까 염려가 되니, ㉠아버지는 오늘부터 집 안에 계세요. 제가 혼자 밥을 빌어 와서 아침저녁으로 아버지의 근심을 덜겠습니다."

심 봉사가 크게 웃으며 말했습니다.

"너의 말이 효녀 같구나. 마음은 그렇지만 어린 너를 내보내고 앉아서 받아먹는 내가 어찌 마음 편하겠느냐. 그런 말을 다시는 하지 마라."

"아버지 그런 말 마세요. ㉯자로는 어진 사람으로 백 리 길을 쌀을 날라 °봉양하였고, 옛날 제영은 장안성에 갇힌 아비를 위해 몸을 팔아 °속죄하였습니다. 그런 일을 생각하면 사람은 다 마찬가지인데, 이런 일을 못 하겠습니까. 너무 말리지 마세요."

심 봉사가 옳게 여겨 허락하였습니다.

"효녀로다, 내 딸이여! ㉡네 말이 기특하니 하고 싶은 대로 하려무나."

심청이 그날부터 밥을 빌러 나설 적에, 먼 산에 해 비치고 앞마을 연기 나는데, 심청이 베옷에 대님 매고, 깃만 남은 헌 저고리, 자락 없는 °청목 모자를 보잘것없이 숙여 쓰고, 뒤축 없는 헌신짝에 버선 없이 발을 벗고, 헌 바가지를 손에 들고 건넛마을을 바라보았습니다.

㉰ 산에 새도 날지 않고, 넓은 땅에 사람들이 전혀 없었습니다. 북풍으로 모진 바람이 화살 쏘듯이 불어왔습니다. 해질 무렵에 심청이 가는 모습은, 눈 뿌리는 수풀 속을 외로이 날아가는 어미 잃은 까마귀 같았습니다. 심청은 옆걸음으로 손을 불고 옹그리며 건너갔습니다.

건넛마을에 도착하여 이집 저집 부엌문에 들어서며 °가련히 비는 말이,

"어머니가 돌아가신 후에 눈이 안 보이시는 우리 아버지를 모실 길이 없어 왔습니다. 댁에서 잡수시는 대로 밥 한 술만 주세요."

보고 듣는 사람들이 마음이 감동하여 밥, 김치, 장을 아끼지 않고 덜어 주었습니다.

㉱"아가, 어서 몸을 녹이고 많이 먹고 가거라."

하는 말은 가련한 정에 감동되어 고마운 마음으로 하는 말이었습니다. 그러나 심청이,

"추운 방에서 늙은 아버지께서 제가 오기만 기다리시니 저 혼자 먹을 수 있겠습니까?"

하는 것은 또한 부친을 생각하는 착한 마음에서 나오는 말이었습니다.

이렇게 얻은 밥이 두세 그릇이 충분히 되었습니다. 심청은 급한 마음에 돌아와서 사립문 밖에 이르렀습니다.

㉣"아버지, 춥지 않으신지요. 몹시 시장하시지요. 여러 집을 다니자니 늦어졌습니다."

심 봉사는 딸을 보내 놓고 마음을 놓지 못하다가 딸의 목소리를 반갑게 듣고 문을 활짝 열어 놓았습니다.

"에고 내 딸, 너 오느냐?"

두 손을 덥석 잡고,

㉤"손 시리지 않느냐? 화로에 불 쬐어라."

했습니다. 자식 아끼는 부모 마음같이 간절한 것은 없는 것이어서, 심 봉사는 기가 막혀 훌쩍 눈물지었습니다.

— 「심청전」

 낱말 뜻 풀이

● **봉양**: 부모나 조부모와 같은 웃어른을 받들어 모심.
● **속죄**: 지은 죄를 물건이나 다른 공로 등으로 비겨 없앰.
● **청목**: 검푸른 물을 들인 무명.
● **가련히**: 가엾고 불쌍하게.

1 ㉠~㉤에 대해 바르게 말하지 <u>않은</u> 것은 무엇인가요?

 세부 내용

① ㉠: 심청은 아버지가 집에 안전하게 계시도록 하고 있다.

② ㉡: 심 봉사는 심청의 위험한 행동을 그대로 내버려 두고 있다.

③ ㉢: 마을 사람들은 심청의 행동에 감동하여 모두 도와주고 있다.

④ ㉣: 심청은 혼자 자기를 기다렸을 아버지를 걱정하고 있다.

⑤ ㉤: 심 봉사는 추운 날씨에 고생했을 심청을 안쓰러워하고 있다.

2 심청의 말로 보아 ㉮는 어떤 대상으로 볼 수 있나요?

표현

① 심청이 싫어하는 대상

② 심청을 위로하는 대상

③ 심청이 본받고자 하는 대상

④ 심청이 가지고 싶어 하는 대상

⑤ 심청이 앞으로 겪을 일을 알려 주는 대상

▼정답과 해설 26쪽

3

추론

㉰의 배경에서 느껴지는 분위기로 알맞은 것을 고르세요.

① 밝고 따뜻한 분위기
② 어둡고 무서운 분위기
③ 신나고 재미있는 분위기
④ 부드럽고 친밀한 분위기
⑤ 쓸쓸하고 애처로운 분위기

4

감상

이 글에 대한 감상으로 알맞지 <u>않은</u> 것은 무엇인가요?

① 심청의 가난하고 어려운 형편을 보면서 가슴이 아팠어요.
② 심청의 모습을 묘사한 부분에서 당시의 생활을 알 수 있었어요.
③ 이웃들이 심청을 외면하는 모습에서 사람들의 이기심을 느낄 수 있었어요.
④ 맛난 음식으로 아버지를 모시겠다는 심청의 말에서 당시의 생각을 알 수 있었어요.
⑤ 어려운 상황에서도 꿋꿋하게 살아가는 심청의 모습을 보고 평소에 나약했던 스스로의 모습을 반성할 수 있었어요.

5

요약

이 글의 중심 내용이 잘 드러나도록 빈칸에 알맞은 말을 쓰세요.

(1) 심 봉사의 (   )은/는 딸 청이를 낳고 죽고 말았다.
(2) 심 봉사는 마을 사람들의 도움을 받아 (   )을/를 키웠다.
(3) 심청은 몸이 아픈 (   ) 대신 동냥을 하여 아버지를 극진히 모셨다.
(4) 마을 사람들은 심청의 (   )에 감동하여 먹을 것을 아끼지 않고 주었다.

 생각 글 쓰기

🖊 심청이 ㉰처럼 옛사람들의 이야기를 들어 아버지께 말씀드린 까닭은 무엇일까요?

어휘·어법 다지기

01 다음 뜻에 알맞은 낱말을 찾아 선으로 이으세요.

(1) 가련히 •

(2) 봉양 •

(3) 속죄 •

(4) 청목 •

• ㉠ 가엾고 불쌍하게.

• ㉡ 검푸른 물을 들인 무명.

• ㉢ 부모나 조부모와 같은 웃어른을 받들어 모심.

• ㉣ 지은 죄를 물건이나 다른 공로 등으로 비겨 없앰.

02 다음 문장에 알맞은 낱말을 보기 에서 찾아 쓰세요.

> 보기
>
> 가련히   봉양   속죄

(1) 부모님을 (   )하는 것은 자식의 도리이다.

(2) 형은 아픈 동생의 모습이 무척 (   ) 느껴졌다.

(3) 그분은 뼈아픈 (   )의 눈물을 흘리며 우리들 앞에 엎드렸습니다.

03 보기 를 읽고 다음 문장에서 잘못된 부분을 찾아 바르게 고쳐 쓰세요.

> 보기   '며칠'과 '몇 일'
>
> – **며칠**: ① 그달의 몇째 되는 날. ② 몇 날.
>   예 오늘이 며칠이지? / 그는 며칠 동안 아무 말이 없었다.
> – **몇 일**: '며칠'의 잘못.

(1) 우리가 만났던 날이 4월 몇 일이지?

(2) 지난 몇 일 동안 미세먼지가 심해서 외출을 못 했다.

매일 학습 평가	맞은 문제에 표시해 주세요.				맞은 개수
1 세부 내용 ☐	2 표현 ☐	3 추론 ☐	4 감상 ☐	5 요약 ☐	개

스티커를
붙여 두세요

3단계

사고력을 키우는 **다양한 독해**

❀ 자신의 학습 능력과 상황에 따라 꾸준하게 공부하는 것이 가장 중요합니다.
❀ 학습 계획을 먼저 세우고, 스스로 지킬 수 있도록 노력해 보세요.

				학습할 날짜	
21회	조선 시대의 신문고, 상언, 격쟁 제도	설명문	인문	☐월	☐일
22회	초등학생들의 화장을 금지해야 할까?	논설문	사회	☐월	☐일
23회	쓰나미	설명문	과학	☐월	☐일
24회	마틴 루서 킹	전기문	인문	☐월	☐일
25회	시간 관리의 비법	설명문	인문	☐월	☐일
26회	문화재 반환 문제	논설문	사회	☐월	☐일
27회	태양이 우리에게 미치는 영향	설명문	과학	☐월	☐일
28회	흔들리며 피는 꽃	문학	시	☐월	☐일
29회	돌하르방 어디 감수광	문학	기행문	☐월	☐일
30회	토끼전	문학	고전	☐월	☐일

　모든 사람들은 태어나면서부터 인간답게 살 권리가 있으며, 어떤 이유로도 인간답게 살 권리를 *침해당해서는 안 됩니다. 이처럼 사람이기 때문에 당연히 누리는 권리를 인권이라고 합니다. 오늘날 사람들은 억울한 누명을 쓰거나 어려운 일을 당하는 등 자신의 인권이 침해당하는 일이 생기면 경찰서에 신고를 하거나 재판을 받아서 해결할 수 있습니다.

　그러나 오늘날과 달리 조선 시대에는 신분이 높은 사람은 *상소를 올리거나 나라의 여러 기관에 자신의 억울함을 말할 수 있었지만, 일반 백성은 원통하고 억울한 일을 당해도 이를 하소연하기가 어려웠습니다. 백성이 양반에게 억울한 일을 당했을 경우, 이를 다른 사람에게 하소연하거나 소문을 내면 도리어 해를 당하는 경우도 있었다고 합니다.

　이러한 어려움을 풀어 주기 위해 백성에게 억울한 일이 있을 때 대궐 밖에 설치된 북을 쳐서 임금에게 알리는 신문고 제도가 만들어졌습니다. 그러나 북을 함부로 치면 큰 벌을 받았고, 북을 칠 수 있는 사건의 종류도 제한되어 있었습니다. 또 현실적으로 서울 부근에 사는 백성들만 이용이 가능했습니다. 이러한 까닭으로 신문고 제도는 실제로는 거의 실시되지 않았습니다.

　백성들은 자신들의 억울함을 직접 *호소할 수 있는 수단인 상언과 격쟁을 만들었습니다. 상언은 백성이 임금에게 글월을 올린다는 뜻으로, 신분과 관계없이 억울한 일을 당한 사람이 한문으로 된 문서를 직접 작성하여 임금에게 호소하는 제도였습니다. 이처럼 상언은 한문으로 작성해야 했으므로 문자에 익숙하지 못한 일반 백성들이 작성하기는 어려웠습니다.

　반면 격쟁은 직접 대궐에 들어가서 임금에게 호소하는 방법과 임금의 *행차 때 징이나 꽹과리를 쳐서 억울함을 호소하는 방법 등으로 행해졌습니다. 상언과 달리 격쟁은 횟수에 제한 없이 여러 번 할 수 있었고, 격쟁에서 말한 사실은 3일 내에 빠짐없이 임금에게 전달되어야 했기 때문에 문자를 모르는 백성들은 격쟁을 선호했습니다.

　시간이 흐르면서 상언과 격쟁은 백성들의 개인적인 어려움과 억울함을 호소하는 것에서 더 나아가 점차 백성들이 현실에서 겪는 사회·경제 전체의 문제를 해결하는 수단으로 발전하였습니다. 따라서 상언과 격쟁은 백성들이 자신들의 권리를 깨닫고 서서히 인권 의식을 갖게 되는 *계기가 되었다고 볼 수 있습니다.

낱말 뜻 풀이

● **침해:** 침범하여 해를 끼침.
● **상소:** 임금에게 글을 올리던 일. 또는 그 글.
● **호소:** 억울하거나 딱한 사정을 남에게 간곡히 알림.

● **행차:** 웃어른이 차리고 나서서 길을 감. 또는 그때 이루는 대열.
● **계기:** 어떤 일이 일어나거나 변화하도록 만드는 결정적인 원인이나 기회.

1 이 글에 알맞은 제목을 쓰세요.

제목

조선 시대의 (   ), (   ), (   ) 제도

2 이 글의 내용으로 알맞지 <u>않은</u> 것은 무엇인가요?

세부
내용

① 신문고 제도는 격쟁과 상언보다 먼저 만들어졌다.

② 상소는 신분이 높은 사람이 글을 올리던 제도이다.

③ 상언은 백성들이 쉽게 작성할 수 있어서 좋은 제도였다.

④ 격쟁은 횟수에 제한이 없어서 여러 번 이용할 수 있었다.

⑤ 상언과 격쟁은 백성들이 임금께 어려움을 호소하는 제도이다.

21
회

▶정답과 해설 28쪽

3 신문고 제도의 특징이 <u>아닌</u> 것은 무엇인가요?

세부
내용

① 북을 함부로 치면 큰 벌을 받았다.

② 북을 칠 수 있는 사건의 종류는 제한이 없었다.

③ 현실적으로 서울 근처에 사는 백성들만 이용할 수 있었다.

④ 억울한 일이 있을 때 북을 쳐서 임금에게 알리는 제도이다.

⑤ 여러 가지 원인 때문에 신문고 제도는 거의 실시되지 않았다.

4 상언과 격쟁의 가장 큰 차이점은 무엇인가요?

추론

① 상언은 격쟁과 달리 횟수에 제한이 없었다.

② 신분이 낮은 사람은 격쟁보다 상언을 선호하였다.

③ 상언은 문자로, 격쟁은 징이나 꽹과리를 쳐서 호소하였다.

④ 격쟁에서 말한 사실은 관리들이 골라서 임금에게 전달하였다.

⑤ 서울 부근에 사는 백성들은 주로 상언을 올리는 경우가 많았다.

5 상언과 격쟁은 점차 어떤 수단으로 발전하였나요?

세부
내용

(   ) · (   ) 전체의 문제를 해결하는 수단

6 **다음 중 조선 시대 사람들의 모습과 거리가 먼 것의 기호를 쓰세요.**

> ㉠ 양반인 김 진사는 고을의 사또가 뇌물을 받은 일을 상소로 올렸다.
> ㉡ 머슴인 돌쇠는 형님이 누명을 쓰고 돌아가시자 형님의 억울한 죽음을 호소하는 상언을 써서 임금에게 올렸다.
> ㉢ 장사를 하는 갑돌이는 장터에서 관리들에게 물건들을 억울하게 빼앗기자 임금의 행차 때 징을 친 뒤 자신의 사연을 하소연하였다.

7 **이 글의 구조를 생각하며, 빈칸에 알맞은 말을 쓰세요.**

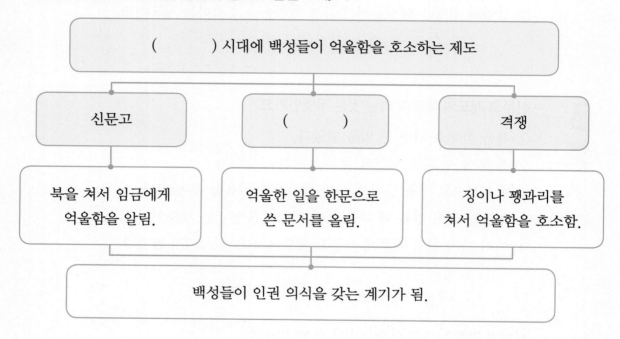

( ) 시대에 백성들이 억울함을 호소하는 제도

신문고	( )	격쟁
북을 쳐서 임금에게 억울함을 알림.	억울한 일을 한문으로 쓴 문서를 올림.	징이나 꽹과리를 쳐서 억울함을 호소함.

백성들이 인권 의식을 갖는 계기가 됨.

 생각 글 쓰기

✎ 조선 시대에 상언과 격쟁 등의 제도가 백성들이 인권 의식을 갖게 되는 계기가 되었다고 평가받는 까닭은 무엇일까요?

96 ⑤-3단계

어휘·어법 다지기

01 다음 뜻에 알맞은 낱말을 찾아 선으로 이으세요.

(1) 침범하여 해를 끼침. •   • ㉠ 계기

(2) 억울하거나 딱한 사정을 남에게 간곡히 알림. •   • ㉡ 침해

(3) 어떤 일이 일어나거나 변화하도록 만드는 결   • ㉢ 호소
    정적인 원인이나 기회.

02 다음 문장에 알맞은 낱말을 **보기** 에서 찾아 쓰세요.

> **보기**   계기   상소   호소   행차

(1) 부당한 조약을 반대하는 사대부들이 (   )를 연이어 올렸다.

(2) 그의 간곡하고 절실한 (   )에 사람들의 마음이 움직이고 있었다.

(3) 지난 사건을 (   )로 삼아 같은 문제가 발생하지 않도록 주의하자.

(4) 사람들은 사대문 앞으로 정승의 (   )가 지나가는 것을 구경하였다.

03 **보기** 를 읽고 다음 문장에 알맞은 서술어에 ○표를 하세요.

> **보기** – 날씨가 추워진 까닭은 어제 비가 내렸다.
>
> 　위의 문장은 '까닭은'에 어울리는 서술어가 없어서 어색한 문장이 되었습니다. 자연스러운 문장을 만들려면 서술어 '때문이다'를 넣어 '날씨가 추워진 까닭은 어제 비가 내렸기 때문이다.'와 같이 고쳐야 합니다. 이와 같이 주어와 서술어가 어울리는 문장이 올바른 문장입니다. 서로에게 맞는 주어나 서술어가 없다면 어색한 문장이 됩니다.

(1) 우리 모두의 목표는 승리(하는 것이다 / 해야 한다).

(2) 시험 점수가 떨어진 까닭은 게임을 너무 자주 (했다 / 했기 때문이다).

매일 학습 평가	맞은 문제에 표시해 주세요.						맞은 개수	
1 제목 ☐	2 세부 내용 ☐	3 세부 내용 ☐	4 추론 ☐	5 세부 내용 ☐	6 적용 ☐	7 글의 구조 ☐	개	스티커를 붙여 두세요.

21회 97

요즘 초등학생 친구들이 화장을 하고 다니는 모습을 흔히 볼 수 있습니다. 한 설문 조사 결과에 따르면 화장품을 사용하는 초등학생의 비율이 무려 42퍼센트이고, 이 중 43퍼센트는 초등학교 5학년 때부터 화장을 시작했다고 합니다. 친구들끼리 생일 선물로 화장품을 주고받고, 또래끼리 화장품 정보나 화장법을 °공유한다는 친구들도 많았습니다.

설문 조사에서 초등학생들이 화장을 하는 까닭으로 꼽은 것은 첫 번째가 '자기 만족(57퍼센트)'이었고, '다른 사람의 시선 의식(25퍼센트)', '호기심(8퍼센트)'이 그 뒤를 이었습니다. 즉 초등학생들이 남들에게 예쁘게 보이고 싶어서 화장을 할 것이라는 어른들의 예상과는 달리, 자신의 만족을 위해 화장하는 아이들이 많다는 것입니다.

그렇다면 화장하는 초등학생들이 늘어나고 이것이 문화로 자리잡게 된 까닭은 무엇일까요? 무엇보다 화장품 회사의 마케팅 °전략이 °적중했다는 점을 꼽을 수 있습니다. 초등학생들 사이에서는 특정 화장품을 광고 모델의 이름을 따서 '○○의 비비크림', '○○의 틴트'로 부르는 일이 흔합니다. 연예인을 °동경하고 °모방하려는 심리가 강한 아이들에게는 십대들이 좋아하는 아이돌이나 배우를 모델로 내세워 광고하는 이러한 마케팅 전략이 힘을 발휘하는 것입니다.

이처럼 초등학생들에게 화장 문화가 널리 퍼지면서 우리가 함께 고민해야 할 문제도 늘고 있습니다. 화장은 초등학생들에게 자신의 개성과 아름다움을 표현하는 수단이 될 수 있습니다. 그리고 자외선 차단제나 보습제처럼 아이들의 피부에 꼭 필요한 화장품들도 있습니다. 따라서 ㉠초등학생들에게도 자유롭게 화장할 권리를 허락해야 한다는 목소리가 높아지고 있습니다.

그러나 청소년기는 화장을 하기에 이른 시기이며 초등학생 신분에 화장을 하는 것은 바람직하지 않기 때문에 ㉡화장을 금지해야 한다는 의견도 있습니다. 자아 °정체성이 완전히 성립되지 않은 청소년 시기의 아이들은 또래 집단의 영향을 크게 받아 본인의 외모에 만족하지 못하고, 미디어가 정해 놓은 기준에 자신을 맞추려고 하는 경향이 있습니다. 그 결과 미디어에 노출되는 아이돌 스타의 화장을 무분별하게 모방하거나 매력적인 외모에만 집착하여 학업에 소홀할 수 있습니다. 또한 아이들은 자신에게 맞는 화장품, 올바른 화장법, 피부 건강 등에 대한 지식이 부족하기에 자칫 잘못된 화장품을 사용해서 피부 건강이 상하고 심각한 부작용에 시달릴 위험도 있습니다.

초등학생들이 화장을 하면서 겪는 문제를 예방하기 위해서는 "너희들의 있는 모습 그대로가 예뻐."라고 말만 할 것이 아니라, 외모에 대한 올바른 인식을 심어 주고 올바른 화장 방법을 알려 주어야 합니다. 타고난 외모나 인위적으로 꾸민 아름다움이 아니라 내면의 아름다움과 가치를 칭찬하는 사회가 되어야 합니다. 또한 화장을 하는 초등학생들에게 올바른 피부 관리법을 알려 주고 ㉮화장품 안전 교육을 실시해야 합니다. 이처럼 학교, 가정, 사회 모두가 초등학생들의 화장에 관심을 가지고, 올바른 화장 문화를 만들도록 이끌어 가는 것이 바람직합니다.

 낱말 뜻 풀이

● **공유**: 두 사람 이상이 한 물건을 공동으로 소유함.
● **적중**: 예상이나 추측 또는 목표 등에 꼭 들어맞음.
● **전략**: 정치, 경제 등의 사회적 활동을 하는 데 필요한 책략.

● **동경**: 어떤 것을 간절히 그리워하여 그것만을 생각함.
● **모방**: 다른 것을 본뜨거나 본받음.
● **정체성**: 변하지 아니하는 존재의 본질을 깨닫는 성질.

정답과 해설 29쪽

1

제목

이 글의 제목으로 가장 알맞은 것은 무엇인가요?

① 초등학생들의 화장을 금지해야 할까?
② 초등학생들의 화장품 소비 습관은 무엇일까?
③ 초등학생들이 어릴 때부터 화장을 하는 까닭은 무엇일까?
④ 초등학생들의 화장법과 어른들의 화장법은 무엇이 다를까?
⑤ 초등학생들이 화장하는 것에 대한 학생들의 생각은 어떠할까?

2

세부
내용

이 글의 내용으로 알맞지 <u>않은</u> 것은 무엇인가요?

① 초등학생 때부터 화장을 하는 문화가 퍼지고 있다.
② 초등학생들의 화장은 개성을 표현하는 수단이 될 수 없다.
③ 남들의 시선보다 자신의 만족을 위해 화장을 하는 아이들이 많다.
④ 초등학생들이 화장을 하는 것에 찬성하는 시선과 반대하는 시선이 있다.
⑤ 초등학생들은 외부에서 정한 외모의 기준에 자신을 맞추려고 하는 경향이 있다.

3

추론

 는 ㉠과 ㉡ 중 어느 의견을 뒷받침하는 내용인가요?

　　아름다움을 추구하는 것은 기본적인 욕구이다. 아이들에게 화장할 수 있는 권리를 준다고 해서 모든 아이들이 당장 화장을 시작하는 것은 아니다. 성인 여성이 화장을 하는 것이 개인의 선택이듯, 아이들도 개성을 표현할 권리가 있다.

4

주제

이 글의 주제는 무엇인가요?

학교, 가정, 사회 모두가 초등학생들의 화장에 (　　　　　)을/를 가지고, 올바른 (　　　　　)
문화를 만들자.

5 ㉮의 구체적인 내용으로 알맞지 <u>않은</u> 것은 무엇인가요?

적용

① 연예인이 광고한 화장품은 안전한 제품이므로 믿고 사용해도 된다고 설명한다.

② 아침저녁에 올바른 방법으로 세안해야 피부 문제를 예방할 수 있다고 설명한다.

③ 입술 색채 제품이나 마스카라를 친구들과 함께 사용하면 제품이 오염될 수 있으니 번갈아 쓰면 안 된다고 설명한다.

④ 청결하지 못한 화장 도구를 계속 사용하면 피부에 문제가 생길 수 있으니 정기적으로 세척해 깨끗하게 사용해야 한다고 설명한다.

⑤ 성장기 아이들의 피부에 맞게 만들어진 화장품을 골라서 구입하고, 어떤 성분이 들어 있는지 주의해서 살펴보아야 한다고 설명한다.

6 이 글의 내용을 생각하며, 빈칸에 알맞은 말을 쓰세요.

글의
구조

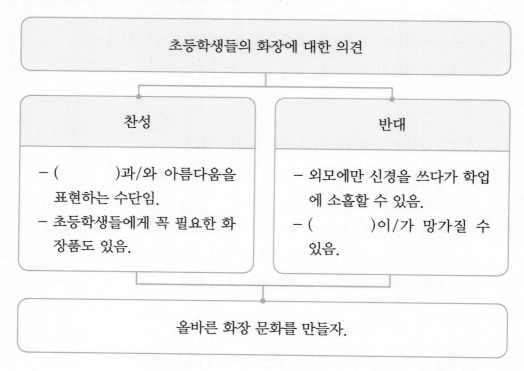

초등학생들의 화장에 대한 의견

찬성
- (   )과/와 아름다움을 표현하는 수단임.
- 초등학생들에게 꼭 필요한 화장품도 있음.

반대
- 외모에만 신경을 쓰다가 학업에 소홀할 수 있음.
- (   )이/가 망가질 수 있음.

올바른 화장 문화를 만들자.

생각 글 쓰기

🖋 학생들이 외모만 중요하게 생각하지 않도록 사회 전체가 해야 할 노력은 무엇일까요?

어휘·어법 다지기

01 다음 낱말에 알맞은 뜻을 찾아 선으로 이으세요.

(1) 공유 •
(2) 동경 •
(3) 적중 •
(4) 정체성 •

• ㉠ 두 사람 이상이 한 물건을 공동으로 소유함.
• ㉡ 예상이나 추측 또는 목표 등에 꼭 들어맞음.
• ㉢ 변하지 아니하는 존재의 본질을 깨닫는 성질.
• ㉣ 어떤 것을 간절히 그리워하여 그것만을 생각함.

02 다음 문장에 알맞은 낱말을 보기 에서 찾아 쓰세요.

> **보기**
> 공유   동경   모방   전략

(1) 그들은 상대편을 이기기 위해 모든 (   )을/를 다 동원하였다.

(2) 도꼬마리 열매의 갈고리 모양 가시를 (   )하여 벨크로를 만들었다.

(3) 중요한 정보를 아무도 우리와 (   )하지 않아서 전쟁에 어려움을 겪었다.

(4) 공부든지 운동이든지 못하는 게 없는 형은 항상 그의 (   )의 대상이었다.

03 보기 의 문장에서 잘못된 표현을 찾아 바르게 고쳐 쓰세요.

> **보기**
> 그는 일부로 가벼운 말투로 우리를 안심시켰다.

(1) 틀린 표현: _____   (2) 올바른 표현: _____

스티커를 붙여 두세요

2011년 3월 11일, 일본 동북부에서 일본 관측 사상 최대 규모인 리히터 규모 9.0의 지진이 발생했습니다. 이 지진으로 인해 높이 10미터 이상 최고 40미터에 달하는 거대 쓰나미가 일어났습니다. 파도는 순식간에 도시를 덮쳤고, 지진에 의한 사망 및 실종자 1만 8,526명, 건축물의 파손 및 붕괴 39만 9,251가구, 피난민 40만 명 이상이라는 큰 피해가 발생했습니다. 또한 강력한 쓰나미로 후쿠시마 원자력 발전소가 피해를 입으면서 많은 양의 방사능이 °유출되어 일본은 큰 °타격을 받게 되었습니다. 쓰나미의 위력이 얼마나 대단하기에 평화롭던 마을을 순식간에 쑥대밭으로 만들고, 많은 사람들의 목숨을 앗아갔을까요?

쓰나미(Tsunami)는 해안을 뜻하는 일본어 '쓰'(Tsu)와 파도를 뜻하는 일본어 '나미'(Nami)가 합쳐진 말로, 항구에 불어 닥친 비정상적으로 높은 파도를 가리키는 일본어에서 비롯된 용어입니다. 과학적으로는 깊은 바다 밑에서 지진이나 화산 폭발이 발생하면서 °지각 변동이 생기고, 그 에너지로 인해 생긴 거대한 파도가 해안가에 도달하는 현상을 말합니다.

그렇다면 왜 멀고 깊은 바다에서 일어난 지각의 변화가 수십 미터 높이의 해일을 만드는 것일까요? 깊은 바다에서 지각 변동이 일어나면 바닷속 지각의 높이가 달라지면서 지각 위에 있던 바닷물의 수면도 °굴곡이 생겨 높이가 달라집니다. 그리고 달라진 해수면의 높이가 다시 같아지려 하면서 상하 방향으로 큰 출렁거림이 생겨나게 됩니다. 이때 바닷물의 출렁거림, 즉 파동은 옆으로 계속 전달되어 가는데 이것이 바로 지진 해일인 쓰나미를 발생시킵니다. 쓰나미는 처음에 발생한 먼 바다에서 보면 그 움직임이 크게 느껴지지 않지만, 이 해일이 해안에 가까워지면 바다의 깊이가 얕아져서 해일의 속도가 줄어들고 에너지는 좁은 범위로 °압축되면서 파도의 높이가 크게 높아집니다. 그렇기 때문에 먼 바다에서는 그다지 대수롭지 않았던 파도가 해안에서는 높이 수십 미터의 큰 파도가 되어 도시 전체를 덮치기도 하는 것입니다.

지금의 과학 기술로 지진 발생 시간은 예측하기 어렵지만, 쓰나미의 도착 시간은 예측할 수 있다고 합니다. 쓰나미의 속도가 지진파보다 늦다는 것을 이용하는 것이지요. 한 예로 칠레 해안에서 발생한 지진의 경우 지진파가 하와이 호놀룰루까지 도달하는 데 13분 52초가 걸린 반면, 쓰나미는 15시간 29분이나 걸렸다고 합니다. 따라서 쓰나미로 인한 피해는 예보를 통해서 최소화할 수 있습니다.

쓰나미 관련 특보가 발표되면 바다에서 수영을 하거나 보트 놀이를 하는 등 해안가에서 하던 모든 행위를 중지해야 합니다. 그리고 즉시 높은 지역으로 대피해야 하며, 높은 지역으로 이동할 시간이 부족하다면 15미터 이상의 튼튼하고 높은 건물의 옥상으로 대피해야 합니다. 지진이 발생한 뒤 여진이 뒤따르는 것처럼 쓰나미도 한 번으로 끝나는 게 아니라 여러 차례 발생할 수 있습니다. 그

러므로 해일이 지나갔다고 해서 [*]섣불리 낮은 지대로 내려오지 말고, 안전하다는 방송이 나오기 전까지는 대피해 있어야 합니다.

낱말 뜻 풀이 • -

● **유출**: 밖으로 흘러 나가거나 흘려 내보냄.
● **타격**: 어떤 일에서 크게 기를 꺾음. 또는 그로 인한 손해 · 손실.
● **지각**: 지구의 바깥쪽을 차지하는 부분.

● **굴곡**: 이리저리 굽어 꺾여 있음. 또는 그런 굽이.
● **압축**: 물질 등에 압력을 가하여 그 부피를 줄임.
● **섣불리**: 솜씨가 설고 어설프게.

1 이 글에서 가장 중요한 낱말은 무엇인가요?

핵심어

2 이 글의 내용으로 알맞지 <u>않은</u> 것은 무엇인가요?

세부
내용

① 지진 발생 시간과 쓰나미의 도착 시간은 예측할 수 있다.

② 쓰나미는 일본어 '쓰'(Tsu)와 '나미'(Nami)가 합쳐진 말이다.

③ 쓰나미는 먼 바다에서보다 해안가에서 높이가 크게 높아진다.

④ 지진이 발생했을 때 지진파의 속도보다 쓰나미의 속도가 느리다.

⑤ 바닷물의 상하 방향의 파동은 옆으로 계속 전달되어 쓰나미를 발생시킨다.

3 다음 중 쓰나미가 발생했을 때의 행동으로 알맞지 <u>않은</u> 것의 기호를 쓰세요.

적용

> ㉠ 쓰나미가 발생하면 바닷가의 안전한 배 안에 들어가 대피한다.
> ㉡ 쓰나미 경보 발령에 따라 튼튼하고 높은 건물의 옥상으로 재빨리 대피한다.
> ㉢ 쓰나미가 한 차례 지나간 뒤에도 안전하다는 방송이 나오기 전까지는 대피해 있는다.

4 쓰나미가 발생하는 직접적인 원인은 무엇인가요?

세부
내용

깊은 바다에서 지진이나 (   )이/가 발생하여 일어난 (   )

5

이 글의 중심 내용이 잘 드러나도록 요약하여 빈칸에 알맞은 말을 쓰세요.

> 2011년에 일본 (   )에서 발생한 지진에 의해 생긴 (   )은/는 일본에 큰 피해를 주었다. 쓰나미는 먼 바다에서 일어난 지각 변동으로 인해 생긴 거대한 (   )이/가 해안가에 도달하는 현상이다. 지진의 발생 시간은 예측하기 어렵지만 쓰나미의 속도가 (   )보다 느리므로 쓰나미의 도착 시간은 예측할 수 있다. 따라서 쓰나미 경보가 발표되면 해안가에서 하던 행위를 중지하고 높은 지역으로 대피해야 한다.

6

이 글에서 말한 '쓰나미'에 대해 정리하며 빈칸에 알맞은 말을 쓰세요.

쓰나미	
뜻	해안을 뜻하는 일본어 '쓰'(Tsu)와 ( )을/를 뜻하는 일본어 '나미'(Nami)가 합쳐진 말
발생 원인	깊은 ( )에서 일어난 지각 변동으로 인해 생긴 파동
예측 방법	쓰나미의 ( )이/가 지진파보다 늦다는 것을 이용
대피 요령	해안가에서의 모든 행위를 중지하고 높은 지대로 대피

생각 글 쓰기

✏ 먼 바다에서 발생했을 때는 크지 않았던 쓰나미가 해안가에서 크고 높은 파도로 변하는 까닭은 무엇일까요?

어휘·어법 다지기

01 다음 낱말에 알맞은 뜻을 찾아 선으로 이으세요.

(1) 굴곡 •   • ㉠ 밖으로 흘러 나가거나 흘려 내보냄.

(2) 압축 •   • ㉡ 물질 등에 압력을 가하여 그 부피를 줄임.

(3) 유출 •   • ㉢ 이리저리 굽어 꺾여 있음. 또는 그런 굽이.

02 다음 문장에 알맞은 낱말을 보기 에서 찾아 쓰세요.

> 보기
>
> 굴곡   섣불리   타격

(1) 멀리 보이는 산등성이의 (   )이/가 부드러웠다.

(2) 예상치 못했던 날카로운 지적에 그는 마음에 큰 (   )을/를 받았다.

(3) 그 화가와 나는 만난 지 얼마 안 된 사이였기 때문에 그림에 대해 (   ) 질문할 수 없었다.

03 보기 를 읽고 다음 문장에 알맞은 낱말을 골라 ○표를 하세요.

> 보기   '개발'과 '계발'
>
> – **개발(開發)**: ① 토지나 천연자원 등을 유용하게 만듦. ② 지식이나 재능 등을 발달하게 함. ③ 산업이나 경제 등을 발전하게 함. ④ 새로운 것을 만들어 내놓음.
>   예 앞으로는 대체 에너지 개발이 중요하다. / 사고력을 개발하기 위해 생활 논리를 배우는 것을 권장한다. / 신제품 개발을 통해 특허를 얻었다.
> – **계발(啓發)**: 슬기나 재능, 사상 등을 일깨워 줌.
>   예 마침내 자유 민주주의 사상의 계발이 만천하에 드러났다. / 외국어 능력 계발을 위하여 프로그램을 신설한다.

(1) 우리는 새로운 대체 자원 (개발 / 계발)을 위해 노력 중이다.

(2) 평소에도 자기 (개발 / 계발)을 꾸준히 해야 좋은 기회를 잡을 수 있다.

마틴 루서 킹은 1929년 미국 애틀랜타에서 목사의 아들로 태어났습니다. 그는 어릴 때 한 백인 친구의 아버지가 친구에게 흑인과 같이 놀지 말라고 말하는 것을 듣고 충격을 받았고, 처음으로 *인종 *차별에 눈을 뜨게 되었습니다. 미국의 흑인들은 단지 피부색이 검다는 이유로 식당에 출입하지 못하거나 버스에 앉지 못하는 등 오래도록 차별을 받아 왔습니다. 그리고 백인들은 이런 차별을 당연하게 여겼습니다. 킹은 백인이 흑인에게 행하는 차별과 폭행을 지켜보고 자라면서 인종 차별을 없애야겠다는 생각을 갖게 되었습니다. 그리고 더 많은 사람들에게 흑인의 자유와 평등을 이야기하기 위해 신학을 공부한 뒤 목사가 되었습니다.

1955년 12월 1일, 로사 파크는 집으로 가기 위해 버스를 탔습니다. 버스 운전 기사는 백인 좌석이 가득 차 있는 것을 보고 로사 파크를 포함한 네 명의 흑인들에게 일어나라고 요구했습니다. 그녀는 자리를 양보하지 않은 죄로 *체포되어 벌금형을 선고받았습니다. 이 사건을 계기로 마틴 루서 킹 목사를 비롯한 흑인 지도자들은 일 년 넘게 '버스 안 타기' 운동을 전개했습니다. 흑인끼리 차를 태워 주거나 짧은 거리는 걸어 다니고, 말을 타고 다니기까지 했습니다. 결국 1956년 11월 13일, 법원은 버스에서 인종 차별을 하는 것은 불법이며, 피부색에 따라 버스 좌석을 나누는 것을 금지한다는 판결을 내렸습니다. 킹 목사의 '버스 안 타기' 운동은 폭력이 아닌 평화로운 방법으로도 인종 차별 문제를 해결할 수 있다는 사실을 보여 준 것입니다. 이러한 평화적인 방법은 흑인뿐 아니라 백인들의 마음도 움직일 수 있었습니다.

킹 목사는 링컨의 노예 *해방 선언 100주년을 기념해 1963년 8월 워싱턴에서 인종 차별에 반대하는 평화 행진 대회를 열었습니다. 전국에서 수십만 명의 흑인이 모여 사상 최대 규모의 흑인 시위를 벌였고, 여기에서 킹 목사는 ㉠"나에게는 꿈이 있습니다."라는 명연설을 남겼습니다. 그는

이렇게 흑인 인권을 위해 보여 준 노력과 *성과를 인정받아 1964년에 노벨 평화상을 받았습니다.

하지만 그 후에도 여전히 흑인들은 가난했고, 투표권을 가지고 있어도 실제로 투표하기는 어려웠습니다. 흑인은 투표하려면 세금을 내야 했고, 정치·사회 문제를 풀어 시험에 통과해야 했기 때문입니다. 국가에서는 백인에게 쉬운 문제를, 흑인에게 어려운 문제를 내어 흑인이 투표하는 것을 방해했습니다. 이에 킹 목사는 흑인들의 투표권을 요구하며 평화적인 행진을 했습니다. 결국 1965년에 존슨 대통령은 인종 차별을 금지하는 법에 서명했고, 마침내 흑인도 투표할 수 있는 권리를 얻었습니다.

킹 목사는 계속해서 세계 평화를 위한 노력을 이어 갔습니다. 전 세계의 가난한 사람을 돕기 위해 행진을 했고, 베트남 전쟁에도 반대했습니다. 그러던 1968년, 그는 그에게 반대하는 백인의 총에 맞아 숨을 거두었습니다. 그러나 킹 목사의 영웅적 투쟁은 많은 흑인들이 *자긍심을 가지고 *단결하

는 계기가 되었습니다. 그는 미국 역사상 가장 위대한 흑인 중 한 사람으로 평가받고 있으며, 미국에서는 킹 목사의 업적을 기리고자 1월 세 번째 월요일을 마틴 루서 킹의 날로 정하고 있습니다.

낱말 뜻 풀이 ● -

● **인종**: 인류를 지역과 신체적 특성에 따라 구분한 종류.
● **차별**: 둘 이상의 대상을 각각 등급이나 수준 등의 차이를 두어서 구별함.
● **체포**: 형법에서, 사람의 신체에 대하여 직접적이고 현실적인 구속을 가하여 행동의 자유를 빼앗는 일.

● **해방**: 구속이나 억압, 부담 등에서 벗어나게 함.
● **성과**: 이루어 낸 결실.
● **자긍심**: 스스로에게 긍지를 가지는 마음.
● **단결**: 많은 사람이 마음과 힘을 한데 뭉침.

---

1 이 글은 누구에 대한 이야기인가요?

핵심어

2 이 글의 내용으로 알맞지 <u>않은</u> 것은 무엇인가요?

세부내용

① 마틴 루서 킹은 목사의 아들로 태어났다.
② 마틴 루서 킹은 흑인의 자유와 평등을 이야기하려고 했다.
③ 마틴 루서 킹은 '버스 안 타기' 운동을 전개하여 인종 차별을 악화시켰다.
④ 마틴 루서 킹은 가난한 사람을 돕고 전쟁에 반대하는 등 세계 평화를 위해 노력하였다.
⑤ 킹 목사가 암살된 뒤에도 그의 영웅적 투쟁은 흑인들이 자긍심을 가지고 단결하는 계기가 되었다.

3 보기는 마틴 루서 킹의 연설인 ㉠의 일부분입니다. 연설에서 전하고자 하는 것을 생각하며 빈칸에 알맞은 말을 쓰세요.

추론

> 보기
>
> 나에게는 꿈이 있습니다.
> 내 아이들이 피부색이 아니라 인격으로 평가받는 나라에서 사는 꿈입니다.
>
> 나에게는 꿈이 있습니다.
> 흑인 어린이들이 백인 어린이들과 함께 마치 형제자매처럼 손을 맞잡을 수 있는 날이 올 것이라는 꿈입니다.

• 마틴 루서 킹은 흑인도 (   )과/와 똑같은 인간으로 동일하게 대우받아야 한다고 연설했다.

4 마틴 루서 킹은 오늘날 어떤 인물로 기억되고 있나요?

세부
내용

백인에게 차별받는 흑인의 (　　　　) 신장을 위해 노력했으며, 미국 역사상 가장 위대한
(　　　　) 중 한 사람으로 평가받고 있다.

5 마틴 루서 킹과 가장 비슷한 생애를 살았던 사람은 누구인가요?

적용

① 최초의 방사성 원소를 발견한 퀴리 부인
② 백성들을 위해 한글을 만들어 배포한 세종 대왕
③ 백열전구를 비롯해 수많은 물건을 발명한 에디슨
④ 가난하고 아픈 사람들을 위해 평생을 바친 테레사 수녀
⑤ 귀가 들리지 않는 장애를 극복하고 훌륭한 작곡가가 된 베토벤

6 이 글의 중심 내용이 잘 드러나도록 요약하여 빈칸에 알맞은 말을 쓰세요.

요약

> 　마틴 루서 킹은 '(　　　　　　　)' 운동을 하여 평화적으로 인종 차별 문제를 해결
> 하고, 평화 행진 대회를 통해 흑인 인권 신장을 위해 노력하여 노벨 평화상을 받았습니
> 다. 흑인이 (　　　　)을/를 얻은 뒤에도 계속 인권 신장을 위해 투쟁하다 암살당했지
> 만, 그는 미국 역사상 가장 위대한 흑인 중 한 사람으로 평가받고 있습니다.

생각 글 쓰기

✏ 마틴 루서 킹 목사가 미국 역사상 가장 위대한 흑인 중 한 사람으로 평가받는 까닭은 무엇일까요?

어휘·어법 다지기

01 다음 낱말에 알맞은 뜻을 찾아 선으로 이으세요.

(1) 단결 •   • ㉠ 이루어 낸 결실.

(2) 성과 •   • ㉡ 많은 사람이 마음과 힘을 한데 뭉침.

(3) 인종 •   • ㉢ 인류를 지역과 신체적 특성에 따라 구분한 종류.

02 다음 문장에 알맞은 낱말을 보기 에서 고르세요.

보기	단결 차별 체포

(1) 사람을 지역이나 출신에 따라 (   )하면 안 된다.

(2) 온 국민이 (   )하여 국가적인 위기를 극복하였다.

(3) 그들은 공항에서 기다리고 있던 경찰에 (   )되었다.

03 보기 를 읽고 목적어와 서술어의 호응이 알맞게 이루어진 문장을 고르세요.

> 보기
>
> – 어제는 춤과 노래를 부르며 놀았다.
>
> 위의 문장에서 어색한 점이 느껴지나요? '노래'는 '불렀다'고 할 수 있지만, '춤'은 '불렀다'고 할 수 없습니다. '춤'은 '추었다'고 해야 어울립니다. 그러므로 '어제는 춤을 추고 노래를 부르며 놀았다.'라고 고쳐야 합니다. 이와 같이 문장에서는 목적어에 어울리는 서술어를 사용해야 합니다.

① 동생과 어머니께 빵을 드렸다.
② 오후에 케이크와 차를 마셨다.
③ 비가 와서 우산과 장화를 신었다.
④ 기상청은 폭풍 경보를 발령하고 대피를 권고하였다.
⑤ 짐승은 다른 동물에게 잡아먹히기도 하고, 잡아먹기도 한다.

매일 학습 평가	맞은 문제에 표시해 주세요.					맞은 개수	
1 핵심어 ☐	2 세부 내용 ☐	3 추론 ☐	4 세부 내용 ☐	5 적용 ☐	6 요약 ☐	개	스티커를 붙여 주세요

우리의 생활을 유지하고 *풍요롭게 하기 위해 사용하는 모든 것을 생활 자원이라고 합니다. 생활 자원은 옷, 음식, 집, 돈 등과 같이 형태가 있는 자원과 시간, 지식, 기술, 흥미 등과 같이 형태가 없는 자원으로 나눌 수 있습니다. 생활 자원 중 하나인 시간은 누구에게나 똑같이 주어지는데, 사용하는 사람이 어떻게 관리하느냐에 따라 그 *가치가 달라지기도 합니다.

시간의 특성을 살펴보면, 시간은 어른이나 아이, 국가와 지역, 남자와 여자 구분 없이 모든 사람에게 하루 24시간이 똑같이 주어집니다. 또한 시간은 저장하거나 정지할 수 없으며, 한번 지나가면 되돌릴 수도 없는 *한정된 자원입니다. 그렇다면 이렇게 소중한 시간을 헛되이 흘려보내지 않으려면 어떻게 해야 할까요?

먼저 내가 시간을 어떤 관점으로 바라보고 있는지 알아야 합니다. 시간은 바라보는 관점에 따라 크게 두 가지로 나눌 수 있습니다. 그중 하나는 '미래를 위한 시간'입니다. 우리는 미래에 꿈을 이루고 원하는 것을 얻기 위해 노력하며 시간을 보냅니다. 특히 어린이나 청소년은 '미래를 위한 시간'을 많이 가지게 됩니다. 예를 들어 우리는 공부나 운동을 하고 악기를 배우거나 그림을 그리기도 하며, 다양한 것들을 *시도하고 여러 사람들을 만나며 열심히 배웁니다. 이런 시간들은 미래에 정신적으로도 성숙한 사람이 되기 위한 영양분이 됩니다. 그러나 이렇게 '미래를 위한 시간'을 갖는 동안에도 '현재를 위한 시간'도 가져야 합니다.

㉠   '현재를 위한 시간'은 무엇일까요? '현재를 위한 시간'은 '미래의 나'를 가꾸는 시간이 아닌 '현재의 나'를 위해 보내는 시간입니다. 미래를 준비하는 시간도 꼭 필요하지만 현재의 '내'가 행복할 수 있는 시간을 보내는 것도 매우 중요합니다. 미래를 위해 준비하다가 몸이 지쳤다면 휴식을 취하면서 회복할 수 있는 시간을 갖고, 마음이 지쳤다면 마음을 달래 줄 수 있는 시간을 가져야 합니다. 현재의 '내'가 건강하고 행복해야 미래의 '나'를 가꾸는 시간도 알차게 보낼 수 있고, 현재의 '나'도 미래의 '나' 못지않게 소중하기 때문입니다.

시간을 어떻게 보내고 싶은지 생각했다면 이제 시간을 절약하기 위해 어떤 일이 더 중요하고 먼저 해야 하는 일인지 따져 보고 그에 맞게 앞으로 할 일의 순서를 정해야 합니다. 예를 들어 두 달 뒤에 마라톤 대회에 나갈 경우를 생각해 봅니다. 마라톤에 나가서 좋은 성적을 얻으려면 열심히 연습해야 합니다. 그런데 2주 뒤에 중간고사가 있다면 무엇을 먼저 준비해야 할까요? 중간고사를 볼 때까지는 공부를 먼저 한 뒤에 남는 시간에 마라톤 연습을 하는 것이 현명합니다. 일의 우선순위가 바뀌는 것이지요.

우선순위를 정한 후에는 각각의 일에 대한 목표와 그 목표를 이룰 실행 계획을 세워 봅시다. '매일매일 2시간 이상 달리기 연습하기'와 같이 구체적인 계획이 좋습니다. 목표가 뚜렷하게 잡히고 계획이 세워졌다면 그날그날 할 일을 우선순위에 따라 순서대로 실천할 수 있습니다. 그것이 바로 시간을 효율적으로 관리하는 것입니다. 그리고 실천한 뒤에는 목표를 달성했는지 평가하고 다음 계획을 세울 때 반영합니다.

낱말 뜻 풀이 -

● **풍요**: 흠뻑 많아서 넉넉함.
● **가치**: 사물이 지니고 있는 쓸모.

● **한정**: 수량이나 범위 등을 제한하여 정함. 또는 그런 한도.
● **시도**: 어떤 것을 이루어 보려고 계획하거나 행동함.

1

주제

이 글의 주제에 맞게 빈칸에 알맞은 말을 쓰세요.

(   )의 특성과 (   ) 관리의 비법

2

세부
내용

이 글의 내용으로 알맞지 않은 것은 무엇인가요?

① 생활 자원은 형태가 있는 자원과 없는 자원으로 나눌 수 있다.

② 시간은 미래를 위한 시간과 현재를 위한 시간으로 나눌 수 있다.

③ 일반적으로 어린이나 청소년은 미래를 위한 시간을 많이 가지게 된다.

④ 시간을 절약하기 위해서는 무조건 처음 정한 순서를 지켜 일을 진행해야 한다.

⑤ 시간을 효율적으로 관리하기 위한 계획을 실천한 뒤에는 목표를 달성했는지 평가한다.

3

세부
내용

이 글에서 설명한 시간의 특성이 아닌 것은 무엇인가요?

① 시간은 소중한 자원의 한 가지이다.

② 시간은 한번 지나가면 되돌릴 수 없다.

③ 시간은 따로 저장하거나 정지할 수 없다.

④ 시간은 모든 사람에게 똑같은 양으로 주어진다.

⑤ 시간은 사용하는 사람에 따라 그 가치가 달라질 수 없다.

4

추론

다음과 같이 시간 관리 계획을 세우고 실천했을 때, 잘못된 것의 기호를 쓰세요.

㉠ 목표 세우기	㉡ 계획 세우기	㉢ 실천하기	㉣ 평가하기
한 주에 과학 책을 한 권 이상 읽기	방과 후 활동 전에 틈틈이 책을 읽기	잠자기 전에 책을 읽음.	책 한 권을 다 읽어서 목표를 달성함.

▶정답과 해설 34쪽

5

적용

㉮에서 강조한 내용과 다르게 행동한 사람은 누구인지 쓰세요.

> • 수민: 학원 시험을 앞두고 공부만 했더니 너무 피곤했어. 그래서 집에서 강아지랑 놀아 주면서 몸과 마음을 가다듬었어.
> • 현아: 화가가 꿈인 나는 미술 학원을 다니며 매일 그림을 그렸어. 그러다 보니 그림 그리는 게 지겨워졌어. 요즘은 내가 진짜 하고 싶은 일이 무엇인지 다시 생각해 보며 학원을 쉬고 있어.
> • 유하: 난 축구부에 들어가고 나서 매일 축구 연습을 하느라 친구들과 만날 시간도 없고 집에도 항상 늦게 들어가기 때문에 많이 지쳤어. 하지만 미래에 축구 선수가 될 생각을 하면서 힘을 내고 있어.

6

글의 구조

이 글의 구조를 생각하며, 빈칸에 알맞은 말을 쓰세요.

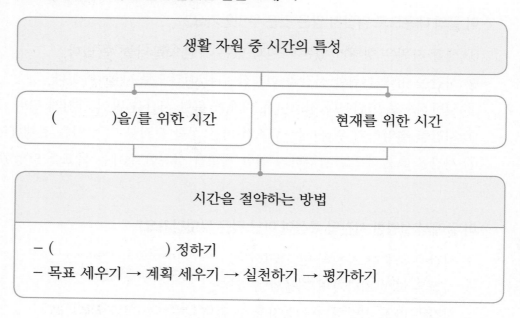

생활 자원 중 시간의 특성

( )을/를 위한 시간 | 현재를 위한 시간

시간을 절약하는 방법

– ( ) 정하기

– 목표 세우기 → 계획 세우기 → 실천하기 → 평가하기

생각 글 쓰기

🖊 '미래를 위한 시간'뿐만 아니라 '현재를 위한 시간'도 중요한 까닭은 무엇일까요?

어휘·어법 다지기

01 다음 뜻에 알맞은 낱말을 찾아 선으로 이으세요.

(1) 흠뻑 많아서 넉넉함. •   • ㉠ 가치

(2) 사물이 지니고 있는 쓸모. •   • ㉡ 시도

(3) 어떤 것을 이루어 보려고 계획하거나 행동함. •   • ㉢ 풍요

(4) 수량이나 범위 등을 제한하여 정함. 또는 그 •   • ㉣ 한정
런 한도.

02 다음 문장에 알맞은 낱말을 보기 에서 고르세요.

보기   가치   시도   풍요   한정

(1) 우리는 조사 대상을 학생으로 (   )하였다.

(2) 동생은 여러 번 (   )해서 어렵게 사인회에 당첨되었다.

(3) 물질적인 (   ) 속에서도 정신적으로 빈곤함을 느낄 수 있다.

(4) 자기 계발에 힘써서 자신의 (   )을/를 높이는 사람이 되도록 노력하자.

03 보기 를 읽고 다음 문장에 알맞은 낱말을 골라 ○표를 하세요.

보기 '토의'와 '토론'
  – **토의(討議)**: 어떤 문제에 대하여 검토하고 협의함.
    예 우리는 오랜 토의 끝에 결론에 도달하였다.
  – **토론(討論)**: 어떤 문제에 대하여 여러 사람이 각각 의견을 말하며 논의함.
    예 찬반 토론을 하다.

(1) 우리는 학급 회의에서 운동회 참가 종목에 대해 (토의 / 토론)하였다.

(2) 사형 제도를 유지해야 할지에 대해 찬성과 반대로 나누어 (토의 / 토론)하였다.

매일 학습 평가	맞은 문제에 표시해 주세요.					맞은 개수
1 주제 ☐	2 세부 내용 ☐	3 세부 내용 ☐	4 추론 ☐	5 적용 ☐	6 글의 구조 ☐	개

스티커를 붙여 주세요

문화재란 조상의 문화 활동으로 만들어진 결과물 중 가치가 높다고 인정되는 것들을 일컫는 말입니다. 문화재는 민족의 얼과 숨결이 담긴 민족의 역사와 같은 것이기 때문에 우리는 그것을 잘 보존해 후대에 물려줄 의무가 있습니다. 그 나라의 민족성과 문화를 이해할 수 있는 문화재는 후대 사람들이 어떻게 판단하고 보존하느냐에 따라 그 가치가 달라집니다.

그러나 우리나라의 많은 문화재는 일제 강점기와 한국 전쟁 중에 해외로 빠져나갔습니다. 이렇게 해외로 빠져나간 문화재의 숫자는 정확히 헤아릴 수 없으나, 대략 17만여 점이며 확인되지 않은 것까지 포함하면 그 수는 더 많을 것으로 °추정됩니다. 하지만 안타깝게도 우리가 해외로 °유출된 문화재에 관심을 두지 않는 동안 수십 년이 지났고 지금까지도 우리의 문화재를 되돌려 받지 못하고 있습니다.

과거 오랜 시간 동안 해외로 빠져나간 문화재는 대부분 불법적으로 유출된 것입니다. 주로 식민지 지배 시기나 국가 간의 전쟁 중에 강대국이 약소국의 문화재를 강제로 °약탈하고, 불법적인 과정으로 문화재의 소유권을 다른 국가로 넘기는 경우가 많았습니다. 우리나라도 역사의 소용돌이 속에서 수많은 문화재를 일본, 미국, 프랑스 등의 강대국에 빼앗겼습니다. 일본, 미국, 프랑스뿐만 아니라 많은 제국주의 시대의 강대국들이 식민지 국가들의 문화재를 약탈했기 때문에, 현재 많은 나라에서 문화재 반환에 관한 분쟁이 자주 일어나고 있습니다.

유엔에서는 불법적으로 유출된 문화재 °환수에 대한 국제 °협약을 맺으려고 시도하고 있습니다. 하지만 이 협약은 강제력이 없으며 1970년 이후에 거래된 문화재에만 적용된다는 한계가 있습니다. 결국 문화재 반환은 문화재를 빼앗긴 국가가 문화재 환수를 위해 문화재를 가진 국가나 개인과 협상하거나 문화재를 다시 구입하는 형태로 이루어지고 있습니다. 그러나 최근에는 ㉠문화재를 역사의 산물로 보는 관점에서 문화재들을 본국으로 돌려보내야 한다는 인식이 많은 사람의 공감을 얻고 있습니다.

문화재 반환 문제는 국제적인 이해 관계가 얽혀 있는 복잡한 문제입니다. 그래서 한 개인의 노력으로 해결할 수 있는 문제가 아니라 정부와 개인이 함께 힘을 합쳐 노력해야 해결할 수 있는 문제입니다. 문화재를 사랑하고 문화재에 관심을 가지는 국민이 늘어날수록 문화재 반환 문제가 더 수월하게 해결될 수 있을 것입니다. 우리는 해외로 유출된 우리 문화재에 관심을 가지고 불법으로 외국에 나간 우리 문화재가 다시 우리나라로 돌아올 수 있도록 계속 노력해야 합니다.

뜻 풀이

● **추정**: 미루어 생각하여 판정함.
● **유출**: 귀중한 물품이나 정보 등이 불법적으로 나라나 조직의 밖으로 나가 버림. 또는 그것을 내보냄.

● **약탈**: 폭력을 써서 남의 것을 억지로 빼앗음.
● **환수**: 도로 거두어들임.
● **협약**: 협상에 의하여 조약을 맺음. 또는 그 조약.

▼ 정답과 해설 35쪽

1

핵심어

이 글에서 가장 중요한 낱말을 골라 ○표를 하세요.

| 강대국 | 국민 | 문화재 | 역사 | 우리나라 | 유엔 |

2

세부
내용

이 글의 내용으로 알맞지 않은 것은 무엇인가요?

① 우리는 문화재를 잘 보존하여 후대에 물려줄 의무가 있다.
② 문화재는 민족의 얼과 숨결이 담긴 민족의 역사와 같은 것이다.
③ 해외로 유출된 문화재를 되돌려 받지 못하고 있는 것이 현실이다.
④ 강대국들이 불법적으로 약탈한 문화재 때문에 분쟁이 자주 일어나고 있다.
⑤ 유엔에서 만든 문화재 환수에 관한 국제 협약에 따라 강제로 문화재를 반환하는 사례가 늘어나고 있다.

3

추론

㉠과 같은 관점에서 한 말로 알맞은 것은 무엇인가요?

① 문화재 반환은 문화재를 가져간 나라의 의무가 아니라 선택이다.
② 문화재 반환 문제는 민감한 문제이므로 문화재를 반환하지 않아도 된다.
③ 문화재는 문화재를 가져간 나라의 소유물이므로 돈을 내고 구입해야 한다.
④ 문화재는 민족의 역사와 같은 것이므로 유출된 문화재는 본국으로 돌려보내야 한다.
⑤ 문화재 반환은 개인적인 노력으로 이루어질 수 있으므로 정부는 간섭하지 않아야 한다.

4 이 글에서 글쓴이가 주장하는 것은 무엇인가요?

주제

① 문화재 반환에 관한 분쟁을 일으키지 말자.

② 외국에 있는 우리 문화재의 소유권을 확인하자.

③ 과거에 문화재를 약탈해 간 강대국들을 처벌하자.

④ 불법적으로 유출된 우리 문화재를 돌려받도록 노력하자.

⑤ 국가들 사이에 해외 유출 문화재 환수에 대한 국제 협약을 맺자.

5 해외로 유출된 문화재를 돌려받아야 하는 까닭은 무엇인가요?

세부
내용

문화재는 민족의 (   )과/와 같은 것이며 우리가 (   )에 물려줄 의무가 있는 것

이므로 되돌려 받아야 한다.

6 이 글에서 이야기한 내용의 순서대로 기호를 쓰세요.

글의
구조

㈎ 문화재의 개념과 가치

㈏ 문화재 환수에 대한 협약과 인식

㈐ 우리나라의 해외 유출 문화재 실태

㈑ 문화재 환수를 위해 노력해야 하는 까닭

㈒ 불법적으로 유출된 문화재 반환 문제와 분쟁

(   ) → (   ) → (   ) → (   ) → (   )

생각 글 쓰기

🖋 해외로 유출된 문화재를 반환받는 것이 어려운 까닭은 무엇일까요?

어휘·어법다지기

01 다음 뜻에 알맞은 낱말을 찾아 선으로 이으세요.

(1) 도로 거두어들임. •

(2) 미루어 생각하여 판정함. •

(3) 폭력을 써서 남의 것을 억지로 빼앗음. •

• ㉠ 약탈

• ㉡ 추정

• ㉢ 환수

02 다음 문장에 알맞은 낱말을 보기 에서 찾아 쓰세요.

보기   유출   추정   협약   환수

(1) 은행에서 갑자기 대출금을 (   )하였다.

(2) 회사의 기밀이 (   )되어 사정이 곤란해졌다.

(3) 변호사는 자신의 (   )을/를 뒷받침하는 증거를 제시했다.

(4) 그들이 우리와 맺은 (   )을/를 위반했다는 사실이 알려졌다.

03 보기 를 읽고 다음 문장에 알맞은 낱말을 골라 ○표를 하세요.

보기   '중개'와 '중계'
  – **중개(仲介)**: 제삼자로서 두 당사자 사이에 서서 일을 주선함.
    예 중개 수수료 / 부동산 중개
  – **중계(中繼)** : ① 중간에서 이어 줌. ② 어느 방송국의 방송을 다른 방송국에서 연결
    하여 방송하는 일. ③ 극장, 경기장, 국회, 사건 현장 등 방송국 밖에서의 실황을
    방송국이 중간에서 연결하여 방송하는 일.
    예 중계 무역 / 라디오 중계 / 현장 중계

(1) 그는 부동산을 차려 놓고 집을 사고파는 일을 (중개 / 중계)하였다.

(2) 위성을 이용하면 여러 채널을 (중개 / 중계)할 수 있다는 장점이 있다.

매일 학습 평가	맞은 문제에 표시해 주세요.					맞은 개수	스티커를 붙여 두세요
1 핵심어 ☐	2 세부 내용 ☐	3 추론 ☐	4 주제 ☐	5 세부 내용 ☐	6 글의 구조 ☐	개	

26아 ▼정답과 해설 35쪽

낮에 하늘을 보면 언제나 태양이 있어요. 태양이 구름에 가려져 보이지 않을 때도 있지만 태양은 항상 떠 있답니다. 태양의 빛과 열은 지구의 모든 생물들에게 많은 영향을 주어요. 태양은 지구에 에너지를 끊임없이 공급해 주고, 지구를 따뜻하게 해 주며 생물이 살아가는 데 필요한 양분이 생길 수 있게 하지요. 예를 들어, 녹색식물은 태양 빛을 받아 광합성 작용을 하여 양분을 만들고, 초식 동물은 녹색식물이 만든 양분을 먹지요. 그렇다면, 태양은 어떻게 지구를 따뜻하게 해 주는 걸까요?

에너지를 *전달하는 방법은 여러 가지인데, 태양에서 지구로 오는 에너지는 우주 공간을 가로질러 직접 전달된다고 해요. 물체가 내보내는 에너지를 복사 에너지라고 하는데, 태양이 내보내는 에너지는 태양 복사 에너지라고 하지요. 지구에 전달된 태양 복사 에너지는 지구의 여러 부분에 *흡수돼요. 땅은 태양 복사 에너지를 흡수하고, 따뜻해진 땅은 *대기를 덥히지요. 무더운 여름철에 해수욕장의 모래사장에 앉아 있으면 무척 뜨거운 열이 올라오는데, 이것이 바로 모래사장이 태양 복사 에너지를 흡수했기 때문이랍니다. 그러면 바다나 강과 같이 지구에 있는 물은 태양 복사 에너지를 받으면 어떻게 될까요?

지구에서 물이 차지하는 비율은 약 70퍼센트이고, 나머지 30퍼센트는 땅이 차지하는 비율이에요. 물이 지구의 반 이상을 차지해요. 지구의 물은 태양 복사 에너지에 의해 그 상태가 변하면서 끊임없이 *순환하고 있어요. 땅과 식물, 강이나 호수, 바다 등 지구 여러 곳에 있는 물은 *증발하여 하늘로 올라가지요. 이것이 바로 수증기예요. 이 수증기가 더 높이 올라가서 기온이 더욱 낮아지면 물방울로 변하고, 또 더욱더 높이 올라가서 기온이 더 내려가면 얼음 알갱이가 돼요. 정말 신기하지 않나요? 예를 들면, 우리가 사용하고 버린 물은 수증기가 되어 증발한 후, 비나 눈이 되어 어딘가에 다시 떨어진답니다. 이렇게 물은 돌고 돌면서 구름, 눈, 비 등 *기상 현상으로 나타나요. 지구에 있는 물의 양은 변하지 않고 물의 상태만 계속 달라지는 것이지요. 이러한 물의 변화가 태양 복사 에너지에 의해 발생한다는 것이 정말 놀랍죠?

그렇다면 지구가 계속 태양 복사 에너지를 받고 있는데도 불구하고 기온이 많이 높아지지 않는 이유는 무엇일까요? [㉠   ] 태양과 마찬가지로 지구도 에너지를 내보내요. 지구가 태양으로부터 받은 복사 에너지와 지구가 내보내는 복사 에너지의 양이 같기 때문에 기온이 많이 올라가지 않는 것이지요. 이처럼 어떤 물체가 흡수하는 복사 에너지와 내보내는 복사 에너지가 같아서 일정한 온도를 유지하는 것을 복사 평형이라고 해요. 복사 평형이 이루어지지 않는다면 지구는 어떻게 될까요? 지구가 태양으로부터 받는 태양 복사 에너지가 더 많다면 지구는 시간이 지날수록 점점 기온이 올라가서 아주 뜨거워질 거예요. 반대로 지구가 내보내는 복사 에너지가 더 많다면 시간이 지날수록 지구의 기온이 내려가서 지구에는 어느 순간 얼음만 가득하게 될지 몰라요. 따라서 복사 평형이 이루어지지 않는다면 지구에 사는 생물은 언젠가 사라지게 될 거예요.

낱말 뜻 풀이 ┄┄┄┄┄┄┄┄┄┄┄┄┄┄┄┄┄┄┄┄┄┄┄┄┄┄┄┄┄┄┄┄┄┄┄┄┄┄┄

- **전달**: 자극, 신호 등이 다른 곳에 전하여 짐.
- **흡수**: 빨아서 거두어들임.
- **대기**: 공기를 달리 이르는 말.

- **순환**: 주기적으로 자꾸 되풀이하여 돎.
- **증발**: 어떤 물질이나 액체 상태에서 기체 상태로 변함.
- **기상**: 대기 중에서 일어나는 물리적인 현상을 통틀어 이르는 말.

---

1 이 글에서 가장 중요한 낱말은 무엇인가요?

핵심어

① 낮 　　　　　　② 바다 　　　　　　③ 모래사장

④ 초식 동물 　　　⑤ 복사 에너지

2 다음 빈칸에 알맞은 낱말을 쓰세요.

세부
내용

물체가 내보내는 에너지를 복사 에너지라고 하는데, 태양 복사 에너지는 (　　　　　)이/가 내보내는 에너지를 말합니다.

3 다음 문장에서 알맞은 것에 ○표를 하고, 빈칸에 알맞은 숫자를 쓰세요.

세부
내용

> 지구에서 (땅 / 물)이 차지하는 비율은 약 70퍼센트이고, (땅 / 물)이 차지하는 비율은 약 (　　　　)퍼센트입니다.

4 이 글의 내용으로 알맞지 <u>않은</u> 것은 무엇인가요?

세부
내용

① 지구의 물은 끊임없이 순환한다.
② 땅은 태양 복사 에너지를 흡수한다.
③ 녹색식물은 광합성 작용을 하여 양분을 만든다.
④ 지구에 전달된 태양 복사 에너지는 전혀 흡수되지 않는다.
⑤ 태양 에너지는 우주 공간을 가로질러 지구에 직접 전달된다.

5 다음 중 ㉠에 들어갈 문장으로 알맞은 것은 무엇인가요?

추론

① 지구가 둥글기 때문이에요.
② 지구에 낮과 밤이 있기 때문이에요.
③ 지구가 태양 주위를 돌기 때문이에요.
④ 지구가 내보내는 지구 복사 에너지 때문이에요.
⑤ 태양이 내보내는 태양 복사 에너지 때문이에요.

6 다음 중 이 글의 내용을 잘못 이해한 사람은 누구인지 쓰세요.

추론

- 가희: 복사 에너지가 지구의 온도에 영향을 주는 거야.
- 수지: 구름, 눈, 비 등 기상 현상은 물이 순환하면서 나타나는 거야.
- 준서: 지구에 있는 물 중에서 바다에 있는 물만 증발하여 하늘로 올라가는 거야.

7 이 글에서 이야기한 순서대로 기호를 쓰세요.

글의
구조

㉮ 지구 복사 에너지와 복사 평형
㉯ 태양 복사 에너지의 뜻
㉰ 지구에 있는 물의 순환
㉱ 태양이 생물에 미치는 영향

(   ) → (   ) → (   ) → (   )

생각 글 쓰기

✏ 지구의 온도가 일정하게 유지되는 까닭은 무엇일까요?

어휘·어법 다지기

01 다음 낱말에 알맞은 뜻을 찾아 선으로 이으세요.

(1) 대기 •

(2) 순환 •

(3) 증발 •

(4) 흡수 •

• ㉠ 빨아서 거두어들임.

• ㉡ 공기를 달리 이르는 말.

• ㉢ 주기적으로 자꾸 되풀이하여 돎.

• ㉣ 어떤 물질이나 액체 상태에서 기체 상태로 변함.

02 다음 문장에 알맞은 낱말을 보기 에서 찾아 쓰세요.

> 보기
>
> 기상   순환   전달   증발

(1) 피는 우리의 온몸을 (   )한다.

(2) 탐험가들은 (   )이 나빠져서 산에 오르지 못했다.

(3) 선생님께서는 학생들에게 지식을 (   )하여 주신다.

(4) 땅에 물을 뿌린 후에 시간이 지나면 물은 (   )하여 없어진다.

03 보기 를 읽고 부사어와 서술어의 호응에 알맞은 낱말을 골라 ○표를 하세요.

> 보기
>
> – 나는 아마 옷이 더러워졌다.
>
> 위의 문장에서 '아마'는 확실히 단정할 수는 없지만 그럴 가능성이 크다는 뜻입니다. 즉, '아마'는 추측할 때 쓰이는 표현입니다. 그러므로 위의 문장에서 '더러워졌다'를 '더러워질 거야', '더러워질 것이다'와 같이 고쳐야 합니다. 이와 같이 부사어에 어울리는 서술어를 사용해야 올바른 문장이 됩니다.

(1) 나는 친구가 별로 (많다 / 없다).

(2) 나는 (반드시 / 아마) 달리기에서 1등을 해야 한다.

(3) 장발장은 오죽 배가 고팠으면 빵을 (훔쳤다 / 훔쳤을까).

매일 학습 평가	맞은 문제에 표시해 주세요.						맞은 개수	스티커를 붙여 두세요
1 핵심어 ☐	2 세부 내용 ☐	3 세부 내용 ☐	4 세부 내용 ☐	5 추론 ☐	6 추론 ☐	7 글의 구조 ☐	개	

흔들리며 피는 꽃

㉠<u>흔들리지 않고 피는 꽃</u>이 어디 있으랴.
이 세상 그 어떤 아름다운 꽃들도
다 흔들리면서 피었나니
흔들리면서 줄기를 곧게 세웠나니
흔들리지 않고 가는 사랑이 어디 있으랴.

젖지 않고 피는 꽃이 어디 있으랴.
이 세상 그 어떤 빛나는 꽃들도
다 젖으며 젖으며 피었나니
바람과 비에 젖으며 꽃잎 따뜻하게 피웠나니
젖지 않고 가는 삶이 어디 있으랴.

– 도종환

낱말 뜻 풀이

- **흔들리지**: 상하나 좌우 또는 앞뒤로 자꾸 움직이지.
- **줄기**: 식물의 기관의 하나. 식물을 받치고 뿌리로부터 흡수한 수분이나 양분을 각 부분에 나르는 역할을 함.
- **곧게**: 굽거나 비뚤어지지 아니하고 똑바르게.
- **젖지**: 물이 배어 축축하게 되지.

1 이 시의 중심 글감을 한 글자로 쓰세요.

소재

2 이 시에 대한 설명으로 알맞은 것은 무엇인가요?

전개
방식

① 행마다 일정하게 끊어 읽어야 한다.

② 밝고 즐거운 분위기가 느껴지는 시이다.

③ 꽃에 대한 지식을 전달하기 위해 쓴 시이다.

④ '꽃'을 인간의 '사랑', '삶'에 비유하여 표현하고 있다.

⑤ 동물의 성장과 식물의 성장에서 나타나는 차이점을 대조하고 있다.

3 1연에서 말하는 이가 ㉠으로 표현하려고 한 것의 기호를 쓰세요.

표현

> ㉮ 아름다운 꽃들
> ㉯ 흔들리지 않고 가는 사랑

4 이 시를 들려주기에 가장 알맞은 사람은 누구인가요?

추론

① 야구 경기에서 홈런을 친 사람

② 고아원에서 봉사 활동을 하는 사람

③ 길에 쓰레기를 함부로 버리는 사람

④ 자신이 키우는 강아지를 사랑하는 사람

⑤ 화가가 꿈이지만 실력이 많이 늘지 않아 걱정하는 사람

5 이 시의 주제로 알맞은 것은 무엇인가요?

주제

① 꽃을 사랑하는 마음

② 아름다운 자연의 모습

③ 고난을 이겨 낼 수 없는 슬픈 현실

④ 삶에서 겪는 문제에 힘겨워하는 마음

⑤ 시련과 역경 속에서 완성되는 사랑과 삶

6 이 글의 구조를 생각하며, 빈칸에 알맞은 말을 쓰세요.

글의 구조

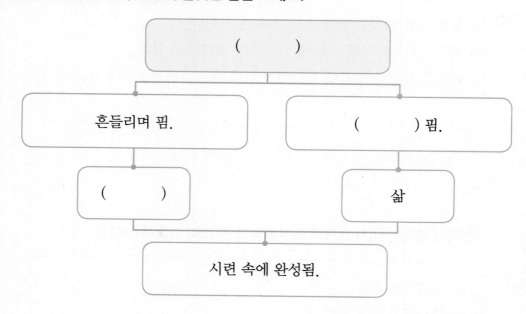

```
                    (        )
           ┌──────────┴──────────┐
     흔들리며 핌.              (      ) 핌.
           │                      │
       (      )                   삶
           └──────────┬──────────┘
               시련 속에 완성됨.
```

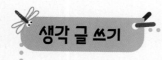

생각 글 쓰기

🖊 이 시와 같이 1연과 2연을 비슷한 구조로 쓴 시를 읽으면 어떤 느낌을 받을 수 있을까요?

어휘·어법 다지기

01 다음 뜻에 알맞은 낱말을 찾아 선으로 이으세요.

(1) 물이 배어 축축하게 되다. •   • ㉠ 곧다

(2) 굽거나 비뚤어지지 아니하고 똑바르다. •   • ㉡ 젖다

(3) 상하나 좌우 또는 앞뒤로 자꾸 움직이다. •   • ㉢ 흔들리다

02 다음 문장에 알맞은 낱말을 **보기** 에서 찾아 쓰세요.

> **보기**
>
> 곧다   줄기   흔들린다

(1) 바람에 나무가 (   ).

(2) 그는 대나무처럼 마음이 (   ).

(3) 장미꽃의 (   )에서 잔가지가 많이 나왔다.

03 **보기** 를 읽고 다음 문장에 알맞은 낱말을 골라 ○표를 하세요.

> **보기**
>
> '그러므로'와 '그럼으로'
>
> '그러므로'와 '그럼으로'는 발음으로는 구별되지 않지만 뜻은 서로 다릅니다. '그러므로'는 '그렇다' 또는 '그러다'에 까닭을 나타내는 말인 '-므로'가 결합한 말입니다. '그러니까, 그렇기 때문에, 그러하기 때문에, 그리하기 때문에'라는 뜻이 있지요. 반면에 '그럼으로'는 '그러다'의 명사형 '그럼'에 '-으로'가 결합한 말로, '그렇게 하는 것으로써'라는 뜻이 있습니다.

(1) 장영실은 훌륭한 학자다. (그러므로 / 그럼으로) 존경을 받는다.

(2) 그는 운동을 열심히 한다. (그러므로 / 그럼으로) 건강해진 것을 느낀다.

정답과 해설 38쪽

28일

매일 학습 평가	맞은 문제에 표시해 주세요.					맞은 개수
1 소재 ☐	2 전개 방식 ☐	3 표현 ☐	4 추론 ☐	5 주제 ☐	6 글의 구조 ☐	개

스티커를 붙여 주세요

우리 답사의 첫 유적지는 한라산 산천단이었다. 한라산 산신께 제사드리는 산천단에 가서 답사의 안전을 빌고 가는 것이 순서에도 맞고 또 제주도에 온 예의라는 마음도 든다. 산천단은 제주시 아라동 제주대학교 뒤편 소산봉(소산오름) 기슭에 있다. 산천단 주위에는 제단을 처음 만들 당시에 심었을 수령 500년이 넘는 °곰솔 여덟 그루가 산천단의 역사와 함께 엄숙하고도 성스러운 분위기를 보여 준다.

제주의 동북쪽 구좌읍 세화리 송당리 일대는 크고 작은 무수한 오름이 저마다의 맵시를 자랑하며 드넓은 들판과 황무지에 오뚝하여 오름의 섬 제주에서도 오름이 가장 많고 아름다운 '오름의 왕국'이라고 했다. 그중에서도 다랑쉬오름은 '오름의 여왕'이라고 불린다.

다랑쉬라는 이름의 유래에는 여러 설이 있으나 다랑쉬오름 남쪽에 있던 마을에서 보면 북사면을 차지하고 앉아 된바람을 막아 주는 오름의 분화구가 마치 달처럼 둥글어 보인다 하여 붙여졌다는 설이 가장 정겹다.

오름 아랫자락에는 삼나무와 편백나무 °조림지가 있어 제법 무성하다 싶지만 숲길을 벗어나면 이내 천연의 풀밭이 나오면서 °시야가 갑자기 탁 트이고 사방이 멀리 °조망된다. 경사면을 따라 불어 오는 그 유명한 제주의 바람이 흐르는 땀을 씻어 주어 한여름이라도 더운 줄 모른다. 발길을 옮길 때마다, 한 굽이를 돌 때마다 시야는 점점 넓어지면서 가슴까지 시원하게 열린다.

성산 일출봉은 제주 답사의 기본 경로라 할 만큼 잘 알려져 있고, °영주 십경의 제1경이 '성산에 뜨는 해'인 성산 일출이며, 제주 올레 제1경로가 시작되는 곳일 만큼 제주의 중요한 상징이기도 하다.

제주도와 연결된 서쪽을 제외한 성산 일출봉의 동·남·북쪽 외벽은 깎아 내린 듯한 절벽으로 바다와 맞닿아 있다. 일출봉의 서쪽은 고운 잔디 능선 위에 돌기둥과 수백 개의 기암이 우뚝우뚝 솟아 있는데 그 사이에 계단으로 만든 등산로가 나 있다. 전설에 따르면 설문대 할망은 일출봉 분화구를 빨래 바구니로 삼고 우도를 빨랫돌로 하여 옷을 매일 세탁했다고 한다.

일출봉은 멀리서 볼 때나, 가까이 다가가 올려다볼 때나, 정상에 올라 분화구를 내려다볼 때나 풍광 그 자체의 아름다움과 감동이 있다. 특히나 항공 사진으로 찍은 성산 일출봉은 공상 과학 영화에나 나옴 직한 신비스러운 모습을 보여 준다.

우리는 어리목에서 출발하여 만세 동산을 지나 1700 고지인 윗세오름까지 올라 그곳 산장 휴게소에서 준비해 간 도시락을 먹고 영실로 하산하면서 한라산의 아름다움을 만끽했다. 영실에 들어서면 이내 솔밭 사이로 시원한 계곡물이 흐른다. 본래 실이라는 이름이 붙은 곳은 계곡을 말하는 것으로 옛 기록에는 영곡으로 나오기도 한다. 언제 어느 때 가도 계곡물 소리와 바람 소리, 거기에 계곡을 끼고 도는 안개가 신령스러워 영실이라는 이름에 값한다. 무더운 여름날 소나기라도 한차례 지나간 뒤라면 이 계곡을 두른 절벽 사이로 100여 미터의 폭포가 생겨 더욱 *장관을 이룬다.

숲길을 지나노라면 아래로는 제주조릿대가 떼를 이루면서 낮은 *포복으로 기어가며 온통 푸르게 물들여 놓고, 위로는 하늘을 가린 울창한 나무들이 크면 큰 대로 작으면 작은 대로 아름답고 기이하다.

– 유홍준, 「돌하르방 어디 감수광」

📖 **낱말 뜻 풀이** •--

- **곰솔**: 소나뭇과의 상록 침엽 고목.
- **조림지**: 나무를 심거나 씨를 뿌리거나 하는 등의 인위적인 방법으로 숲을 이룬 땅.
- **시야**: 시력이 미치는 범위.
- **조망**: 먼 곳을 바라봄. 또는 그런 경치.
- **영주**: 신선이 사는 섬이라는 뜻으로, 제주를 말함.
- **장관**: 훌륭하고 장대한 광경.
- **포복**: 배를 땅에 대고 김.

---

1 이 글의 내용으로 알맞지 <u>않은</u> 것은 무엇인가요?

① 성산 일출은 '영주 십경' 중 제1경에 해당한다.
② 한라산 산천단 주위에는 수령 500년이 넘는 곰솔이 있다.
③ 성산 일출봉에는 설문대 할망과 관련한 전설이 내려오고 있다.
④ 성산 일출봉의 동쪽은 잔디 능선 위로 수백 개의 기암이 솟아 있다.
⑤ 제주도에는 오름이 많이 있으며, 다랑쉬오름은 '오름의 여왕'으로 불린다.

2 이 글에 대한 생각으로 알맞지 <u>않은</u> 것은 무엇인가요?

① 우현: 성산 일출봉을 제외한 나머지 영주 십경은 무엇인지 궁금해.
② 지수: 제주도를 방문하여 본 것과 들은 것, 느낀 것을 잘 표현했어.
③ 희경: 다랑쉬오름을 '오름의 여왕'이라고 표현한 부분이 인상적이야.
④ 상윤: 설문대 할망과 관련한 전설은 글쓴이가 직접 목격한 내용이야.
⑤ 소희: 한라산과 오름, 성산 일출봉으로 이어지는 여정이 드러나 있어.

3 이 글의 특징으로 알맞은 것은 무엇인가요?

① 글쓴이는 제주도의 여러 문화재를 묘사하고 있다.
② 글쓴이의 제주도 여행을 다룬 기행문 형식의 글이다.
③ 글쓴이는 자신이 상상한 것을 자세히 그려 내고 있다.
④ 글쓴이는 인물에 대한 느낌을 감각적으로 표현하고 있다.
⑤ 글쓴이는 시간과 장소의 변화보다 자신의 감상을 더 중점적으로 표현하고 있다.

4 성산 일출봉과 관련된 전설의 내용은 무엇인가요?

세부
내용

설문대 할망이 (   ) 분화구를 빨래 바구니로, (   )을/를 빨랫돌로 하여 옷을 매일 세탁했다고 전해진다.

5 보기 의 기행문의 구성 요소와 이 글의 내용을 짝지은 것으로 알맞지 <u>않은</u> 것은 무엇인가요?

적용 보기

- 여정: 주로 시간과 장소를 나타내는 표현이 쓰임.
- 견문: 어떤 장소를 방문해서 본 것과 들은 것을 나타냄.
- 감상: 여행하며 든 생각이나 느낌을 표현함.

① 여정: 우리 답사의 첫 유적지는 한라산 산천단이었다.

② 견문: 경사면을 따라 불어오는 그 유명한 제주의 바람이 흐르는 땀을 씻어 주어 한여름이라도 더운 줄 모른다.

③ 견문: 일출봉의 서쪽은 고운 잔디 능선 위에 돌기둥과 수백 개의 기암이 우뚝우뚝 솟아 있는데 그 사이에 계단으로 만든 등산로가 나 있다.

④ 감상: 언제 어느 때 가도 계곡물 소리와 바람 소리, 거기에 계곡을 끼고 도는 안개가 신령스러워 영실이라는 이름에 값한다.

⑤ 감상: 일출봉은 멀리서 볼 때나, 가까이 다가가 올려다볼 때나, 정상에 올라 분화구를 내려다볼 때나 풍광 그 자체의 아름다움과 감동이 있다.

생각 글 쓰기

🖊 글쓴이가 성산 일출봉을 제주도의 중요한 상징이라고 한 까닭은 무엇일까요?

어휘·어법 다지기

01 다음 뜻에 알맞은 낱말을 [보기]에서 찾아 쓰세요.

> [보기]
> 시야   장관   조림지   조망

(1) 시력이 미치는 범위.   (   )

(2) 훌륭하고 장대한 광경.   (   )

(3) 먼 곳을 바라봄. 또는 그런 경치.   (   )

(4) 나무를 심거나 씨를 뿌리거나 하는 등의 인위적인 방법으로 숲을 이룬 땅. (   )

02 다음 문장에 알맞은 낱말을 [보기]에서 찾아 쓰세요.

> [보기]
> 장관   조망   포복

(1) 우리는 (   ) 좋은 곳에서 차를 마셨다.

(2) 벚꽃이 흐드러지게 핀 풍경이 (   )을/를 이루었다.

(3) 그들은 적에 들키지 않기 위해 (   )으로 기어갔다.

03 [보기]를 읽고 다음 문장에 알맞은 낱말을 골라 ○표를 하세요.

> [보기]
> **'웃-'과 '윗-'**
>   표준어 규정에서는 '웃-'과 '윗-'은 명사 '위'에 맞추어 '윗-'으로 통일한다고 밝히고 있어요. 이에 따르면 '아랫입술'에 대응하는 것은 '웃입술'이 아니라 '윗입술'이지요. 다만, '아래, 위'의 대립이 없는 낱말은 '웃-'으로 적도록 하고 있어요. 예를 들면 '아랫어른'이라는 낱말이 없으니 '윗어른'이 아니라 '웃어른'을 표준어로 삼아요.

(1) 밖에 날씨가 추우니 (윗도리 / 웃도리)를 잘 챙겨 입어라.

(2) 아버지는 급한 김에 (윗돈 / 웃돈)을 얹어 주고 쌀을 구해 오셨다.

정답과 해설 39쪽

29회

매일 학습 평가	맞은 문제에 표시해 주세요.				맞은 개수	
1 세부 내용 ☐	2 감상 ☐	3 전개 방식 ☐	4 세부 내용 ☐	5 적용 ☐	개	스티커를 붙여 주세요

[앞부분 줄거리] 남해 용왕이 병을 얻자 특효약인 토끼의 간을 얻기 위해 자라(별주부)가 육지로 나간다. 토끼를 만난 자라는 수국의 자랑을 늘어놓으며 토끼를 유혹하고, 토끼는 자라의 등에 업혀 수국으로 온다.

(가)
"토끼, 너 듣거라. ㉠내 우연히 병을 얻어 어떤 약도 소용이 없게 되었느니라. 마침 하늘로부터 도사가 내려와서 °진맥하고 하는 말이, '살아 있는 토끼의 간을 구하여 먹으면 금방 나으리라.' 하기에 어진 신하를 세상에 보내어 너를 잡아 왔느니라. 죽는다고 °한탄하지 마라. 네가 죄 없는 줄이야 알지만 과인의 한 몸이 너와 달라, 만일 내가 불행해지면 한 나라의 백성과 신하들을 °보존하기 어려운 줄 넌들 설마 모르겠느냐. 너 죽고 과인이 살아나면, 수국의 모든 백성 다 살리는 것이니 네가 바로 일등 충신이로다. 너 죽은 후에 네 몸 곱게 묻고 나무 비석이라도 만들어서 세울 것이니라. 또 설, 한식, 단오, 추석 제사를 착실하게 지내 줄 것이니 죽는 것을 조금도 한탄하지 마라. ㉡할 말이 있거든 하고 그냥 죽어라."

토끼가 그제야 별주부에게 속은 줄을 알고 가슴을 친다. 하지만 지금은 어쩔 도리가 없다. 토끼가 잠시 눈을 깜짝깜짝 하더니 얼른 한 꾀를 생각하고 배를 앞으로 쫙 내민다.

"자, 내 배 따 보시오."

㉢용왕이 덜컥 의심이 난다.

'저놈이 죽지 않으려고 온갖 변명을 늘어놓을 터인데, 배를 의심 없이 내미는구나. 무슨 까닭이 있는가 보다.'

토끼가 더 당돌하게 말한다.

"소토의 간은 달의 °정기를 받아 만들어진 것이라, 보름이면 간을 꺼냈다가 그믐이면 다시 넣습니다. 간을 꺼낼 때마다 세상의 병든 사람들이 간을 달라고 보채기로, 꺼낸 간을 파초잎에다 꼭꼭 싸서 칡넝쿨로 칭칭 동여, 영주산 바위 위 계수나무 늘어진 가지 끝에다 매달아 두는 것이옵니다. 이번에도 간을 꺼내 나무에 달아 놓고 계곡 사이를 흐르는 맑은 물에 발 씻으러 내려왔다가 우연히 주부를 만나 수국 흥미가 좋다고 하기로 구경차로 왔나이다."

"그러하면 네 몸에 간을 내고 들이고 하는 표가 있느냐?"

"있습지요." / "어디 보자." / "자, 보시오."

용왕이 들여다보니 빨간 구멍 세 개가 늘어서 있다.

"저 구멍이 모두 무엇 하는 데 쓰이는 것이냐?"

"한 구멍으로는 대변을 보고, 또 한 구멍으로는 소변을 보며, 또 한 구멍으로는 간을 통째로 내고 들이고 하나이다."

㉣"그러면 간은 어떻게 내고 들이고 한단 말이냐?"

토끼가 그제야 큰숨을 쉰다.

"그러면 간을 어디다 두었느냐?"

"예, 간 둔 곳을 말씀드리겠사옵니다. 인간 세상으로 깊이 들어가면 영주산이라는 산이 있고, 그 산꼭대기에는 천 년 묵은 소나무가 있사옵니다. 그 소나무 늘어진 가지 하나, 둘, 셋째 가지 끝에 다 매달아 놓았사옵니다. 칡잎으로 약 봉지 싸듯 꽁꽁 싸서 매달아 놓고 왔으니 옥황상제나 떼어 가지, 다른 어떤 사람도 손을 대지 못할 것이옵니다."

왕이 좌우의 여러 신하를 돌아보며 말한다.

"배를 갈라 간이 있으면 좋거니와 만약 없으면 공연히 불쌍한 목숨만 끊고 간을 구하지 못할 것이니, 토끼를 살려 주는 것이 어떻겠소?"

여러 신하들이 함께 머리를 조아린다.

"전하 °하교 마땅하여이다."

— 「토끼전」

낱말 뜻 풀이 ● -

● **진맥**: 병을 진찰하기 위하여 손목의 맥을 짚어 보는 일.
● **한탄**: 원통하거나 뉘우치는 일이 있을 때 한숨을 쉬며 탄식함. 또는 그 한숨.

● **보존**: 잘 보호하고 간수하여 남김.
● **정기**: 지극히 크고 바르고 공명한 천지의 원기(元氣).
● **하교**: 윗사람이 아랫사람에게 가르침을 베풂.

---

1 **이 글에 대해 바르게 말하지 <u>않은</u> 것은 무엇인가요?**

전개 방식

① 이야기 속에서 비현실적인 사건이 벌어진다.

② 등장하는 동물들이 사람처럼 말하고 행동한다.

③ 이야기가 펼쳐지는 시간적, 공간적 배경이 구체적이다.

④ 동물들의 이야기를 통해 인간 사회의 문제점을 보여 준다.

⑤ 여러 등장인물들의 입장에서 다양한 주제와 교훈을 드러낸다.

2 **이 글에 나타난 토끼의 성격은 어떠한가요?**

인물

① 소심하고 조용하다.　　　　② 정직하고 성실하다.

③ 충성스럽고 희생적이다.　　④ 말을 잘하고 능청스럽다.

⑤ 행동이 느리고 게으르다.

3 **㉮에 나타난 용왕의 모습을 비판한 말로 알맞은 것의 기호를 쓰세요.**

인물

　㈎ 물질적인 욕심 때문에 불행해지는 어리석은 인물이다.

　㈏ 비석과 제사 등을 챙기며 예의만을 중요하게 생각하는 인물이다.

　㈐ 자신의 병을 고치기 위해 토끼는 죽어도 된다고 보는 이기적인 인물이다.

4 이 글에서 토끼의 상황과 가장 잘 어울리는 속담은 무엇인가요?

어휘

① 백지장도 맞들면 낫다.

② 십 년이면 강산도 변한다.

③ 간에 붙었다 쓸개에 붙었다 한다.

④ 하늘이 무너져도 솟아날 구멍이 있다.

⑤ 낮말은 새가 듣고 밤말은 쥐가 듣는다.

5 ㉠~㉣ 중 용왕이 토끼의 말을 믿고 속아 넘어갔음을 드러내는 것의 기호를 쓰세요.

세부
내용

6 다음은 이 글에 대한 생각을 쓴 것입니다. 빈칸에 알맞은 말을 쓰세요.

감상

> 토끼는 부귀영화와 벼슬을 준다는 자라의 꾐에 속아 수국으로 왔다가 죽을 위기에
> 처합니다. (   )은/는 병을 고치려는 욕심 때문에 토끼의 간을 빼앗으려고 했다가
> 결국 (   )에 간을 놓고 왔다는 토끼의 말에 속게 됩니다. 이 이야기를 통해 헛된
> (   )을/를 버려야 한다는 교훈을 얻을 수 있었습니다.

생각 글 쓰기

✏ 자신의 병을 고치기 위해 토끼를 희생시키는 것을 당연하게 생각하는 용왕에게서 어떤 사회의 모
습을 떠올릴 수 있을까요?

어휘·어법 다지기

01 다음 뜻에 알맞은 낱말을 보기에서 찾아 쓰세요.

> **보기**   정기   진맥   하교   한탄

(1) 윗사람이 아랫사람에게 가르침을 베풂. (   )

(2) 지극히 크고 바르고 공명한 천지의 원기(元氣). (   )

(3) 병을 진찰하기 위하여 손목의 맥을 짚어 보는 일. (   )

(4) 원통하거나 뉘우치는 일이 있을 때 한숨을 쉬며 탄식함. 또는 그 한숨. (   )

02 다음 문장에 알맞은 낱말을 보기에서 찾아 쓰세요.

> **보기**   보존   진맥   한탄

(1) 소중한 우리 문화재를 (   )하는 일에 힘써야 한다.

(2) 그는 지진으로 무너진 집을 보고 (   )을/를 절로 내뱉었다.

(3) 한의사가 (   )을/를 짚고 환자에게 어디가 아픈지 물어보았다.

03 보기의 밑줄 친 낱말과 뜻이 비슷한 낱말을 고르세요.

> **보기** 뜻이 비슷한 낱말을 유의어라고 합니다. 그리고 서로 유의어인 낱말 사이의 관계를 유의 관계라고 합니다.
>
>   – 그의 정체는 엉뚱한 까닭으로 <u>드러났다</u>.

① 발각됐다   ② 발견됐다   ③ 발명됐다

④ 발산됐다   ⑤ 발현됐다

30회 ▸정답과 해설 41쪽

매일 학습 평가	맞은 문제에 표시해 주세요.					맞은 개수
1 전개 방식 ☐	2 인물 ☐	3 인물 ☐	4 어휘 ☐	5 세부 내용 ☐	6 감상 ☐	개

스티커를 붙여 주세요

4단계

독해력을 완성하는 긴 독해

❀ 자신의 학습 능력과 상황에 따라 꾸준하게 공부하는 것이 가장 중요합니다.
❀ 학습 계획을 먼저 세우고, 스스로 지킬 수 있도록 노력해 보세요.

				학습할 날짜
31회	유전자 변형 식품의 안전성 문제	논설문	과학	☐월 ☐일
32회	두 물질이 접촉할 때의 온도 변화	설명문	과학	☐월 ☐일
33회	프리다 칼로	전기문	예술	☐월 ☐일
34회	생각을 훔칠 수 있을까?	설명문	과학	☐월 ☐일
35회	헌법에 담긴 기본권과 의무	설명문	사회	☐월 ☐일
36회	기후 변화 협약	설명문	사회	☐월 ☐일
37회	온도에 따른 물질의 용해도	설명문	과학	☐월 ☐일
38회	(가) 십 년을 경영하여 (나) 청산도 절로절로	문학	시조	☐월 ☐일
39회	고무신	문학	소설	☐월 ☐일
40회	괜찮아	문학	수필	☐월 ☐일

유전자 변형 기술은 생명체의 원하는 특성만을 골라서 다른 생명체에 °이식하는 기술입니다. 이렇게 만들어진 식품을 유전자 변형 식품(GMO)이라고 부르지요. 사람들은 유전자 변형 기술을 이용해 병충해나 바이러스에 면역을 가진 식물을 만들기도 하고, 열매를 맺는 시기를 원하는 대로 조절할 수도 있게 되었습니다. 따라서 이 기술을 이용하면 더욱더 영양가 있는 작물을 재배할 수 있을 뿐더러 ㉠노동력이 °절감되어 식량 가격이 낮아지는 효과도 발생할 것으로 예상됩니다.

하지만 유전자를 조작한 식료품이 인체에 어떤 영향을 미치는지 아직 °검증되지 않았고, 알 수 없는 질병을 일으킬 가능성도 무시할 수 없는 상황입니다. 일부에서는 GMO 식품이 알레르기를 유발하고 환경 파괴와 돌연변이를 야기할 위험을 안고 있다고 주장합니다. 같은 종의 식물을 이식해 새 품종을 만드는 기존 방법과 달리 동물 유전자를 식물에 집어넣는 등의 방법을 쓰기 때문에 생태계를 °교란한다는 비판도 있습니다. 새롭게 만들어진 어떤 특성이 다른 생물체에 들어가면 생물체 고유의 유전자 기능이 사라지거나 유전자 °배열이 불안정해져 새로운 독이 나타날 수도 있기 때문입니다.

그리고 유전자 변형 작물을 키우는 일은 유전자 변형 식물의 씨앗을 판매하는 기업에 농민들이 °종속되게 만들 수 있다는 문제도 있습니다. 미국에서는 현재 제초제를 뿌려도 죽지 않는 슈퍼 잡초가 급격하게 퍼져 나가고 있다고 합니다. 처음에는 제초제를 한 번만 뿌려도 잡초가 다 죽었는데, 이제는 두 번, 세 번을 뿌려도 안 죽는 잡초가 생겨난

것입니다. 결국 농민들은 유전자 변형 식물의 씨앗을 판매하는 기업에서 잡초 문제를 해결한 신제품을 내놓으면 더 비싼 돈을 주고 구입해야만 합니다.

이와 같은 유전자 변형 식품에 대한 여러 가지 논쟁 중 사실 무엇보다 중요한 것은 안전성 문제입니다. 우리나라는 소비자에게 제대로 된 정보를 전달하여 선택할 수 있도록 돕는 체계가 너무 허술합니다. 시장에 유통되는 두부에 유전자 변형 콩이 들어 있다는 조사 결과가 발표된 후, 우리나라는 2000년부터 GMO 표시제를 시행해 왔습니다. 그러나 GMO 표시제가 °유명무실하다는 지적이 끊이지 않았습니다. 식품에 가장 많이 들어간 1~5위까지의 원재료 안에 유전자 변형 식품이 포함되지 않거나 최종 제품에 유전자 변형 성분이 존재하지 않는 식용유, 당류, 간장, 주류 등과 같은 식품은 표시 의무를 면제하고 있었기 때문입니다. 면제된 까닭은 이들 제품이 열처리, 발효 등의 정제 과정으로 유전자 변형 DNA 성분이 남아 있지 않아 검사 결과를 알 수 없기 때문이라고 합니다.

GMO 표시제에 대한 문제점이 끊임없이 지적되었기 때문에, 우리나라에서는 2017년 2월 4일부터 GMO 표시제를 확대하여 시행하고 있습니다. 2017년 2월 4일 이후 제조 · 가공되거나 수입되는 식품을 적용 대상으로 하는 이 개정안이 시행되면서, GMO 표시 범위가 '많이 들어간 1~5위 원재료'에서 '모든 원재료'로 확대되었습니다. ㉡단, GMO 식품을 썼지만 가공 과정에서 유전자 변형

DNA 성분이 남아 있지 않은 식용유, 당류, 간장, 주류 등은 표시하지 않아도 된다고 합니다. 또 유전자 변형 정보가 담긴 글씨 크기를 확대하도록 했습니다.

　우리나라는 일본에 이어 세계에서 두 번째로 유전자 변형 식품을 많이 수입하는 나라로, 연간 800톤 이상을 수입합니다. 소비자들은 자신이 먹는 식품에 유전자 변형 식품이 들어갔는지 아닌지를 알 권리가 있습니다. 유전자 변형 식품의 성분을 정확하게 표시한 후, 소비자가 그 안전성을 스스로 판단하고 선택할 수 있도록 해야 할 것입니다.

 낱말 뜻 풀이 ●--------------------------------------

- **이식**: 식물 등을 옮겨 심음.
- **절감**: 아끼어 줄임.
- **검증**: 검사하여 증명함.
- **교란**: 마음이나 상황 등을 뒤흔들어서 어지럽고 혼란하게 함.

- **배열**: 일정한 차례나 간격에 따라 벌여 놓음.
- **종속**: 자주성이 없이 주가 되는 것에 딸려 붙음.
- **유명무실**: 이름만 그럴듯하고 실속은 없음.

1
제목

이 글에 알맞은 제목을 쓰세요.

(　　　　　) 변형 식품의 (　　　　　) 문제

2
세부
내용

이 글의 내용으로 알맞은 것은 무엇인가요?

① 유전자 변형 식품이 인체에 미치는 영향은 충분히 검증되었다.
② 우리나라에서는 식품의 GMO 표시제가 계속 실시되지 않고 있었다.
③ 유전자 변형 작물을 재배하는 것은 농민들이 기업에 종속되는 일이다.
④ 2017년부터 실시된 우리나라의 GMO 표시제는 표시 범위가 줄어들었다.
⑤ 우리나라는 일본에 이어 세계에서 두 번째로 유전자 변형 식품을 많이 수출하는 나라이다.

3
추론

㉠에 대해 와 같이 반대할 때, 알맞은 것을 골라 ○표를 하세요.

　　유전자 변형 식품을 생산하는 규모가 커지면 일부 거대 기업이 생산하는 일을 독점하면서 농민들이 일할 곳을 잃고 위태로워질 수 있다. 처음에는 식료품 가격이 (높아지는 / 낮아지는) 것으로 보이지만, 시장을 거대 기업에 장악당하면 가격은 언젠가 다시 (높아질 / 낮아질) 가능성이 크다.

4 ⓒ에 대한 의견으로 알맞지 <u>않은</u> 것의 기호를 쓰세요.

적용

> ㉮ GMO 표시제가 개정되면서 표시 범위가 축소된 것이군.
> ㉯ GMO 표시제가 개정되었지만 여전히 제외된 식품이 있어서 소비자들의 알 권리가 보장되지 못하고 있군.
> ㉰ 유전자 변형 DNA 성분이 남아 있지 않은 식품도 원재료에 GMO 식품을 썼다면 그것을 표시해야 소비자들의 알 권리가 보장되겠군.

5 이 글을 읽고 알 수 있는 GMO 식품의 문제점이 <u>아닌</u> 것은 무엇인가요?

추론

① GMO 식품은 생태계를 교란할 수 있다.
② GMO 식품은 토종 농작물에 피해를 줄 수 있다.
③ GMO 식품은 알 수 없는 질병을 일으킬 가능성이 있다.
④ GMO 식품은 농산물을 대량으로 생산하여 가격을 낮출 수 있다.
⑤ GMO 식품은 오랜 시간이 지난 후에야 그 독성이 밝혀질 수 있다.

6 이 글의 구조를 생각하며, 빈칸에 알맞은 말을 쓰세요.

글의
구조

GMO 식품의 ( )	GMO 식품의 단점
– 병충해에 강한 작물 재배 – 노동력 절감으로 식품 가격 낮아짐.	– 환경 파괴 및 돌연변이 발생 – ( ) 교란 – 농민들이 기업에 종속됨.

GMO 표시제를 강화하여 소비자들의 (   )을/를 보장하자.

생각 글 쓰기

🖋 2000년부터 실시된 우리나라의 GMO 표시제가 유명무실하다는 지적을 받은 까닭은 무엇일까요?

어휘·어법 다지기

01 다음 뜻에 알맞은 낱말을 찾아 선으로 이으세요.

(1) 아끼어 줄임. • • ㉠ 검증

(2) 검사하여 증명함. • • ㉡ 유명무실

(3) 식물 등을 옮겨 심음. • • ㉢ 이식

(4) 이름만 그럴듯하고 실속은 없음. • • ㉣ 절감

02 다음 문장에 알맞은 낱말을 보기 에서 찾아 쓰세요.

> 보기 교란   절감   종속

(1) 우리는 그들에게 (   )되어 있었다.

(2) 그들은 사회 질서의 (   )을 노리고 있었다.

(3) 올겨울에는 전기 사용량을 (   )하여 에너지를 절약하자.

03 보기 를 읽고 다음 문장에 알맞은 낱말을 골라 ○표를 하세요.

> 보기 '채'와 '체'
> – 채: 이미 있는 상태 그대로 있다는 뜻을 나타내는 말.
>   예 신발을 신은 채로 들어왔다.
> – 체: 그럴듯하게 꾸미는 거짓 태도나 모양.
>   예 그는 아는 체를 하며 말했다.

(1) 그는 우리를 보고도 못 본 (채 / 체) 고개를 돌렸다.

(2) 우리는 너무 피곤해서 선 (채 / 체)로 잠이 들어 버렸다.

▶정답과 해설 42쪽

31회

매일 학습 평가	맞은 문제에 표시해 주세요.					맞은 개수	스티커를 붙여 주세요
1 제목 ☐	2 세부 내용 ☐	3 추론 ☐	4 적용 ☐	5 추론 ☐	6 글의 구조 ☐	개	

　뜨거운 태양이 내리쬐는 여름은 정말 무덥습니다. 외출 후 집으로 돌아오면 종종 냉장고에서 차가운 물을 꺼내 마십니다. 하지만 물을 마신 후에 물통을 냉장고에 넣는 것을 잊어버리는 경우가 있지요. 그렇게 시간이 지난 뒤에 물을 마시려고 하면, 꺼내 놓았던 물은 미지근해져 있습니다. 차가운 물을 마시기 위해서는 다시 냉장고에 물통을 넣고 어느 정도 기다려야 합니다. 냉장고에서 꺼낸 차가운 물은 시간이 지나면 왜 미지근해지는 것일까요?

　각 물질에는 °온도가 있고, 그 온도는 °물질마다 다릅니다. 온도가 다른 두 물질이 °접촉하면 두 물질의 온도는 어떻게 될까요? 뜨거운 물질의 온도는 점점 낮아지게 되고 차가운 물질의 온도는 점점 높아지게 되지요. 열은 이동을 하는 성질이 있는데, 두 물질 사이에서 온도가 높은 물질의 열이 온도가 낮은 물질로 이동하는 것입니다. 이것을 열의 이동이라고 합니다. 또한 두 물질이 접촉하여 있을 때 열이 이동하여 다른 물질에 전달되는 °현상을 열전도라고 합니다. 이 열전도 현상 때문에 여름에 냉장고에서 꺼내 두었던 물이 미지근해지는 것입니다. 여름의 뜨거운 열이 차가운 물로 이동하여 생기는 현상이지요. 이렇게 열의 이동은 물질의 온도가 변화하는 원인이 됩니다. 이러한 현상은 또 어떤 경우에 일어나게 될까요?

　운동장에 나가면 쇠로 만든 철봉이 있습니다. 그늘에 있는 철봉을 손으로 잡았을 때 차갑게 느껴지지요? 하지만 철봉을 잡은 상태로 시간이 지나면 처음에 잡았을 때만큼 차갑게 느껴지지 않습니다. 눈에는 보이지 않지만 철봉과 손을 이루는 많은 °입자들이 서로 부딪치며 열을 전달하고 있는 것입니다. 그래서 철봉보다 온도가 높은 손의 열이 차가운 철봉으로 이동하여, 손으로 잡은 철봉 부분의 온도가 높아지는 것이지요. 이
와 달리 철봉이 뜨거운 경우도 있습니다. 햇빛이 비치는 곳에 있는 철봉을 손으로 잡으면 좀 전과는 반대 현상이 일어납니다. 햇볕에 달구어져 뜨거워진 철봉의 열이 철봉보다 온도가 낮은 손으로 전달되는 것이지요. 그래서 여름에 운동장에서 철봉을 잡을 때는 철봉의 열에 손을 델 위험이 있으니 항상 조심해야 합니다.

　열전도 현상의 몇 가지 예를 더 살펴봅시다. 달걀의 껍질을 쉽게 벗기기 위해 갓 삶은 달걀을 바로 차가운 물에 담가 둘 때가 있습니다. 이때 달걀과 물의 온도는 어떻게 변할까요? 뜨거운 물에서 금방 꺼낸 달걀은 무척 뜨겁습니다. 이 뜨거운 달걀을 차가운 물에 담그면 뜨거운 달걀의 온도가 차가운 물로 전달되지요. 그렇게 달걀의 온도는 점점 낮아지고 차가웠던 물의 온도는 점점 높아집니다. 어느 정도 시간이 흐르고 달걀을 꺼내려고 할 때, 달걀의 온도는 낮아져 있고 물은 미지근하게 느껴집니다. 달걀과 물의 온도가 같다고 느껴지기도 합니다. 열이 이동하는 성질에 의하여 두 물질의 온도가 같아지면 열은 이동을 멈추게 되기 때문입니다. 이 상태를 열평형이라고 합니다. 이러한 열평형을 이용한 예로 냉장고에 두었던 한약 비닐 봉지를 뜨거운 물에 넣어 데우거나 미지근한 수박을 시원한 계곡물에 담가 시원하게 하는 것을 들 수 있습니다. 냉장고 역시 열평형을 이용한 가전 제품인데, 수박을 시원하게 만들기 위해서 낮은 온도가 유지되는 시원한 냉장고에 계속 넣어 두는 것입니다.

그렇다면 수박을 시원하게 하려고 할 때, 물의 온도가 같다면 계곡에 담가 두는 수박과 집에 있는 큰 *대야에 담가 두는 수박 중 어떤 것이 더 빨리 차가워질까요? 계곡에 담가 두는 수박입니다. 물질의 열이 이동할 때는 물질의 양도 큰 영향을 주는데, 대야에 담긴 물의 양보다 계곡물의 양이 훨씬 많아 수박이 더 빨리 차가워질 수 있는 것이지요. 계곡물에 수박과 참외를 함께 담가 두었을 때는 어떤 것이 더 빨리 차가워질까요? 참외가 빨리 차가워집니다. 같은 온도와 같은 양의 계곡물이지만, 수박과 참외의 크기가 다르기 때문이지요. 수박보다 참외의 크기가 작기 때문에 더 빨리 차가워지는 것입니다.

지금까지 두 물질이 접촉할 때 일어나는 온도 변화와 함께 열평형에 대해 알아보았습니다. 우리 주변에서 온도가 다른 두 물질이 접촉할 때 두 물질의 온도가 변하는 예를 더 찾아보고, 이때 열이 어디에서 어디로 이동하였는지도 생각하며 관찰해 보세요.

낱말 뜻 풀이

● **온도**: 따뜻함과 차가움의 정도나 그것을 나타내는 수치.
● **물질**: 물체의 근본을 이루는 타고난 성질이나 재질.
● **접촉**: 서로 맞닿음.

● **현상**: 인간이 알아서 깨달을 수 있는, 사물의 모양과 상태.
● **입자**: 물질을 구성하는 아주 작은 크기의 물체.
● **대야**: 물을 담아서 무엇을 씻을 때 쓰는 둥글넓적한 그릇.

---

1 이 글에서 가장 중심이 되는 낱말을 에서 찾아 쓰세요.

 핵심어

| 보기 | 냉장고 | 수박 | 여름 | 온도 | 참외 |

2 다음 빈칸에 알맞은 말을 쓰세요.

 세부 내용

두 물질 사이에서 온도가 (　　　　　　)에서 온도가 (　　　　　　)(으)로 열이 이동하는 것을 열의 이동이라고 합니다.

3 에 나타난 현상의 원인에 대하여 알맞게 말한 사람은 누구인지 쓰세요.

 적용

> **보기**
>
> 갓 삶은 달걀을 차가운 물에 담근 후 시간이 지나면 달걀과 물이 미지근해집니다.

> • 가인: 달걀과 물의 온도가 같기 때문이야.
> • 성희: 달걀의 열이 물로 이동했기 때문이야.

4 이 글의 내용으로 알맞은 것의 기호를 쓰세요.

 세부 내용

> ㉠ 물질의 온도는 상황에 따라 변화한다.
> ㉡ 물질에는 온도가 있고 그 온도는 모두 같다.
> ㉢ 두 물질이 접촉하게 되면 두 물질 모두 온도가 낮아진다.

5 이 글의 구조를 생각하며, 빈칸에 알맞은 말을 쓰세요.

 글의 구조

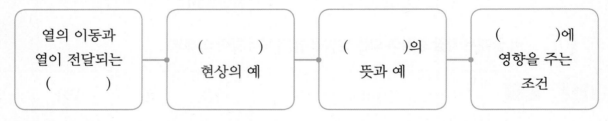

열의 이동과
열이 전달되는
(   )
→
(   )
현상의 예
→
(   )의
뜻과 예
→
(   )에
영향을 주는
조건

생각 글 쓰기

✏️ 두 물질이 접촉할 때의 온도 변화에 대하여 예를 들어 설명해 보세요.

어휘·어법 다지기

01 다음 뜻에 알맞은 낱말을 찾아 선으로 이으세요.

(1) 서로 맞닿음. • • ㉠ 대야

(2) 물질을 구성하는 아주 작은 크기의 물체. • • ㉡ 물질

(3) 물체의 근본을 이루는 타고난 성질이나 재질. • • ㉢ 입자

(4) 물을 담아서 무엇을 씻을 때 쓰는 둥글넓적한 그릇. • • ㉣ 접촉

02 다음 문장에 알맞은 낱말을 **보기**에서 찾아 쓰세요.

> **보기**
>
> 대야   온도   입자   접촉

(1) 현준이는 (   )에 물을 받아 세수를 하였다.

(2) 학교 운동장에 있는 모래의 (   )이/가 아주 곱다.

(3) 적당한 실내 (   )은/는 공부할 때 집중력을 높여 준다고 한다.

(4) 길에서 자동차 (   ) 사고가 났지만 다행히도 사람은 다치지 않았다.

03 **보기**를 읽고 다음 문장에 알맞은 낱말을 골라 ○표를 하세요.

> **보기**
>
> **'아니요'와 '아니오'**
> '아니요'는 '윗사람이 묻는 말에 그렇지 않다고 대답할 때 쓰는 말'로 '예/네'와 반대되는 말이고, '아니오'는 어떤 사실을 부정하는 뜻을 나타내는 '아니다'가 '아니면', '아니지', '아니라서'처럼 모양을 바꾼 말이에요. 둘 다 쓸 수 있는 표현이지만 각각 써야 할 때 알맞게 써야 해요.

(1) "(아니오 / 아니요), 바빠서 아직 밥을 못 먹었어요."

(2) "(아니오 / 아니요), 숙제를 하느라 아직 방 청소를 못 했어요."

(3) 책에서 인상 깊은 부분은 "재물로 가문이 빛나는 것은 (아니오 / 아니요)."이다.

32회
정답과 해설 44쪽

매일 학습 평가	맞은 문제에 표시해 주세요.			맞은 개수	
1 핵심어 ☐	2 세부 내용 ☐	3 적용 ☐	4 세부 내용 ☐	5 글의 구조 ☐	개

스티커를 붙여 두세요

프리다 칼로는 1907년 멕시코시티 교외 코요아칸의 가난한 집에서 태어났습니다. '프리다'라는 이름은 독일어로 평화를 의미하는데, 헝가리계 독일인이며 사진사인 아버지께서 지어 주신 이름이었지요. 프리다는 어머니가 우울증을 앓았기 때문에 유모의 도움을 받고 자랐습니다.

1913년 프리다 칼로가 여섯 살 때 *소아마비에 걸려 오른쪽 다리가 불편하게 되었습니다. 이때부터 다른 아이들에게 '나무다리 프리다'라고 놀림을 받았지요. 이러한 까닭으로 그녀는 *내성적인 성격이 되었습니다. 하지만 매우 똑똑하고 아름다운 소녀로 자라났지요.

1921년에는 의사가 되기 위해 멕시코 최고의 교육 기관인 에스쿠엘라 국립 예비학교에 들어갔습니다. 그 무렵, 학교에 벽화를 그리러 온 리베라를 처음 보았고, 점점 그에게 빠져들었습니다. 그렇게 그녀는 리베라의 영향으로 그림에 관심을 갖게 되었지요.

1925년 열여덟 살의 프리다 칼로는 교통사고를 당하는 바람에 소아마비에 걸렸던 것보다 더 큰 *고난을 겪게 되었습니다. 그녀가 학교에서 집으로 가기 위해 탄 버스가 전차와 부딪힌 것이지요. 그 사고로 크게 다친 그녀를 본 의사들은 살아 있는 것만으로도 기적이라고 말할 정도였습니다. 프리다 칼로는 9개월 동안이나 온몸에 붕대를 한 채 *병상에 누워 있어야 했습니다. 오랜 시간을 침대에서 견뎌야 하는 딸을 위해 그녀의 부모님은 전신 거울과 그림 도구들을 마련해 주었습니다. 그때부터 프리다 칼로는 자신의 몸에서 유일하게 자유로운 두 손을 이용해 그림을 그리기 시작했습니다. 즐겨 그린 대상은 바로 자기 자신이었지요. 그녀는 거울에 비친 자신의 모습을 자세히 관찰하며 스스로의 모습을 그려 나가기 시작했습니다. 이때를 계기로 그녀는 *자화상에 빠져들었습니다. 프리다 칼로는 자화상에 대하여 "나는 너무나 자주 혼자이기에 또 내가 가장 잘 아는 주제이기에 나를 그린다."라고 하였습니다. 그녀는 미술 교육을 제대로 받은 적이 없었습니다. 그래서 자신의 그림이 어떠한지 평가해 줄 전문가가 필요했지요. 리베라가 그런 전문가가 되어 줄 것이라고 생각한 프리다 칼로는 *지인을 통해 그를 만났습니다. 그는 그녀의 그림을 보고 '이 그림을 그린 사람은 진정한 예술가'라고 평가했습니다. 이러한 그의 말은 화가가 되겠다는 그녀의 결심을 굳게 만들었고, 두 사람은 사랑에 빠졌습니다.

1929년 프리다 칼로는 21세 연상인 리베라와 결혼했습니다. 하지만 결혼 이후 그녀는 유명한 화가인 남편 리베라를 도와주느라 작품 활동을 할 시간이 부족해졌습니다. 또한 프리다 칼로는 10대 때 겪은 교통사고로 인하여 몸이 약했기 때문에 아이를 낳기 어려웠지요. 이러한 까닭으로 두 사람의 결혼 생활은 행복하지 않았습니다. 그녀는 자신의 힘든 마음을 그림으로 표현하기 시작했습니다. 프리다 칼로가 그린 작품「머리카락을 자른 자화상」은 이러한 그녀의 고통을 표현한 작품이지요.

또한 그녀의 자화상 중에는 동물들을 함께 그린 작품이 많은데, 그녀는 새나 원숭이 같은 동물이 자신의 아픔을 위로해 준다고 생각했습니다.

그녀는 1939년에 피에르 콜 갤러리에서 열린 '멕시코전'에 작품을 출품했습니다. ㉠여러 유명 화가들은 그녀의 작품을 그 당시 유럽에서 유행하던 초현실주의 *걸작이라고 평가했지요. 하지만 프리다 칼로는 자신의 그림은 유럽의 영향을 받은 것이 아니라 멕시코적인 것에 뿌리를 둔 것이라고 밝혔습니다. 그 이후 그녀의 건강이 계속 나빠졌고, 또 다시 침대에 누워 있어야 했습니다. 그렇지만 그녀는 몸이 불편한 상황에서도 끊임없이 그림을 그렸지요.

프리다 칼로의 작품은 유명한 화가인 남편의 명성에 가려 처음에는 많이 알려지지 않았지만, 점차 그녀의 재능을 알아보는 사람들이 많아졌습니다. 예술가들은 그녀의 작품에 깊이 감동하게 되었지요. 또한, 그녀는 프랑스의 루브르 박물관에 작품을 전시한 최초의 멕시코 화가가 되었습니다. 그녀는 지금까지도 세계적인 명성을 얻고 있습니다.

낱말 뜻 풀이

- **소아마비**: 어린아이에게 많이 일어나는 것으로, 신경이나 근육이 형태의 변화 없이 기능을 잃어버리는 일.
- **내성적**: 겉으로 드러내지 아니하고 마음속으로만 생각하는 것.
- **고난**: 괴로움과 어려움을 함께 이르는 말.
- **병상**: 병든 사람이 눕는 침대.
- **자화상**: 스스로 자기의 얼굴을 중심으로 그린 그림.
- **지인**: 아는 사람.
- **걸작**: 매우 훌륭한 작품.

1 이 글은 누구에 대하여 쓴 글인가요?

2 이 글의 내용으로 알맞지 <u>않은</u> 것을 두 가지 고르세요.

① 프리다 칼로는 멕시코에서 태어났다.
② 프리다 칼로는 사진사가 되려고 했다.
③ 프리다 칼로는 여섯 살 때 소아마비에 걸렸다.
④ 프리다 칼로의 어머니는 어렸을 때 돌아가셨다.
⑤ '프리다'라는 이름은 아버지께서 지어 주신 것이다.

3 프리다 칼로가 즐겨 그린 대상으로 알맞은 것은 무엇인가요?

① 리베라
② 아버지
③ 어머니
④ 친구들
⑤ 자기 자신

4 다음은 ㉠에 대한 프리다 칼로의 대답입니다. 빈칸에 알맞은 낱말을 쓰세요.

추론

> "내 그림은 유럽의 영향을 받은 것이 아니라 멕시코적인 것에 (   )을/를 둔 것입니다."

5 이 글에 대한 설명으로 알맞은 것은 무엇인가요?

전개
방식

① 화가가 될 수 있는 방법을 쓴 글이다.

② 프리다 칼로의 삶에 대하여 쓴 글이다.

③ 프리다 칼로와 리베라의 사랑에 대한 글이다.

④ 루브르 박물관이 가지고 있는 작품들을 소개한 글이다.

⑤ 프리다 칼로의 작품과 유명한 유럽 화가의 작품을 비교한 글이다.

6 이 글의 순서에 맞게 차례대로 번호를 쓰세요.

글의
구조

> (1) '멕시코전'에 작품을 출품함.
> (2) 학교에 온 리베라를 처음 봄.
> (3) 프리다 칼로가 리베라와 결혼함.
> (4) 프리다 칼로가 소아마비에 걸림.
> (5) 프리다 칼로가 코요아칸에서 태어남.
> (6) 루브르 박물관에 프리다 칼로의 작품이 전시됨.
> (7) 프리다 칼로가 교통사고로 다치고 그림을 그리기 시작함.

(   ) → (   ) → (   ) → (   ) → (   ) → (   ) → (   )

 생각 글 쓰기

✏ 프리다 칼로가 자화상에 빠져든 계기는 무엇일까요?

어휘·어법 다지기

01 다음 뜻에 알맞은 낱말을 찾아 선으로 이으세요.

(1) 매우 훌륭한 작품. • • ㉠ 걸작

(2) 병든 사람이 눕는 침대. • • ㉡ 고난

(3) 괴로움과 어려움을 함께 이르는 말. • • ㉢ 병상

(4) 스스로 자기의 얼굴을 중심으로 그린 그림. • • ㉣ 자화상

02 다음 문장에 알맞은 낱말을 보기 에서 찾아 쓰세요.

보기
| 걸작 내성적 자화상 지인 |

(1) 내 짝꿍은 (   )이지만 친구가 많다.

(2) (   )의 소개로 좋은 선생님을 만나게 되었다.

(3) 미술관에는 유명 화가들이 자신을 그린 (   )이 전시되었다.

(4) 경복궁은 세계의 유명한 건축물 중에서도 (   )으로 인정받고 있다.

03 보기 를 읽고 '반의 관계'로 짝지어진 것을 고르세요.

보기
'반의 관계'는 낱말들의 뜻이 서로 반대인 관계를 가리켜요. 이러한 관계에 놓인 낱말들은 '반의어'라고 하지요. 반의어끼리는 서로 공통된 특징이 있으면서 동시에 서로 반대되는 뜻을 가지고 있어야 해요. 예를 들면 '여자'와 '남자'는 모두 '사람', '동물'이라는 공통된 특징이 있고, 성별만 다른 낱말이에요. 따라서 '여자'와 '남자'는 반의 관계라고 할 수 있답니다.

① 나쁘다 ↔ 싫다   ② 어린이 ↔ 아이   ③ 어머니 ↔ 어른

④ 오른쪽 ↔ 왼쪽   ⑤ 작다 ↔ 적다

매일 학습 평가	맞은 문제에 표시해 주세요.					맞은 개수	
1 핵심어 ☐	2 세부 내용 ☐	3 세부 내용 ☐	4 추론 ☐	5 전개 방식 ☐	6 글의 구조 ☐	개	

스티커를 붙여 주세요

가끔씩 거대한 정치 범죄나 경제 범죄가 나라 안팎을 뒤흔들었다는 뉴스가 들립니다. 죄를 지은 것으로 보이는 수많은 사람들이 검찰에 °소환되지만, 대부분은 자신의 범죄를 인정하지 않습니다. 그렇게 범죄를 °부인하는 사람을 보면 '사람의 마음을 읽어서 모니터에 표시할 수 있다면 얼마나 좋을까?'라는 생각이 들기도 합니다. 생각을 읽을 수 있으면 많은 일이 가능해집니다. 자동차 블랙박스도 필요 없어집니다. 인간의 뇌로부터 자신이 보았던 사고 장면을 재생해서 당시의 상황을 읽어 내면 되기 때문입니다.

이러한 일들이 일어나기 어려울 것 같지만 어쩌면 생각보다 쉽게 °구현될지도 모릅니다. 뇌의 모든 작용은 전기 신호와 화학 물질의 °분비로 이루어지므로, 전류와 화학 물질의 양을 측정해 의미 있는 정보로 바꾸면 가능한 것입니다. 이처럼 인간의 생각을 읽어 내는 마인드 레코더가 서서히 개발되고 있다고 합니다.

2004년 미국 브라운 대학교에서 의미 있는 첫걸음을 뗐습니다. '브레인 게이트'는 미세한 100개의 전극이 담긴 칩을 뇌에 이식해 인간의 생각을 외부 컴퓨터로 받는 장치입니다. 미국인 네이글은 사고로 머리를 제외한 모든 신체 부위가 마비되었는데, 이 장치로 기적을 경험하게 되었습니다. 브레인 게이트는 네이글의 특정한 생각이 만들어 내는 뇌의 전기 신호 패턴을 분석했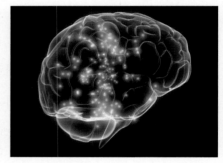고, 이를 기초로 컴퓨터 마우스를 조작하거나 전자 기기의 스위치를 눌렀습니다.

허친슨 부인 역시 머리를 제외한 신체 모든 부위가 마비된 상태로 타인의 도움 없이는 물 한 잔도 마실 수 없었습니다. 2011년 브라운대와 하버드대 공동 연구진이 지켜보는 가운데, 허친슨 부인은 커피를 먹겠다는 생각을 떠올렸고 이 생각을 읽어 낸 브레인 게이트가 로봇 팔을 움직여서 커피를 마실 수 있었습니다.

그렇다면 브레인 게이트를 이용해 생각만으로 글자를 입력하는 것도 가능할까요? 지금은 불가능합니다. 브레인 게이트의 °탐침은 겨우 100개에 불과해 뇌를 구성하는 1,000억 개의 °뉴런이 발생시키는 신호를 모두 수집할 수 없습니다. 만약 각각의 뉴런이 동작하는 신호를 알아낼 수 있다면 사람의 생각을 정확하게 읽을 수 있을 것입니다. 생각만으로 로봇을 조종하는 일이 가능해진다는 말입니다.

그런데 이러한 '마음 읽기' 기술을 개발하면 삶의 질까지 높아질까요? 일단 ㉠신체 장애를 가진 사람들의 삶의 질은 크게 개선될 것입니다. 뇌만 살아 있다면 모든 활동이 가능하며, 목소리 없이 대화도 할 수 있기 때문입니다. 개인의 경험, 추억, 감정을 읽어서 데이터로 저장해 둘 수도 있습니다. 예술가와 과학자들이 생각했던 생각의 흐름을 따로 저장해 놓아도 됩니다. 물론 부작용도 있을 것입니다. 강제로 '마음 읽기'를 하여 은행 비밀번호나 국가 기밀을 훔치기 위한 범죄가 증가할 수도 있습니다.

어쩌면 인간의 정신세계를 모두 읽어 내고, 이를 컴퓨터 서버 또는 로봇에 업로드하는 기술이 개발될지도 모릅니다. 인간의 정신과 경험이 모두 기계로 옮겨지면, 인간의 기억과 경험은 기계로 복사될 것입니다. 한걸음 더 나아가 인간의 자아와 의지까지 복사된다면 기계화된 인간의 자아는 인간과 동등하다고 볼 수 있을까요? 만약 이것이 가능하다면 이것은 새로운 인류의 탄생을 의미한다고 볼 수 있습니다.

낱말 뜻 풀이

- **소환**: 검찰 등에서 어떤 사건의 혐의자나 참고인 등을 조사하기 위하여 불러들임.
- **부인**: 어떤 내용이나 사실을 옳거나 그러하다고 인정하지 아니함.
- **구현**: 어떤 내용이 구체적인 사실로 나타나게 함.
- **분비**: 세포가 침이나 소화액, 호르몬 등의 물질을 세포 밖으로 배출함.
- **탐침**: 지뢰 등이 있는지 알아내려고 찔러 보는 기구.
- **뉴런**: '신경 세포'의 전 용어.

---

1 이 글의 주제에 맞게 빈칸에 알맞은 말을 쓰세요.

주제

사람의 ( )을/를 읽을 수 있는 '( )' 기술의 원리와 전망

2 이 글에서 알 수 <u>없는</u> 내용은 무엇인가요?

세부
내용

① 뇌의 작용이 일어나는 원리
② 브레인 게이트의 개발 순서
③ 브레인 게이트를 이용한 실제 사례
④ '마음 읽기' 기술이 삶의 질에 미치는 영향
⑤ '마음 읽기' 기술을 이용한 새로운 인류의 탄생

3 다음 중 알맞은 것은 ○표, 틀린 것은 ×표를 하세요.

추론

(1) 브레인 게이트는 현재에는 사용할 수 없는 기술이다. ( )
(2) 브레인 게이트는 뇌의 전기 신호를 분석하여 생각을 컴퓨터에 받는다. ( )
(3) '마음 읽기' 기술이 발달하면 은행, 국가에 대한 범죄가 증가할 수 있다. ( )

▶정답과 해설 47쪽

4 ⊙의 예가 <u>아닌</u> 것의 기호를 쓰세요.

적용

㉮ 목소리를 잃은 수잔은 '마음 읽기' 기술로 대화할 수 있게 되었다.
㉯ 전신이 마비된 헨리는 '마음 읽기' 기술로 컴퓨터의 마우스를 눌렀다.
㉰ 천재 과학자인 케빈은 자신의 생각을 '마음 읽기' 기술로 저장하여 연구했다.

5 이 글의 중심 내용이 잘 드러나도록 요약하여 빈칸에 알맞은 말을 쓰세요.

요약

　인간의 (　　　　)을/를 읽어 내는 '마음 읽기' 기술이 서서히 개발되고 있다. 브라운 대학교의 '브레인 게이트'는 인간의 생각을 외부 (　　　　)(으)로 받는 장치인데, 전신이 마비된 환자가 기계를 조작할 수 있게 도움을 주었다. '마음 읽기' 기술은 (　　　　　　)을/를 가진 사람들의 삶의 질을 크게 개선시킬 것이며, 앞으로 인간의 기억을 복사한 새로운 인류를 탄생시킬 가능성을 지니고 있다.

6 이 글의 구조를 생각하며, 빈칸에 알맞은 말을 쓰세요.

글의
구조

브레인 게이트(마음 읽기 기술)	
원리	– 뇌의 (　　　　　　　)을/를 측정해 의미 있는 정보로 바꿈. – 뇌만 살아 있다면 모든 활동이 가능함.
장점	– 신체 장애를 가진 사람들의 삶의 질을 개선함. – 예술가, 과학자들의 생각의 흐름을 저장함.
단점	– 은행 비밀번호나 국가 기밀을 훔치는 (　　　　) 증가

생각 글 쓰기

✏ 브레인 게이트를 이용해 생각만으로 글자를 입력할 수 있으려면 어떤 방법이 필요할까요?

어휘·어법 다지기

01 다음 뜻에 알맞은 낱말을 보기 에서 찾아 쓰세요.

> 보기   구현   분비   탐침

(1) 어떤 내용이 구체적인 사실로 나타나게 함.   (   )

(2) 지뢰 등이 있는지 알아내려고 찔러 보는 기구.   (   )

(3) 세포가 침이나 소화액, 호르몬 등의 물질을 세포 밖으로 배출함.   (   )

02 다음 문장에 알맞은 낱말을 보기 에서 찾아 쓰세요.

> 보기   부인   분비   소환

(1) 그는 법원의 (   )에 응하지 않았다.

(2) 나이가 들면 호르몬 (   )에도 변화가 생긴다.

(3) 범인이 범죄 사실을 (   )하여 수사에 어려움을 겪었다.

03 보기 를 읽고 ㉮와 ㉯에 들어갈 알맞은 낱말을 순서대로 짝지은 것을 고르세요.

> 보기   한쪽이 의미상 다른 쪽을 포함하거나 다른 쪽에 포함되는 의미 관계를 포함 관계라고 해요. 다른 쪽을 포함하는 낱말을 상위어라고 하고, 다른 쪽에 포함되는 낱말을 하위어라고 하지요. 예를 들어 '사과'와 '과일'에서 '과일'은 '사과'를 포함하는 낱말(상위어)이고, '사과'는 '과일'에 포함되는 낱말(하위어)이에요.

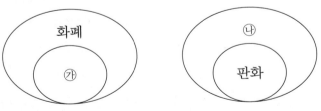

① 금속, 예술   ② 동전, 미술   ③ 우표, 조각

④ 은행, 화가   ⑤ 종이, 동양화

정답과 해설 47쪽

34회

매일 학습 평가	맞은 문제에 표시해 주세요.					맞은 개수	스티커를 붙여 주세요
1 주제 □	2 세부 내용 □	3 추론 □	4 적용 □	5 요약 □	6 글의 구조 □	개	

사회에 법이 없다면 어떻게 될까요? 자신의 이익만을 생각하고 이기적으로 행동하는 사람들 때문에 사회 질서가 어지러워질 것입니다. 이를 막기 위해 국가에서는 법을 *제정하여 따르게 하고 있습니다. 법은 국가 권력에 의하여 강제되는 사회 *규범을 뜻합니다. 개인의 권리를 보장하고, 사회의 혼란과 문제를 해결하여 사람들이 어려움 없이 살게 하기 위해서는 법이 꼭 필요합니다. 이러한 법은 양이 많고 *방대하기에 우리나라에서는 체계에 따라 법을 여러 가지로 분류하고 있습니다.

법이 우리의 일상생활을 규제하고 보호한다면 헌법은 법의 전체적인 질서를 나타냅니다. 그래서 헌법을 법 위의 법, 또는 최고의 법이라고 합니다. 헌법은 모든 법의 *토대가 되며, 모든 국민이 존중받고 행복한 삶을 살아가는 데 필요한 내용을 담고 있습니다. 다시 말해 헌법은 국민이 누릴 수 있는 권리인 기본권과 국민이 지켜야 할 의무, 그리고 국가 기관을 조직하고 운

영할 때의 기본 원칙을 담고 있습니다. 우리나라는 헌법을 바탕으로 여러 법을 만들기 때문에 모든 법은 헌법과 뜻이 다르거나 헌법에서 벗어난 형태로 만들 수 없습니다. 이렇게 헌법은 국가를 운영하는 데 가장 중요하고 기본적인 내용을 담고 있으므로, 헌법의 내용을 새로 만들거나 바꾸려고 할 때에는 *국민 투표를 실시해야 합니다.

기본권이란 헌법에서 보장하는 국민의 기본적인 권리를 말하는데, 크게 다섯 가지로 나뉩니다. 먼저 평등권은 모든 사람이 자신의 권리를 법으로 동등하게 보장받아 차별 당하지 않을 권리를 뜻합니다. 법은 모든 국민에게 공평하게 적용되며, 사람에 따라 법이 다르게 적용되지 않습니다. 자유권은 자유롭게 생각하고 행동할 권리를 뜻합니다. 직업을 선택하는 자유나 사는 곳을 옮길 자유, 종교를 가질 자유 등이 이에 해당됩니다. 참정권은 국가의 정치에 참여할 권리입니다. 국민은 법률이 정하는 바에 따라 투표권을 행사할 수 있고, 정치에 *입문하거나 나라의 *공무를 맡아볼 수 있습니다. 사회권은 인간답게 살 수 있도록 국가에 요구할 권리를 말합니다. 국민들은 누구나 교육을 받으며, 건강하고 쾌적하게 살 권리를 가집니다. 청구권은 앞에서 살핀 기본권들이 침해되었을 때 국가에 어떤 일을 해 달라고 요구할 권리를 뜻합니다. 국민은 법관에 의해 법률에 의한 재판을 받을 권리를 가지며, 국가 기관에 문서로 *청원할 권리를 가집니다. 이러한 기본권은 우리나라의 국민이라면 항상 보장받아야 하지만, 국가의 안전이나 공공의 이익 등을 위해 필요한 경우 법률에 따라 제한될 수 있습니다.

헌법은 이러한 국민의 권리뿐만 아니라 국민으로서 지켜야 할 의무 또한 제시하고 있습니다. 교육, 납세, 국방, 근로, 환경 보전의 의무가 그것입니다. 모든 국민은 자녀가 일정한 나이가 되면 학교에 나가 교육을 받게 할 의무가 있습니다. 또한 소득을 얻으면 그만큼 나라에 세금을 내야 하는

납세의 의무가 있습니다. 그리고 국민의 안전을 위해 나라를 지키는 의무를 다해야 합니다. 또한 국민은 개인과 나라의 발전을 위해 직업을 가지고 일하며, 환경을 지키고 가꾸는 일에 힘쓸 의무가 있습니다.

국민들은 법으로 보장되는 권리를 누리는 동시에, 이러한 국민의 책임과 의무를 지키기 위하여 노력해야 합니다. 의무를 실천하는 일은 나뿐만 아니라 다른 사람의 기본권을 보장하는 바탕이 됩니다. 국민의 기본권과 의무가 균형을 이룰 때, 다른 사람의 기본권을 보장하고 나라를 유지하며 발전시킬 수 있습니다.

낱말 뜻 풀이

- **제정**: 제도나 법률 등을 만들어서 정함.
- **규범**: 인간이 행동하거나 판단할 때에 마땅히 따르고 지켜야 할 가치 판단의 기준.
- **방대**: 규모나 양이 매우 크거나 많음.
- **토대**: 어떤 사물이나 사업의 밑바탕이 되는 기초와 밑천을 비유적으로 이르는 말.
- **국민 투표**: 선거 이외에, 국정(國政)의 중요한 사항에 대하여 국민이 행하는 투표.
- **입문**: 무엇을 배우는 길에 처음 들어섬. 또는 그 길.
- **공무**: 국가나 공공 단체의 일.
- **청원**: 일이 이루어지도록 청하고 원함.

---

1 이 글에 알맞은 제목을 쓰세요.

제목

(　　　　　)에 담긴 기본권과 (　　　　　)

2 이 글의 내용으로 알맞지 <u>않은</u> 것은 무엇인가요?

세부내용

① 헌법은 '법 위의 법'으로 모든 법의 으뜸이 된다.

② 헌법은 대통령이 직접 내용을 만들거나 고칠 수 있다.

③ 법은 국가 권력에 의하여 강제되는 사회 규범을 말한다.

④ 법은 양이 많고 방대하여 체계에 따라 여러 가지로 분류되어 있다.

⑤ 헌법에는 국민이 누릴 수 있는 권리와 지켜야 할 의무가 담겨 있다.

3 이 글을 읽은 후의 생각으로 알맞지 <u>않은</u> 것은 무엇인가요?

추론

① 사회의 분쟁을 해결하기 위해서는 법이 꼭 필요하구나.

② 교육을 받는 것은 국민의 권리이자 의무라고 볼 수 있어.

③ 국민으로서 권리만 주장할 게 아니라 의무도 다해야겠어.

④ 길거리에 쓰레기를 버리는 것도 국민의 의무를 수행하지 않은 거야.

⑤ 헌법은 국가들 사이에 지켜야 할 의무와 국가 기관을 운영할 때의 원칙을 담았어.

▶ 정답과 해설 48쪽

4 기본권에 대한 설명으로 알맞은 것은 무엇인가요?

세부
내용

① 기본권은 어떠한 경우라도 제한되어서는 안 된다.

② 국민의 의무를 다하지 않고 기본권을 누려도 된다.

③ 헌법에는 기본권에 대한 내용이 명시되어 있지 않다.

④ 기본권과 의무가 균형을 이룰 때 나라의 발전이 이루어진다.

⑤ 기본권에는 평등권, 사회권, 참정권, 자유권의 네 가지가 있다.

5 다음 중 기본권을 행사한 사례로 알맞지 <u>않은</u> 것의 기호를 쓰세요.

적용

> ㉠ 자유권: 시골에 살던 영희는 도시에서 살고 싶어서 이사를 했다.
>
> ㉡ 청구권: 정치를 하고 싶은 진수는 ○○ 정당에 입당 신청서를 냈다.
>
> ㉢ 평등권: 가난한 영호는 가진 것이 많은 재일이와 한 반에서 같은 수업을 듣는다.

6 이 글의 구조를 생각하며, 빈칸에 알맞은 말을 쓰세요.

글의
구조

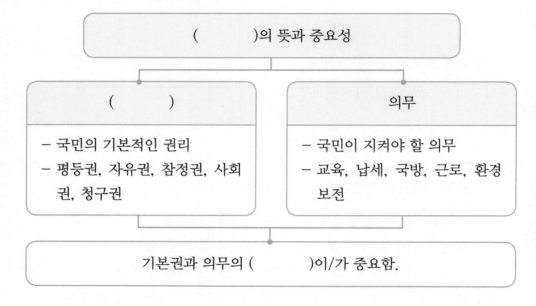

```
┌─────────────────────────────────────────┐
│            (      )의 뜻과 중요성          │
└─────────────────────────────────────────┘
        ┌──────────────┴──────────────┐
┌─────────────────────┐   ┌─────────────────────┐
│       (      )       │   │         의무         │
├─────────────────────┤   ├─────────────────────┤
│ – 국민의 기본적인 권리 │   │ – 국민이 지켜야 할 의무 │
│ – 평등권, 자유권, 참정 │   │ – 교육, 납세, 국방, 근로, 환경 │
│   권, 사회권, 청구권   │   │   보전               │
└─────────────────────┘   └─────────────────────┘
        └──────────────┬──────────────┘
┌─────────────────────────────────────────┐
│   기본권과 의무의 (      )이/가 중요함.     │
└─────────────────────────────────────────┘
```

생각 글 쓰기

🖊 국민의 기본권과 의무가 균형을 이루어야 하는 까닭은 무엇일까요?

어휘·어법다지기

01 다음 뜻에 알맞은 낱말을 찾아 선으로 이으세요.

(1) 공무 •

(2) 입문 •

(3) 제정 •

(4) 청원 •

• ㉠ 국가나 공공 단체의 일.

• ㉡ 일이 이루어지도록 청하고 원함.

• ㉢ 제도나 법률 등을 만들어서 정함.

• ㉣ 무엇을 배우는 길에 처음 들어섬. 또는 그 길.

02 다음 문장에 알맞은 낱말을 보기 에서 찾아 쓰세요.

보기   규범   방대   입문   토대

(1) 우리 조상들은 충효를 중요한 (   )(으)로 삼아 왔다.

(2) 동생은 바둑 (   ) 교육을 받고 흥미를 크게 느꼈다.

(3) 도서관은 (   )한 양의 도서 정보를 정리하기 시작했다.

(4) 회사는 수년 간 쌓아온 기술을 (   )(으)로 새롭게 도전하려고 한다.

03 보기 를 읽고 다음 문장에 알맞은 낱말을 골라 ○표를 하세요.

보기 **'힘듬'과 '힘듦'**
　"새 학원은 좋음?"하고 친구가 메시지를 보내 왔다면 "정말 힘듬."이라고 답해야
할까요, 아니면 "정말 힘듦."이라고 답해야 할까요?
　'힘듦'이 맞는 표현입니다. '힘들다'에서 '-다'를 빼고 명사를 만드는 '-ㅁ'을 합쳐서
'힘듦'이 된 것이지요.

(1) 우리는 그 사실을 (암 / 앎)을 기뻐하였다.

(2) 기술자는 누구보다 빨리 열쇠를 (만듬 / 만듦)을 자랑하였다.

매일 학습 평가	맞은 문제에 표시해 주세요.					맞은 개수
1 제목 ☐	2 세부 내용 ☐	3 추론 ☐	4 세부 내용 ☐	5 적용 ☐	6 글의 구조 ☐	개

스티커를 붙여 주세요

35회 155

전 세계는 지금 기후 변화로 몸살을 앓고 있습니다. 산업 혁명 이후 인류는 물질적으로 풍요로운 삶을 살게 되었으나, 공장이나 발전소에서의 산업 활동으로 *배출된 온실가스는 지구의 온도를 높이는 요인이 되었지요. 화석 연료를 태우는 과정에서 나오는 이산화 탄소가 바로 그 *주범입니다. 또 농경지를 넓히기 위해 산림을 파괴하는 과정에서 이산화 탄소를 저장하는 숲의 면적이 줄어들면서 대기 중 이산화 탄소의 농도는 점점 높아졌습니다. 게다가 해양에 녹아드는 이산화 탄소가 많아진 탓에 해양의 산성화가 발생하였습니다.

지금처럼 온실가스를 배출한다고 가정한다면 21세기 후반에는 여름철 해빙이 지금과 비교해 94퍼센트 줄어 거의 다 녹을 것입니다. 이렇게 해빙이 녹으면 녹는 만큼 해수면이 상승합니다. 매년 점점 더 많은 양의 극지방의 빙하가 녹아내리기 시작했고, 이전에 경험하지 못했던 이상 기후는 이제 생명체의 생존을 위협하고 있습니다.

지구의 기후 변화를 막기 위한 최선의 방법은 각 나라에서 온실가스의 배출을 줄이는 것입니다. 이를 위해 국제 사회는 1992년 브라질에 모여 리우 선언이라는 국제 선언문을 만들었습니다. 이 선언에 지구 온난화를 막기 위한 구체적인 실천 방안이 포함된 것은 아니었습니다. 그러나 리우 선언은 지구 온난화가 전 세계에 미치는 부정적인 영향에 대해 고민하고 이를 해결하기 위해 전 세계가 함께 노력해야 한다고 인식하는 계기가 되었습니다.

1997년에는 일본에서 교토 의정서를 채택하고, 온실가스를 효과적으로 *감축하기 위해 공동 이행 제도, 청정 개발 체제, ㉠탄소 배출권 거래 제도를 도입했습니다. 하지만 온실가스 감축 목표와 일정 등을 둘러싸고 선진국과 개발 도상국 사이에 갈등이 생겨났습니다. 2001년 미국의 탈퇴 선언을 시작으로 일본, 캐나다, 러시아 등의 선진국들이 연이어 탈퇴를 선언했습니다. 교토 의정서는 산업 개발을 위해 많은 온실가스를 배출하고 있던 중국, 인도를 개발 도상국이라는 이유로 온실가스 감축 대상에 포함하지 않았다는 문제도 안고 있었습니다.

이에 따라 파리에서 개최된 2015년 21차 유엔 기후 변화 협약 당사국 총회의에서 새로운 기후 변화 협약이 *체결되었습니다. 파리 기후 변화 협약은 거의 모든 국가의 서명을 이끌어 냈고, 환경을 보존하는 의무를 전 세계의 국가들이 함께 부담하도록 했습니다. 대신 온실가스를 많이 배출했던 선진국이 개발 도상국의 온실가스 감축을 위해 지원하는 것을 의무화하였습니다. 그리고 중도에 탈퇴하는 국가들을 막기 위해 온실가스

감축 목표치는 각 국가가 *자발적으로 설정한다는 내용을 담았습니다.

이와 같은 국제 기후 변화 협약의 핵심 내용 중 하나는 '공동의 차별화된 책임'입니다. 이 말의 뜻은 모든 국가가 환경 문제에 책임이 있지만 어떤 국가들은 다른 국가들보다 특별히 더 책임이 있다

는 것입니다. 또 다른 핵심 내용인 '오염자 부담의 원칙'은 환경 오염을 일으킨 국가가 환경 오염을 방지하고 해결하는 데 필요한 비용을 부담해야 한다는 뜻입니다. 그런데 오늘날 이산화 탄소 농도가 크게 높아진 데에는 그동안 무분별한 성장을 거듭해 온 선진국의 책임이 더 크다는 견해와, 급속한 산업화와 폭발적인 인구 증가를 겪으며 이산화 탄소를 배출한 개발 도상국의 책임이 더 크다는 견해가 서로 대립하고 있습니다.

이렇듯 세계 각국은 기후 변화로 인한 문제를 인식하고 온실가스 배출을 줄여야 하는 것을 인정하면서도, 정작 기후 변화 협약이 자신들에게 경제적인 위협을 가할까 봐 우려하고 있습니다. 이럴 때일수록 우리는 환경 파괴의 대가는 한 국가만이 아닌 전 세계가 부담해야 할 몫이라는 점을 깨닫고, 지구 온난화를 막기 위해 전 국가적 차원의 노력을 기울여야 합니다.

낱말 뜻 풀이 ┄┄┄┄┄┄┄┄┄┄┄┄┄┄┄┄┄┄┄┄┄┄┄┄┄┄┄┄┄┄┄┄┄┄┄┄┄┄┄

- **배출**: 안에서 밖으로 밀어 내보냄.
- **주범**: 어떤 일에 대하여 좋지 아니한 결과를 만드는 주된 원인.
- **감축**: 덜어서 줄임.
- **체결**: 계약이나 조약 등을 공식적으로 맺음.
- **자발적**: 남이 시키지 않아도 자기 스스로 나아가 행하는 것.

1

주제

이 글의 주제에 맞게 빈칸에 알맞은 말을 쓰세요.

(   ) 배출을 줄이기 위한 (   ) 변화 협약

2

세부 내용

이 글의 내용으로 알맞은 것은 무엇인가요?

① 산업 혁명 이후 온실가스 배출은 증가하지 않았다.
② 지구의 이상 기후는 생명체의 생존에는 큰 영향이 없다.
③ 대기 중 이산화 탄소의 농도가 줄어들면서 지구의 온도가 높아졌다.
④ 세계 각국은 기후 변화로 인한 문제가 발생하는 것을 인식하고 있다.
⑤ 기후 변화 협약에는 모든 국가가 동일하게 부담을 져야 한다는 '오염자 부담의 원칙'이 있다.

3

세부 내용

다음 기후 협약의 내용으로 알맞은 것을 찾아 선으로 이으세요.

(1) 리우 선언 •

(2) 교토 의정서 •

(3) 파리 기후 변화 협약 •

• ㉠ 청정 개발 체제 도입

• ㉡ 온실가스 목표치를 자발적으로 설정

• ㉢ 지구 온난화 해결을 위해 전 세계적으로 노력해야 한다고 인식한 계기

4 ⊙에 대한 설명인 [보기]를 읽고, 알맞은 것에 ○표를 하세요.

적용

[보기]
　　탄소 배출권 거래 제도란 국가 간에 온실가스를 배출할 권리를 사고팔 수 있도록 하는 제도를 말합니다. 이 제도는 국가별로 온실가스 배출 허용량을 정하는데, 허용량보다 온실가스를 적게 배출한 나라는 남은 배출권을 팔 수 있습니다.

(1) 탄소 배출권이 남는 나라는 벌금을 내게 될 것이다. 　　　　　　　　　　(　　　　)

(2) 탄소 배출권이 비싸다면 각국은 온실가스를 줄이는 기술을 도입할 것이다. (　　　　)

5 이 글의 구조를 생각하며, 빈칸에 알맞은 말을 쓰세요.

글의
구조

온실가스 감축을 위한 기후 변화 협약

리우 선언	1992년: 지구 (　　　　) 해결을 위해 전 세계가 노력해야 한다고 인식한 계기
(　　　　　　)	1997년: 공동 이행 제도, 청정 개발 체제, 탄소 배출권 거래 제도 도입
파리 기후 변화 협약	2015년: (　　　　)이 개발 도상국의 온실가스 감축을 위한 지원을 하도록 의무화

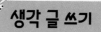 생각 글 쓰기

🖋온실가스 감축을 위해 선진국이 앞장서야 한다면 그 까닭은 무엇일까요?

어휘·어법 다지기

01 다음 뜻에 알맞은 낱말을 찾아 선으로 이으세요.

(1) 감축 •

(2) 배출 •

(3) 주범 •

(4) 체결 •

• ㉠ 덜어서 줄임.

• ㉡ 안에서 밖으로 밀어 내보냄.

• ㉢ 계약이나 조약 등을 공식적으로 맺음.

• ㉣ 어떤 일에 대하여 좋지 아니한 결과를 만드는 주된 원인.

02 다음 문장에 알맞은 말을 보기에서 찾아 쓰세요.

보기
자발적   주범   체결

(1) 운동 부족이 성인병의 (   )이다.

(2) 공부는 (   )으로 해야 효과가 있다.

(3) 두 나라의 평화 협정이 드디어 (   )되었다.

03 보기를 읽고 다음 문장에 알맞은 낱말을 골라 ○표를 하세요.

보기   '가게'와 '가계'
 – **가게**: ① 작은 규모로 물건을 파는 집. ② 길거리에 임시로 물건을 벌여 놓고 파는 곳.
   예 화장품 가게 / 가게를 내다.
 – **가계(家計)**: ① 한 집안 살림의 수입과 지출의 상태. ② 집안 살림을 꾸려 나가는 방도나 형편.
   예 지출이 많아 가계는 적자가 되었다. / 부업은 가계에 큰 보탬이 되었다.

(1) 우리 (가게 / 가계)에서는 꽃도 팔고 커피도 판다.

(2) 수입에 여유가 있을 때도 (가게 / 가계) 부채를 점검해야 한다.

36회 ▼ 정답과 해설 50쪽

매일 학습 평가	맞은 문제에 표시해 주세요.				맞은 개수	
1 주제 ☐	2 세부 내용 ☐	3 세부 내용 ☐	4 적용 ☐	5 글의 구조 ☐	개	스티커를 붙여 두세요

　달콤한 코코아를 마시고 싶을 때, 물에 코코아 가루를 넣고 열심히 저으면 코코아 가루가 녹는 것을 볼 수 있습니다. 그런데 가루를 많이 넣어서 녹이다 보면 가루가 녹지 않고 바닥에 가라앉습니다. 이때 코코아 가루를 더 녹이기 위해 우리가 할 수 있는 방법은 물을 더 넣는 것입니다. 물을 많이 넣을수록 물에 녹을 수 있는 코코아 가루의 양이 많아지기 때문입니다.

　그렇다면 물의 양을 늘리지 않고 코코아 가루를 더 많이 녹여서 진한 코코아를 만들고 싶으면 어떻게 해야 할까요? 이러한 궁금증을 해결하기에 앞서 용질, 용매, 용해, 용액이 무엇인지 살펴봅시다. 용질이란 용해의 과정에서 용매에 녹는 물질로, 좀 전의 코코아 가루나 소금, 설탕 등이 용질이 될 수 있습니다. 용매는 물과 같이 용해의 과정에서 용질을 녹이는 물질입니다. 예를 들어 소금물에서 용질은 소금이고, 용매는 물입니다. 그리고 용질과 용매가 서로 만나 골고루 녹아 섞이는 현상을 용해라고 합니다. 즉 소금이 물에 녹거나 설탕이 물에 녹는 일을 용해라고 하는 것이지요. 그리고 소금물과 설탕물처럼 용질이 용매에 °균일하게 섞여 있는 것을 용액이라 합니다.

　용해 현상은 용매를 구성하는 입자와 용질을 구성하는 입자가 서로 끌어당기는 힘에 의해 °결합하면서 나타납니다. 코코아를 예로 들면 코코아 가루 입자와 물 입자가 서로 끌어당기는 힘에 의해 결합하면 두 입자가 고르게 섞여 녹게 됩니다. 물의 양이 °일정할 때 코코아 가루 입자와 결합할 수 있는 물 입자의 수는 한정되어 있습니다. 그런데 코코아 가루 입자가 더 많아지면 결합할 수 있는 물 입자가 모자라기 때문에, 결합하지 못한 코코아 가루 입자들은 물에 녹지 못하고 남아 있게 됩니다. 이때 ㉠물을 더 넣어 준다면 남아 있는 코코아 가루 입자들도 더 녹을 수 있게 될 것입니다. 그렇다면 ㉡물을 °추가하지 않고 더 많은 코코아 가루를 녹이려면 어떻게 해야 할까요?

　'용해도'는 일정한 온도에서 용매 100그램 속에 최대로 녹을 수 있는 용질의 그램 수를 말합니다. 오른쪽의 그래프를 보면 섭씨 30도에서 소금, 백반, 붕산의 용해도는 각각 약 37그램, 10그램, 6그램 정도입니다. 섭씨 30도에서 물질의 용해도는 소금이 가장 크고 그다음이 백반, 붕산 순인

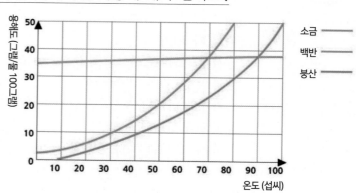

것이지요. 그런데 그래프를 보면 온도가 높아질수록 세 물질의 용해도가 증가하는 것을 확인할 수 있습니다. 즉, 온도가 높아지면 물 100그램에 녹을 수 있는 소금, 백반, 붕산의 양이 많아지고 온도가 낮아지면 물에 녹을 수 있는 물질의 양이 적어집니다.

　왜 물의 온도가 높아지면 물질의 용해도가 증가하는 것일까요? 물의 온도가 높다는 것은 물을 구성하는 물 입자의 운동 에너지가 크다는 뜻입니다. 운동 에너지가 클수록 입자는 활발히 움직입니다. 물의 온도가 높아지면 물 입자의 운동 에너지가 커지기 때문에 물 입자가 더 활발하게 움직이

고, 따라서 더 많은 양의 용질이 들어와도 용질의 입자와 용매의 입자가 서로 잘 섞일 수 있게 되는 것입니다.

　위 그래프에 따르면 섭씨 30도의 물 100그램에 백반 20그램을 넣었을 때 물 입자의 에너지가 백반 10그램만 녹일 수 있을 정도이므로 나머지 10그램의 백반은 그대로 남아 있게 됩니다. 하지만 물의 온도를 섭씨 50도 이상으로 올린다면 물 입자의 운동 에너지가 커지면서 남은 10그램의 백반도 모두 녹게 됩니다. 이를 통해 일정한 양의 용매에 많은 양의 물질을 녹이고자 할 때 용매의 온도를 높여 주면 된다는 사실을 알 수 있습니다.

 낱말 뜻 풀이 ● ‐
● **균일**: 한결같이 고름.
● **결합**: 둘 이상의 사물이나 사람이 서로 관계를 맺어 하나가 됨.
● **일정**: 어떤 것의 크기, 모양, 범위 등이 하나로 정하여져 있음.
● **추가**: 나중에 더 보탬.

---

1 이 글에 알맞은 제목을 쓰세요.

제목

（　　　　）에 따른 물질의 （　　　　）

2 이 글의 내용으로 알맞지 <u>않은</u> 것은 무엇인가요?

세부
내용

① 용질은 용해의 과정에서 용매에 녹는 물질이다.
② 용매는 용질을 녹이는 물질로 물과 같은 물질을 말한다.
③ 용해는 용질과 용매가 만나 골고루 녹아 섞이는 현상이다.
④ 용질의 양이 일정하다면 녹을 수 있는 용액의 양도 일정하다.
⑤ 용해도는 일정한 온도에서 용매 100그램 속에 최대로 녹을 수 있는 용질의 그램 수이다.

3 ㉠의 까닭으로 알맞은 것은 무엇인가요?

추론

① 코코아 가루 입자가 물 입자를 끌어당기기 때문이다.
② 물에 녹을 수 있는 코코아 가루 입자가 줄어들기 때문이다.
③ 코코아 가루 입자가 녹아서 코코아가 더 진해지기 때문이다.
④ 코코아 가루 입자와 결합할 수 있는 물 입자가 늘어나기 때문이다.
⑤ 코코아 가루 입자와 물 입자가 서로 균일하게 섞일 수 있기 때문이다.

4

ⓛ에 대한 답변으로 알맞은 말을 빈칸에 쓰세요.

물의 (   )을/를 더 (   ) 주면 코코아 가루를 더 많이 녹일 수 있다.

5

이 글의 용해도 그래프에 대한 설명으로 알맞지 <u>않은</u> 것은 무엇인가요?

① 섭씨 20도에서 물질의 용해도는 소금이 제일 크다.

② 섭씨 70도의 물에서는 백반보다 붕산의 용해도가 더 클 것이다.

③ 섭씨 40도의 물 100그램에 붕산 5그램을 녹이면 다 녹을 것이다.

④ 섭씨 50도의 물 100그램에 백반 15그램을 녹이면 다 녹을 것이다.

⑤ 섭씨 80도의 물 100그램에 붕산 40그램을 녹이면 10그램이 녹지 않을 것이다.

6

이 글의 구조를 생각하며, 빈칸에 알맞은 말을 쓰세요.

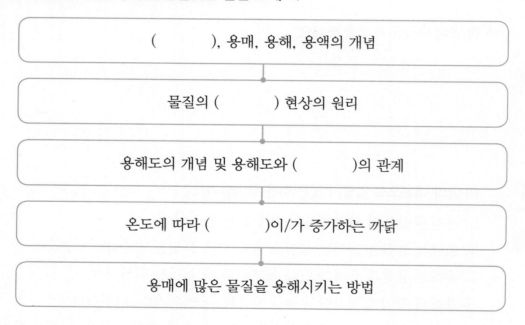

(   ), 용매, 용해, 용액의 개념

물질의 (   ) 현상의 원리

용해도의 개념 및 용해도와 (   )의 관계

온도에 따라 (   )이/가 증가하는 까닭

용매에 많은 물질을 용해시키는 방법

 **생각 글 쓰기**

🖋 뜨거운 물에 모두 용해된 백반 용액이 든 비커를 얼음물에 넣으면 어떻게 될까요?

어휘·어법 다지기

01 다음 뜻에 알맞은 낱말을 [보기]에서 찾아 쓰세요.

> [보기]
>
> 결합   균일   추가

(1) 한결같이 고름. ( )

(2) 나중에 더 보탬. ( )

(3) 둘 이상의 사물이나 사람이 서로 관계를 맺어 하나가 됨. ( )

02 다음 문장에 알맞은 낱말을 [보기]에서 찾아 쓰세요.

> [보기]
>
> 결합   일정   추가

(1) 물은 산소와 수소가 (   )한 것이다.

(2) 축구 경기에서 (   ) 골을 넣어 우리 편이 이겼다.

(3) 보일러가 (   ) 온도에 도달하면 자동으로 꺼지게 설정했다.

03 다음 문장에서 밑줄 친 낱말이 [보기]에서의 '세다'와 같은 뜻으로 사용된 것을 고르세요.

> [보기]
>
> 다의어는 두 가지 이상의 뜻을 가진 낱말을 말합니다. 다의어의 뜻 중에는 가장 중심적이고 중요한 뜻이 있고, 그 뜻에서 확장된 뜻이 있습니다. 이 뜻들은 서로 연관성을 가지지요. 다음 문장에서 '세다'의 뜻을 살펴볼까요?
>
> – 힘만 세다고 싸움에서 이기는 것은 아니다.

① 할아버지께서는 머리가 하얗게 세셨다.
② 그는 화가 났는지 문을 세게 닫고 나갔다.
③ 물이 세어서 빨래를 해도 때가 그대로 있었다.
④ 돈을 한 장씩 세다 보니 시간이 꽤 오래 걸렸다.
⑤ 지원자들의 경쟁률이 워낙 세서 기대도 하지 않았다.

▶ 정답과 해설 51쪽

매일 학습 평가	맞은 문제에 표시해 주세요.					맞은 개수	
1 제목 ☐	2 세부 내용 ☐	3 추론 ☐	4 세부 내용 ☐	5 적용 ☐	6 글의 구조 ☐	개	스티커를 붙여 주세요

37회 163

가

십 년(十年)을 경영(經營)하여 °초려삼간(草廬三間) 지어 내니,
나 한 간, ㉠달 한 간에 ㉡청풍(淸風) 한 간 맡겨 두고,
강산(江山)은 들일 곳이 없으니 둘러 두고 보리라.

– 송순

나

㉢°청산(靑山)도 절로절로 ㉣°녹수(綠水)도 절로절로
산(山) 절로 수(水) 절로 °산수간(山水間)에 나도 절로
그중(中)에 절로 자란 ㉤몸이 늙기도 ㉥절로절로

– 송시열

낱말 뜻 풀이

• **초려**: 짚이나 갈대 등으로 지붕을 인 집.
• **청풍**: 맑은 바람.
• **청산**: 푸른 산.

• **녹수**: 푸른 물.
• **산수**: 산과 물.

1

소재

가와 나의 공통된 중심 글감으로 알맞은 것은 무엇인가요?

① 돈
② 가족
③ 자연
④ 태양
⑤ 하늘

2

세부 내용

㉮에 대한 설명으로 알맞은 것은 무엇인가요?

① 말하는 이는 욕심이 없다.
② 말하는 이의 슬픈 마음이 나타나 있다.
③ 말하는 이는 큰 집을 가지고 싶어 한다.
④ 말하는 이는 임금님을 그리워하고 있다.
⑤ 마지막 행인 종장에는 자연을 파괴하면 안 된다는 뜻이 담겨 있다.

3

세부 내용

㉯에 대한 설명으로 알맞지 않은 것은 무엇인가요?

① '산수간'은 자연을 뜻한다.
② 자연에서 벗어나고 싶은 마음이 담겨 있다.
③ '절로절로'는 '저절로', '자연스럽게'라는 뜻이다.
④ 말하는 이는 자신이 자연 속에 있다고 생각한다.
⑤ 자연이 변하듯 늙어 가는 것도 자연스러운 일이라고 말하고 있다.

4

시어의 의미

㉠~㉤ 중에서 뜻하는 것이 다른 하나는 무엇인가요?

① ㉠ ② ㉡ ③ ㉢
④ ㉣ ⑤ ㉤

5

시어의 의미

㉯의 ㉥에 담긴 뜻으로 가장 알맞은 것은 무엇인가요?

① 몹시 화가 난다.
② 자연에 맡기겠다.
③ 자연을 벗어나겠다.
④ 어린 시절이 그립다.
⑤ 늙어 가는 것이 슬프다.

38회 ▶ 정답과 해설 53쪽

6

표현

②와 ④에서 사용한 표현 방법으로 알맞은 것은 무엇인가요?

① ② : 말하는 이가 느끼는 감정을 정반대로 표현하였다.

② ② : 비슷한 문장을 반복하여 시에 담긴 뜻을 강조하였다.

③ ② : 자연과 도시를 비교하여 말하는 이의 생각을 드러냈다.

④ ④ : 일어날 수 없는 일을 과장하여 표현하였다.

⑤ ④ : 같은 시어를 반복하여 시에 리듬감을 주었다.

7

추론

②와 ④를 읽고 떠오르는 장면을 영상으로 만들 때 필요하지 <u>않은</u> 장면은 무엇인가요?

① ② : 초가집의 모습

② ② : 우는 아이의 모습

③ ④ : 푸른 산의 모습

④ ④ : 늙은 사람의 모습

⑤ ④ : 자연을 바라보는 사람의 모습

생각 글 쓰기

✒ ②, ④의 주제를 쓰세요.

어휘·어법 다지기

01 다음 뜻에 알맞은 낱말을 찾아 선으로 이으세요.

(1) 산과 물. • • ㉠ 녹수

(2) 푸른 물. • • ㉡ 산수

(3) 푸른 산. • • ㉢ 청산

(4) 짚이나 갈대 등으로 지붕을 인 집. • • ㉣ 초려

02 다음 문장에 알맞은 낱말을 보기 에서 찾아 쓰세요.

> 보기 산수   청산   청풍   초려

(1) 우리나라 산은 풀과 나무가 푸른 (   )이/가 많다.

(2) 우리나라는 (   )이/가 아름답기로 유명하다고 한다.

(3) 시골 마을에 가면 아직 (   )이/가 남아 있는 곳이 있다.

(4) 높은 산에 오르면 (   )이/가 불어서 몸이 맑아지는 느낌이 든다.

03 보기 를 읽고 다음 문장에 알맞은 낱말을 골라 ○표를 하세요.

> 보기 '너비'와 '넓이'
>   '너비'는 '평면이나 넓은 물체의 가로로 건너지른 거리.'로, 가로 길이를 뜻합니다. '넓이'는 '일정한 평면에 걸쳐 있는 공간이나 범위의 크기.'라는 뜻으로 공간 전체의 크기, 즉 면적을 말합니다.

(1) 안경의 (너비 / 넓이)가 좁아서 쓰기 불편하다.

(2) 우리 집 앞에는 다섯 평 (너비 / 넓이)의 텃밭이 있다.

(3) 창문을 가리기 위해 2제곱미터 (너비 / 넓이)의 커튼을 샀다.

매일 학습 평가	맞은 문제에 표시해 주세요.						맞은 개수
1 소재 ☐	2 세부 내용 ☐	3 세부 내용 ☐	4 시어의 의미 ☐	5 시어의 의미 ☐	6 표현 ☐	7 추론 ☐	개

[앞부분 줄거리] 귀환 동포가 살고 있는 산기슭 마을에 날마다 젊은 엿장수가 찾아와 가난하고 무료한 아이들에게 즐거움을 준다. 어느 날 철수의 두 아들 영이와 윤이는 식모 남이가 무척 아끼는 옥색 고무신을 엿으로 바꾸어 먹는다.

엿장수가 엿판을 °길목에 내리자 남이는 ㉠가시처럼 꼭 찌르는 소리로, / "보소!"

엿장수는 놀란 듯 힐끗 한 번 돌아보고는 담을 싼 아이들을 헤치고 남이에게로 오는데 남이는 ㉡입을 쌜쭉하면서 대뜸, / "내 신 내놓소!" / 했다.

엿장수는 걸음을 멈추고 한참 동안 남이를 바라보다 말고 은근한 말투로,

"신은 웬 신요?" / 하고는 상대편의 °의심을 받을 만큼 히죽이 웃어 보이자, 남이는 ㉢눈이 까칠해 가지고, / "잡아떼면 누가 속을 줄 아는 가베!"

그러나 엿장수는 수양버들 봄바람 맞듯 연신 히죽거리며,

"뭘요, ㉮그믐밤에 홍두깨도 분수가 있지?" / 남이는 발끈하고,

"신 말이오!"

"신을요?" / "어제 우리 집 아이들을 꾀어 간 옥색 고무신 말이오!"

엿장수는 머리를 벅벅 긁으며, / "꾀기는 누가……."

하고는 한 걸음 앞으로 다가서서 길 아래위를 살핀 다음 낮은 소리로,

"그 신이 당신 신이던교?" / "누구 신이든 내 봐요, 빨리!"

엿장수는 또 머리를 긁으면서, / "당신 신인 줄 알았으면야, 이놈이 미친 놈이 아닌 담에야……."

하고 지나치게 고분거리는데 남이는 한결같이 °앙살을 부린다.

"내 봐요, 빨리!" / 엿장수는 손짓으로 어르듯 달래듯,

"가만 있소. 도가에 가 보고 신이 있으면야 갖다 주고 말고. 만일 신이 없으면 새 신이라도 사다 줄게요. 염려 마소!"

하고는 남이의 발을 눈짐작하는데, 이때 난데없이 굵다란 벌 한 마리가 날아와 남이의 얼굴 주위를 잉잉 날아돈다. 남이는 상을 찌푸리고 한 손을 내저어 벌을 쫓고, 목을 돌리고 하는데, 벌은 갑자기 남이 저고리 앞섶에 붙어 가슴패기로 기어오르고 있다.

이것을 조마조마 보고 있던 엿장수는, / "가, 가만……." / 하고는 한걸음에 뛰어들어,

"요놈의 벌이." / 하고 손바닥으로 벌을 딱 덮어 눌렀다. 옆에서 보기에도 민망스런 순간이었다.

남이는 당황하면서도 귀 °언저리를 붉히고 한 걸음 뒤로 물러서자 함께, 엿장수 손아귀에는 벌이 쥐어졌다. 쥐인 벌은 고스란히 있을 리가 없다. 한 번 잉 소리를 내고는 그만 손바닥을 쏘아 버렸다. 동시에 엿장수는, / "앗!" / 하고, 쥐었던 손을 펴 불며 털며 °앙감질을 하는 꼴이 남이는 어떻게나 우스웠던지 그만 손등으로 입을 가리고 킥킥 하고 웃어 버렸다. 엿장수는 반은 울상 반은 웃는 상 남이를 바라보는데, 남이의 송곳니가 무척 예뻐 보였다. 남이는 엿장수와 눈이 마주치자 무색해서 눈을 땅바닥으로 떨어뜨렸다. 살을 쏘아 버린 벌이 °꽁무니에 흰 실 같은 것을 달고, 거추장스럽

게 기어가고 있다. 남이의 시선을 따라온 엿장수 눈이 이것을 보자 그만 억센 발로,

"엥이, 엥이, 엥이." / 하고 *망깨 다지듯 짓밟고 물질러 자취도 없이 해 버리자 남이는 또 웃음이 나올 것만 같아 문을 밀고 안으로 들어가 버렸다.

– 오영수, 「고무신」

낱말 뜻 풀이

● **길목**: 큰길에서 좁은 길로 들어가는 첫 부분.
● **의심**: 확실히 알 수 없어서 믿지 못하는 마음.
● **앙살**: 엄살을 부리며 버티고 겨루는 행동.
● **언저리**: 둘레의 바깥쪽 부분.

● **앙감질**: 한 발은 들고 한 발로만 뛰는 행동.
● **꽁무니**: 몸의 뒷부분이나 곤충의 배 끝부분.
● **망깨**: 토목 공사에서 여러 일꾼들이 들었다 놓았다 하면서 땅을 다지는 데 쓰는 도구.

1
인물

이 글에서 대화하고 있는 두 인물은 누구인지 쓰세요.

2
전개
방식

이 글에 대한 설명으로 알맞은 것은 무엇인가요?

① 정보를 전달하는 글이다.
② 운율이 느껴지게 쓴 글이다.
③ 자신의 의견을 주장하는 글이다.
④ 일어날 수 있는 일을 꾸며서 쓴 글이다.
⑤ 실제 있었던 인물과 사건에 대해 쓴 글이다.

3
추론

㉠~㉢을 보고 알 수 있는 남이의 마음은 무엇인가요?

① 엿장수를 좋아한다.
② 엿장수에게 미안하다.
③ 엿장수에게 창피하다.
④ 엿장수에게 화가 나 있다.
⑤ 엿장수의 엿이 먹고 싶다.

4
세부
내용

이 글에서 남이가 찾고 있는 것이 무엇인지 색깔과 함께 쓰세요.

▶정답과 해설 54쪽

5

인물

엿장수에 대한 설명으로 알맞지 <u>않은</u> 것의 기호를 쓰세요.

㉮ 착하고 순하다.

㉯ 남이를 좋아한다.

㉰ 자신이 벌에 쏘일까 봐 걱정한다.

㉱ 남이의 물건을 가져가서 미안해한다.

6

표현

이 글에서 ㉮가 뜻하는 것은 무엇인가요?

① 갑자기 창피해함.

② 갑자기 크게 웃음.

③ 한밤중에 크게 웃음.

④ 갑자기 엉뚱한 말이나 행동을 함.

⑤ 밤이 무척 어두워 앞이 보이지 않음.

7

요약

이 글에서 일어난 사건을 생각하며, 빈칸에 알맞은 말을 쓰세요.

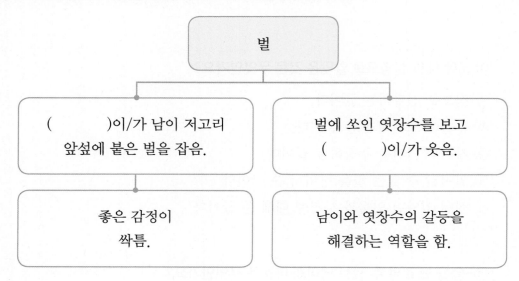

벌

(   )이/가 남이 저고리
앞섶에 붙은 벌을 잡음.

벌에 쏘인 엿장수를 보고
(   )이/가 웃음.

좋은 감정이
싹틈.

남이와 엿장수의 갈등을
해결하는 역할을 함.

🐝 **생각 글 쓰기**

🖊 이 글의 마지막 부분에서 엿장수에 대한 남이의 마음이 어떻게 변화하였는지 쓰세요.

어휘·어법 다지기

01 다음 낱말에 알맞은 뜻을 찾아 선으로 이으세요.

(1) 길목 •

(2) 꽁무니 •

(3) 언저리 •

(4) 의심 •

• ㉠ 둘레의 바깥쪽 부분.

• ㉡ 몸의 뒷부분이나 곤충의 배 끝부분.

• ㉢ 큰길에서 좁은 길로 들어가는 첫 부분.

• ㉣ 확실히 알 수 없어서 믿지 못하는 마음.

02 다음 문장에 알맞은 낱말을 [보기]에서 찾아 쓰세요.

> **보기**
>
> 길목   앙갚음   언저리   의심

(1) 형진이는 문에 발을 찧고 (   )을/를 했다.

(2) 나는 감동을 해서 눈의 (   )이/가 뜨거워졌다.

(3) 빵을 다 먹은 사람이 나라고 (   )을/를 받았다.

(4) 나는 친구와 학교로 가는 (   )에서 만나기로 하였다.

03 [보기]를 읽고 다음 문장에 알맞은 낱말을 골라 ○표를 하세요.

> **보기** '량'과 '양'
>
> 　이 낱말은 무게나 크기, 수량을 나타낼 때 쓰는 말입니다. 고유어 낱말과 외래어 낱말 뒤에는 '양'을 쓰고, 한자로 된 낱말 뒤에는 '량'을 씁니다. 예를 들어 '칼로리양'에서 '칼로리'는 외래어이기 때문에 '양'을 쓰고, '노동량'에서 '노동'은 한자로 된 낱말이기 때문에 '량'을 씁니다.

(1) 오늘은 어제보다 (구름량 / 구름양)이 많다.

(2) 우리나라 (강수량 / 강수양)은 겨울보다 여름이 많은 편이다.

매일 학습 평가	맞은 문제에 표시해 주세요.						맞은 개수	스티커를 붙여 두세요
1 인물 ☐	2 전개 방식 ☐	3 추론 ☐	4 세부 내용 ☐	5 인물 ☐	6 표현 ☐	7 요약 ☐	개	

초등학교 때 우리 집은 제기동에 있는 작은 한옥이었다. 골목 안에는 고만고만한 한옥 네 채가 서로 마주 보고 있었다. 그때만 해도 한 집에 아이가 보통 네댓은 되었으므로, 그 골목길만 초등학교 아이들이 줄잡아 열 명이 넘었다. 학교가 파할 때쯤 되면 골목 안은 시끌벅적, 아이들의 놀이터가 되었다.

어머니는 내가 집에서 책만 읽는 것을 싫어하셨다. 그래서 방과 후 골목길에 아이들이 모일 때쯤이면 어머니는 대문 앞 계단에 작은 방석을 깔고 나를 거기에 앉혀 주셨다. 아이들이 노는 걸 구경이라도 하라는 뜻이었다.

딱히 놀이 기구가 없던 그때, 친구들은 대부분 술래잡기, 사방치기, 공기놀이, 고무줄놀이 등을 하고 놀았지만, 나는 공기놀이 외에는 그 어떤 놀이에도 참여할 수 없었다. 하지만 골목 안 친구들은 나를 위해 꼭 무언가 역할을 만들어 주었다. 고무줄놀이나 달리기를 하면 내게 심판을 시키거나, 신발주머니와 책가방을 맡겼다. 그뿐인가. 술래잡기를 할 때는 한곳에 앉아 있는 내가 답답할까 봐 어디에 숨을지 미리 말해 주고 숨는 친구도 있었다.

우리 집은 골목 안에서 중앙이 아니라 구석 쪽이었지만, 내가 앉아 있는 계단 앞이 늘 친구들의 놀이 무대였다. 놀이에 참여하지 못해도 나는 전혀 °소외감이나 °박탈감을 느끼지 않았다. 아니, 지금 생각하면 내가 소외감을 느낄까 봐 친구들이 배려해 준 것이었다.

그 골목길에서의 일이다. 초등학교 1학년 때였던 것 같다. 하루는 우리 반이 좀 일찍 끝나서 혼자 집 앞에 앉아 있었다. 그런데 그때 마침 깨엿장수가 골목길을 지나고 있었다. 그 아저씨는 가위를 쩔렁이며 내 앞을 지나더니, 다시 돌아와 내게 깨엿 두 개를 내밀었다. 순간, 그 아저씨와 내 눈이 마주쳤다. 아저씨는 아무 말도 하지 않고 아주 잠깐 미소를 지어 보이며 말했다.

"괜찮아."

무엇이 괜찮다는 것인지는 몰랐다. 돈 없이 깨엿을 공짜로 받아도 괜찮다는 것인지, 아니면 목발을 짚고 살아도 괜찮다는 말인지……. 하지만 그건 중요하지 않다. 중요한 건 내가 그날 마음을 정했다는 것이다. 이 세상은 그런대로 살 만한 곳이라고. 좋은 사람들이 있고, °선의와 사랑이 있고, '괜찮아.'라는 말처럼 용서와 너그러움이 있는 곳이라고 믿기 시작했다는 것이다.

오래전의 학교 친구를 찾아 주는 프로그램이 있었다. 한번은 어느 가수가 나와서 초등학교 때 친구들을 찾았는데, 함께 축구하던 이야기가 나왔다. 당시 허리가 36인치나 되는 뚱뚱한 친구가 있었는데, 뚱뚱해서 잘 뛰지 못한다고 다른 친구들이 축구 팀에 끼워 주려고 하지 않았다. 그때 그 가수가 나서서 말했다.

"괜찮아. 그럼 얘는 골키퍼를 하면 함께 놀 수 있잖아."

그래서 그 친구는 골키퍼로 친구들과 함께 축구를 했고, 몇십 년이 지난 후에도 그 따뜻한 말과 마음을 그대로 기억하고 있었다. 〈중략〉

참으로 신기하게도 힘들어서 주저앉고 싶을 때마다 난 내 마음속에서 작은 속삭임을 듣는다. 오래전 따뜻한 추억 속 골목길 안에서 들은 말, '괜찮아! 조금만 참아. 이제 다 괜찮아질 거야.'

그래서 '괜찮아'는 이제 다시 시작할 수 있다는 희망의 말이다.

시각 장애인이면서 °재벌 사업가로 알려진 미국의 톰 설리번은 자기의 인생을 바꾼 말은 딱 세 단어, "Want to play(함께 놀래)?"라고 했다. 어렸을 때 시력을 잃고 절망과 좌절감에 빠져 고립된 생활을 할 때 옆집에 새로 이사 온 아이가 그렇게 말했다고 한다. 그 짧은 말이 자기가 다시 세상 밖으로 나올 수 있는 계기가 되었다고 한다.

어린아이의 마음은 스펀지같이 무엇이든 °흡수한다. 그리고 어느 순간에 마음을 정해 버린다. 기준은 '함께'이다. 세상이 친구가 되어 '함께' 하리라는 약속을 볼 때, 힘들지만 세상은 그런대로 살 만한 곳이라 여기고, '함께' 하리라는 약속이 없으면 세상은 너무 무서운 곳이라 여긴다. 새삼 생각해 보면 나를 이 세상에 정붙이게 만들어 준 것은 바로 옛날 나와 함께해 주었던 골목길 친구들이다.

　　　　　　　　　　　　　　　　　　　　　　　　　　　　　　　　　　　－ 장영희, 「괜찮아」

낱말 뜻 풀이

- **소외감**: 남에게 따돌림을 당하여 멀어진 듯한 느낌.
- **박탈감**: 남에게 재물이나 권리, 자격 등을 빼앗겼다고 여기는 느낌이나 기분.
- **선의**: 착한 마음.
- **재벌**: 재계에서 큰 세력을 가진 자본가나 기업가의 무리.
- **흡수**: 빨아서 거두어들임.

1 **주제** **이 글에서 글쓴이가 말하고자 하는 것은 무엇일까요?**

① 장애를 극복한 사람들의 인내심과 노력

② 어릴 적 소중한 친구들에 대한 그리움과 추억

③ 인생에 큰 힘이 될 수 있는 한마디 말의 소중함

④ 실패해도 굴하지 않는 도전 정신과 용기의 중요성

⑤ 자신의 재능에 자만하지 않는 겸손한 마음과 성실함

2 **인물** **이 글에서 알 수 있는 '나'의 모습으로 알맞은 것은 무엇인가요?**

① 크고 넓은 한옥에서 부유한 외동딸로 자랐다.

② 고무줄놀이와 공기놀이를 가장 잘해서 인기가 좋았다.

③ 다리가 불편하여 친구들과 함께 뛰어놀기가 어려웠다.

④ 친구들과 어울려 노는 것을 싫어하는 내성적인 성격이었다.

⑤ 동네에 깨엿을 팔러 오는 아저씨를 무서워해서 계속 피해 다녔다.

3 적용 **이 글의 '괜찮아'라는 말이 필요하지 않은 사람은 누구인가요?**

① 생일 잔치 초대장을 주는 사람

② 성적이 떨어져서 속상해하는 사람

③ 친구와 다투고 나서 후회하는 사람

④ 축구 시합에서 열심히 노력했지만 진 사람

⑤ 키우는 강아지가 많이 아파서 슬퍼하는 사람

4 추론 **이 글에서 느껴지는 분위기로 알맞은 것은 무엇인가요?**

① 따뜻한 분위기   ② 차가운 분위기   ③ 신나는 분위기

④ 외로운 분위기   ⑤ 우울한 분위기

5 감상 **이 글의 글쓴이가 생각하거나 느낀 것을 생각하며, 빈칸에 알맞은 말을 쓰세요.**

> 글쓴이는 어린 시절에 (   )이/가 불편했으나 친구들이 놀이에서 역할을 만들어 주고, 글쓴이가 앉아 있는 (   ) 앞에서 같이 놀아 주었기 때문에 소외감을 느끼지 않았다. 또, (   ) 아저씨가 깨엿을 주며 '괜찮아'라고 말해 주어서 글쓴이는 세상에 대한 믿음을 갖게 되었다. '괜찮아'라는 말에 담긴 뜻을 알고 나니 세상이 살 만한 곳이고 좋은 사람들이 있는 곳이라는 느낌이 들었다.

생각 글 쓰기

🖊 글쓴이가 힘들어서 주저앉고 싶을 때마다 '괜찮아'라는 말을 떠올리며 생각한 것은 무엇일까요?

어휘·어법 다지기

01 다음 낱말에 알맞은 뜻을 찾아 선으로 이으세요.

(1) 박탈감 •

(2) 선의 •

(3) 소외감 •

(4) 재벌 •

• ㉠ 착한 마음.

• ㉡ 남에게 따돌림을 당하여 멀어진 듯한 느낌.

• ㉢ 재계에서 큰 세력을 가진 자본가나 기업가의 무리.

• ㉣ 남에게 재물이나 권리, 자격 등을 빼앗겼다고 여기는 느낌이나 기분.

02 다음 문장에 알맞은 낱말을 보기 에서 찾아 쓰세요.

> **보기**
>
> 선의   소외   흡수

(1) 다른 사람들에게 (   )를 당하고 있었다.

(2) 선생님의 말씀을 (   )하듯이 받아들여 점수가 급격히 올랐다.

(3) 잘못을 지적한 것은 친구가 (   )로 한 행동이었지만 마음에 상처로 남았다.

03 보기 를 읽고 다음 밑줄 친 표현 중 관용 표현이 아닌 것을 고르세요.

> **보기**
>
> 관용 표현이란 둘 이상의 낱말이 결합하여 원래의 뜻과는 전혀 다른 특별한 뜻으로 사용되는 말을 뜻합니다. 사람들이 오래 전부터 관습적으로 사용해 오면서 굳어 버린 말이기 때문에 하나의 낱말처럼 쓰이며, 관용 표현의 중간에는 다른 낱말을 추가할 수 없습니다.

① 그는 손가락 하나 까딱 않고 누워 있었다.

② 어젯밤에 피곤했는지 감았던 눈을 뜨니 아침이었다.

③ 지호는 뼈를 깎는 노력을 통해 드디어 시험에 합격했다.

④ 매일 저녁에 미국 드라마를 봤더니 어느 정도 귀가 뚫렸다.

⑤ 언젠가는 그녀와 이별을 해야 한다고 생각하니 가슴이 무겁다.

▶ 정답과 해설 55쪽

40회

매일 학습 평가	맞은 문제에 표시해 주세요.				맞은 개수	
1 주제 ☐	2 인물 ☐	3 적용 ☐	4 추론 ☐	5 감상 ☐	개	스티커를 붙여 주세요

memo

정답과 해설

01회 인간은 오래달리기의 제왕

▶ 본문 10~13쪽

1 ⑤ 2 ④ 3 다리, 엉덩이, 상체 4 ⑤ 5 ㉰ 6 ④ 7 ㉢, ㉣, ㉠, ㉱, ㉡

어휘·어법 다지기 01 (1)-㉡ (2)-㉠ (3)-㉣ (4)-㉢ 02 (1) 포유류 (2) 무사 (3) 유리 03 ②

격투기 세계 챔피언이 사자나 호랑이와 맨몸으로 싸워서 이길 수 있을까요? 격투기 챔피언이라고 해도 사자나 호랑이 같은 맹수와 맨몸으로 싸우면 무사할 수 없을 것입니다.
_{2번의 근거}
1991년에 마이크 파월이 세운 이래로 아직도 깨지지 않은 멀리뛰기 세계 신기록은 8.95미터입니다. 그런데 캥거루는 최대 13미터까지도 뛴다고 합니다. 이렇듯 야생에서 살아남아야 하는 동물들은 여러 가지 면에서 인간보다 신체적인 능력이 뛰어납니다.
▶동물들의 뛰어난 신체적 능력

그렇다면 인간은 신체 능력을 겨루는 모든 종목에서 동물을 이길 수 없는 것일까요? 공이나 기구를 사용하는 종목을 제외하고, 맨몸으로 하는 경기 중에서 유일하게 금메달이 유력한 종목은 바로 장거리 달리기입니다.
_{2번의 근거}
▶인간이 동물보다 잘하는 종목인 장거리 달리기
동물들의 움직임은 대부분 천적으로부터 살아남기 위한 생존을 우선으로 합니다. 이 때문에 동물들의 달리기는 짧은 시간 안에 가장 효율적으로 움직이는 데 초점이 맞추어져 있습니다. 포유류 중 단거리를 가장 빨리 달릴 수 있는 치타는
_{4번의 근거}
_{2번의 근거}
최고 속력이 시속 120킬로미터 전후로, 자동차만큼이나 빠르지만 그 속력으로 600미터 이상 달리지 못합니다. 장거리 달리기의 제왕으로 불리는 말은 매우 빨리 달릴 것 같지만, 말의 최고 속력은 시속 67킬로미터 전후이고 10~15분 이상 달리면 속력이 절반 가까이 줄어든다고 합니다. 먹잇감을 끈질기게 쫓는 것으로 유명한 늑대는 강한 심장과 폐를 가지고 있어 몇 시간 이상 달리지만 달리는 거리는 20~30킬로미터 정도가 한계입니다.
▶동물들의 달리기 특징

이렇게 동물들이 오래 달리지 못하는 까닭은 동물은 달리기에 많은 에너지를 소비하고, 체온과 호흡을 유지하는 데 어려움을 겪기 때문입니다. 반면 인간의 몸은 장거리 달리기에 최적화되어 있습니다. 다리가 신체 길이에 비해 길고, 발
_{2번의 근거}
_{3번의 근거}
달한 엉덩이 근육이 상체를 곧게 펴고 유지할 수 있도록 도와줍니다. 이러한 조건 때문에 인간은 더 멀리, 더 오래 달릴수록 유리합니다.
▶달리기에 있어서 인간과 동물의 신체적 차이점

그리스의 울트라 마라톤 세계 챔피언 야니스 쿠로스는 11시간 46분 동안 160킬로미터를 달렸습니다. 24시간 동안 290.221킬로미터, 48시간 동안 433.095킬로미터를 달린 것이 울트라 마라톤의 세계 기록입니다. 1980년부터 영국 웨일스에서 매년 열리는 말과 인간의 35킬로미터 마라톤 경주에
_{2번의 근거}
서는 실제로 2004년과 2007년에 인간이 말을 이기기도 했습니다.
▶인간의 장거리 달리기 기록

이렇게 지도해 주세요! 이 글은 동물보다 신체적 능력이 떨어지는 인간이 오래달리기에서 동물을 앞설 수 있는 까닭을 설명한 글입니다. 인간이 어떤 조건 때문에 오래달리기에서 유리한지 설명해 주세요.
• **주제** 인간이 동물보다 오래달리기를 잘하는 까닭

1 이 글은 인간이 동물보다 오래달리기에 유리한 신체 조건을 가지고 있음을 설명한 글입니다.

2 인간이 맨몸으로 하는 경기 중에서 금메달이 유력한 종목은 오래달리기라고 하였습니다.

3 인간의 몸은 장거리 달리기에 최적화되어 있는데, 다리가 신체 길이에 비해 길고 발달한 엉덩이 근육이 상체를 곧게 펴고 유지할 수 있도록 도와줍니다.

4 동물은 생존을 위해 짧은 시간 안에 효율적으로 달려야 하기 때문에 한 번 달릴 때 많은 에너지를 소비합니다.

5 늑대는 몇 시간 이상 달릴 수 있지만 20~30킬로미터 정도가 달릴 수 있는 최대 거리라고 하였습니다. 따라서 200킬로미터 울트라 마라톤이라면 인간이 늑대를 이길 수 있습니다.

6 '오직 하나밖에 없음.'이라는 뜻의 낱말은 '유일'입니다.

7 '㉢ 동물들의 뛰어난 신체적 능력 → ㉣ 인간이 동물보다 잘하는 종목인 장거리 달리기 → ㉠ 동물들의 달리기 특징 → ㉱ 달리기에 있어서 인간과 동물의 신체적 차이점 → ㉡ 인간의 장거리 달리기 기록'의 순서로 글을 전개하고 있습니다.

🖋 **생각 글 쓰기**

◆ **예시 답안** 다른 동물에게 쫓기는 순간에 순간적으로 빠르게 달아나기 때문에 살아남을 수 있다.

이렇게 지도해 주세요! 동물들은 천적에게서 살아남기 위해 짧은 시간 안에 효율적으로 움직인다고 하였습니다. 즉 빨리 달아나는 것이 중요하므로, 오래달리기를 못해도 살아남을 수 있다고 지도해 주세요.

어법 다지기

03 '겉이'의 받침 'ㅌ'은 모음 'ㅣ' 앞에서 'ㅊ'으로 바뀌므로 [거치]로 발음됩니다.

오답 풀이
① 같이[가치] ③ 굳이[구지] ④ 미닫이[미다지] ⑤ 해돋이[해도지]

1 고려청자　2 ②　3 비색　4 ㉠, ㉣, ㉡, ㉢　5 청자 상감 운학
문 매병　6 ①　7 비색, 상감
어휘·어법다지기　01 (1)-㉢ (2)-㉡ (3)-㉠　02 (1) 기포 (2)
독특 (3) 독창적　03 (1) 바랜 (2) 바람

고려청자는 청자의 빛깔, 독특한 장식 기법과 아름다운 형
태로 유명하다. 고려청자를 만든 시기에는 중국과 우리나라
에서만 질 높은 청자를 만들 수 있었다. 우리나라보다 중국
이 먼저 청자를 만들고 세상에 알렸지만, 고려는 청자를 만
드는 우수한 기술력과 아름다움을 인정받아 다른 나라 사람
들에게 사랑을 받았다.　▶ 다른 나라 사람들에게 사랑받는 고려청자

고려청자는 무엇보다 아름다운 빛깔로 더욱 주목받았다.
청자의 빛깔은 맑고 은은한 녹색이다. 이는 유약 안에 아주
작은 기포가 많아 빛이 반사되면서 은은하고 투명하게 비쳐
보이기 때문이다. 청자의 색이 짙고 푸른색 윤이 나는 구슬
인 비취옥의 색깔과 닮았기 때문에 비색이라 불렸는데, 중
국 송나라의 태평 노인이 『수중금』이라는 책에서 고려청자의
빛깔을 비색이라 부르며 천하제일이라고 칭찬했다.
　▶ 고려청자의 '비색'
청자의 상감 기법은 어느 나라에서도 찾아볼 수 없는 우리
고유의 독창적인 도자기 장식 기법이다. 상감 기법은 그릇을
다 빚고 굳었을 때 그릇 바깥쪽에 조각칼로 무늬를 새긴 다
음, 검은색이나 흰색의 흙을 메운 뒤 무늬가 드러나도록 바
깥쪽을 매끄럽게 다듬는 기법이다. 이 기법은 금속 공예나
나전 칠기에 장식 기법으로 쓰고 있었지만, 고려 도공들이
도자기를 만들 때 장식에 처음으로 응용했다. 상감 기법으로
만든 고려청자는 '청자 상감 운학문 매병'이 대표적이다.
　▶ 고려청자의 상감 기법
㉮ [　청자의 형태는 기존의 단순한 그릇 모양에서 여러 형
태로 발전했다. 그 당시 고려인들은 대접과 접시, 잔, 항
아리, 병, 찻잔, 상자 등을 비롯해 심지어 베개와 기와까
지도 청자로 만들었다. 특히 죽순, 표주박, 복숭아, 원
앙, 사자, 용, 거북과 같이 여러 동식물의 모양을 본떠
만든 향로, 주전자, 꽃병, 연적 등이 오늘날까지 내려오
고 있다. 이처럼 예술적 아름다움을 지닌 청자는 고려인
의 생활 속에서 널리 쓰였다.　▶ 여러 형태의 고려청자

고려청자는 맑고 은은한 비색으로 부드러운 곡선을 강조
하며 상감 기법으로 회화적인 아름다운 무늬를 표현한 것이

특색이다. 우리는 이러한 고려청자로 고려인들의 독창성과
뛰어난 기술력을 엿볼 수 있다. 고려인들은 중국의 청자를
받아들이면서 그저 모방하는 데 그친 것이 아니라, 아름다운
비색과 독특한 상감 기법으로 발전시킨 것이다. 따라서 고려
청자는 여러 가지 형태의 아름다움을 일구어 낸 고려인들의
노력과 열정을 그대로 담고 있다.　▶ 고려청자의 우수성

이렇게 지도해 주세요! 이 글은 고려청자의 제작 방법과 특징, 우수성을
설명한 글입니다. 우리나라 문화재의 우수성과 아름다움을 느끼며 글
을 읽을 수 있도록 지도해 주세요.
• **주제** 고려청자의 아름다움과 독창성

1 이 글은 고려청자의 제작 방법과 특징, 우수성을 설명한 글입
니다.

2 청자의 상감 기법은 우리 고유의 독창적인 장식 기법이라고
하였습니다.

3 청자의 색이 비취옥의 색깔과 닮아서 '비색'이라고 하였습니다.

4 상감 기법은 그릇을 다 빚고 그릇이 굳었을 때 바깥쪽에 조각
칼로 무늬를 새긴 다음, 검은색이나 흰색의 흙을 메운 뒤 무
늬가 드러나도록 바깥쪽을 매끄럽게 다듬는 기법입니다.

5 상감 기법으로 만든 대표적인 고려청자는 '청자 상감 운학문
매병'이라고 하였습니다.

6 ㉮에서는 청자가 대접과 접시, 잔, 항아리, 병, 찻잔, 상자,
베개와 기와 등 여러 형태였으며, 죽순, 표주박, 복숭아, 원
앙, 사자, 용, 거북과 같이 여러 동식물의 모양을 본떴다고
구체적인 예를 드는 방법으로 설명하고 있습니다.

7 이 글은 고려청자가 유명한 까닭을 고려청자의 아름다운 '비
색'과 '상감' 기법, 고려청자의 다양한 형태와 종류 등을 통해
설명하였습니다. 또한, 이를 바탕으로 고려청자의 우수성을
강조하였습니다.

생각 글 쓰기

◆예시 **답안** 그저 모방에 그치는 것이 아니라 아름다운
비색과 독특한 상감 기법으로 발전시켰기 때문이다.
이렇게 지도해 주세요! 청자는 중국에서 먼저 만들어졌지만, 고려인
들은 우수한 기술력을 바탕으로 아름다운 비색과 독특한 상감 기법
을 이용하여 청자를 발전시켰다는 점을 지도해 주세요.

어법다지기

03 (1) 편지가 색이 변하였다는 뜻이므로 '바랜'을 써야 합니다.
(2) 가족 모두가 건강한 상태가 되기를 원한다는 뜻이므로 '바
람'을 써야 합니다.

03회 눈 건강을 좌우하는 습관

▶ 본문 18~21쪽

1 건강, 습관　2 노화, 조절력(건강)　3 ②　4 ④　5 유주
6 눈, 수정체, 과식
어휘·어법다지기　01 (1)-ⓒ (2)-ⓒ (3)-㉠　02 (1) 노화 (2)
결핍 (3) 예민 (4) 골격　03 하릴없이

우리 눈은 언제부터 노화가 시작될까요? 놀랍게도 청소년 기부터입니다. 그래서 어릴 때부터 안경을 써 온 학생이나 시력과 신체 방어력, 면역력이 크게 떨어지는 학생은 눈의 노화 속도를 늦추기 위해 더 노력해야 합니다.

▶청소년기부터 시작되는 눈의 노화

왜 청소년기부터 눈의 노화가 시작될까요? 그 까닭은 눈 과 혈관의 노화가 동시에 진행되기 때문입니다. 사실 눈은
3번의 근거
혈관 덩어리라 해도 과언이 아닙니다. 만약 혈관에 문제가 생기면 혈액과 수분이 흐르지 않고 고이기 시작하며, 눈이 탁해지고 붓기 때문에 시력에 악영향을 줍니다.

▶청소년기부터 눈의 노화가 시작되는 까닭

눈의 혈관은 10대 중반부터 노화되기 시작하고, 시력은 20대부터 조절력이 떨어집니다. 멀리 보고 가까이 보는 것을 조절하는 기관이 수정체입니다. 수정체의 탄력이 떨어지면 가까이 볼 수 있는 능력도 약해집니다. 수정체의 조절력은 20대부터 떨어지기 시작해 40대 중반에는 30~40센티미터 앞의 글자도 명확히 보기 힘들어집니다. 이처럼 시간이 지날 수록 눈의 노화는 심해집니다. 그러면 눈의 노화를 막고 조 절력은 유지하는 습관을 알아볼까요?

▶눈의 노화를 막고 조절력을 유지하는 습관

먼저 대상을 바라볼 때 올바른 자세로 보는 습관이 중요합 니다. 항상 어떤 사물을 볼 때 바른 자세로 몸을 세워서 바
4번, 5번의 근거
라보아야 눈의 피로를 줄일 수 있습니다. 그리고 책을 읽을 때 책과의 거리를 적절히 유지해야 합니다. 책과의 거리를
4번의 근거
30~35센티미터 정도로 유지하는 습관을 기르는 것이 좋습 니다. 그렇지 않으면 독서로 유용한 지식을 얻는 대신 시력 을 빼앗길 수 있으니까요.

▶올바른 자세로 바라보는 습관

신체를 건강하게 단련시키는 운동을 해야 눈도 건강해집 니다. 몸의 골격과 구조가 완성되는 청소년기에 눈 건강은 매우 중요합니다. 집을 지을 때 기초 공사가 탄탄하게 이루 어져야 나중에 집을 완성했을 때 위험 부담도 줄어드는 것처 럼, 눈도 마찬가지입니다. 한창 자라나는 시기에 신체를 건 강하게 단련시키는 운동을 해야 눈 건강도 제대로 지킬 수
4번의 근거
있습니다.

▶신체를 단련시키는 운동을 하는 습관

그리고 눈은 편식과 과식을 좋아하지 않습니다. 적당한 양 의 음식을 골고루 먹도록 합니다. 편식을 하면 예민한 눈이
4번의 근거
금세 알아차립니다. 곧 영양 결핍에 시달리게 되지요. 영양 결핍은 시력 저하를 일으켜 눈의 올바른 성장을 방해합니다. 또 과식하면 혈관에 기름이 끼어 눈의 혈관들이 손상될 위험 이 있습니다.

▶편식과 과식을 하지 않는 습관

마지막으로 잠을 잘 때는 반드시 어두운 환경을 유지해 주
4번, 5번의 근거
어야 합니다. 이불 속에서 잘못된 자세로 스마트폰을 들여다 보는 행동은 우리의 눈뿐만 아니라 척추 건강까지 해칩니다. 따라서 잠자리에서는 스마트폰을 멀리하는 습관을 들여야
4번의 근거
합니다.

▶잘잘 때 어두운 환경 유지하는 습관

이렇게 지도해 주세요! 이 글은 눈이 노화되는 까닭을 설명하고 이를 막기 위한 올바른 생활 습관을 강조하는 글입니다. 눈 건강의 중요성 을 느낄 수 있도록 지도해 주세요.
• **주제** 눈 건강을 위해 올바른 생활 습관을 기르자.

1 이 글은 눈이 노화되며 눈 건강이 나빠지는 까닭을 설명하고 이를 예방할 수 있는 생활 습관을 강조하는 글입니다.

2 글쓴이는 혈관의 노화로 일어나는 눈의 '노화'를 막고, 수정 체의 '조절력'을 유지하여 눈 건강을 지킬 수 있도록 올바른 생활 습관을 가질 것을 주장하고 있습니다.

3 눈의 노화가 청소년기부터 시작되는 까닭은 눈과 혈관의 노 화가 동시에 진행되는데, 눈의 혈관은 10대부터 노화되기 시 작하기 때문입니다.

4 채소와 과일만 먹는 것은 편식하는 식습관입니다. 편식을 하 면 영양 결핍에 시달리게 되며, 시력 저하가 일어납니다.

5 텔레비전을 시청할 때 곧게 앉은 자세로 보는 유주의 습관이 대상을 올바른 자세로 보는 습관입니다.

6 '눈'이 노화되는 원인 중 하나는 '수정체'의 조절력이 떨어지는 것입니다. 눈 건강을 위해서는 편식과 '과식'을 하지 말고 음식 을 골고루 적당하게 먹어야 합니다.

생각 글 쓰기

◆**예시 답안** 눈은 혈관 덩어리인데, 혈관에 문제가 생기 면 눈이 탁해지고 붓기 때문이다.

이렇게 지도해 주세요! 눈에는 혈관이 아주 많기 때문에 만약 혈관에 문제가 생기면 시력에도 악영향을 준다는 것을 설명해 주세요.

어법다지기

03 '하릴없이'는 '달리 어떻게 할 도리가 없이.', '조금도 틀림이 없이.'와 같은 뜻으로 쓰이는 낱말입니다.

1 사회적 소수자   2 장애인 차별 금지 및 권리 구제 등에 관한 법률, 외국인 근로자의 고용 등에 관한 법률   3 ④   4 ②   5 차이, 배려   6 ⓒ   7 차별, 상대, 금지, 존중

어휘·어법 다지기 01 (1)-ⓒ (2)-㉠ (3)-ⓛ (4)-㉣   02 (1) 국경 (2) 구제 (3) 세력 (4) 인식   03 ④

한 사회에는 사고 방식, 종교, 민족, 인종 등 다양한 사회적·문화적 배경을 가진 사람들이 모여 살고 있습니다. 그렇기 때문에 모든 사람들은 서로의 차이를 인정하고 평등하게 대우받아야 합니다. 하지만 실제로는 몸이 불편하거나 국경을 넘어왔다는 까닭, 성적 취향이나 출신 지역이 남들과 다르다는 까닭으로 차별을 받기도 합니다. 이러한 차별은 인간의 존엄성을 해치고 사회적 갈등을 유발하여 사회 통합을 어렵게 합니다.
<sub 3번의 근거>
▶다양한 사회적·문화적 배경에 따라 나타나는 차별

사회적 소수자란 한 사회에서 다른 구성원들에게 차별을 받으며, 스스로 차별받는 집단에 속해 있다는 의식을 가진 사람을 말합니다. 즉, 인종, 성별, 장애, 종교, 사회적 출신 등을 이유로 다른 사회 구성원으로부터 소외와 차별을 받는 사람들을 일컫는 말입니다.
<sub 3번의 근거>
사회적 소수자는 다른 집단과 비교해 세력이 약합니다. 하지만 상대적으로 수가 적은 집단을 항상 사회적 소수자라고 하는 것은 아닙니다. 신체적·문화적으로 다른 집단과 구별되는 뚜렷한 차이가 있거나 자신이
<sub 3번의 근거>
차별받고 있다는 것을 인식하고 있어야 사회적 소수자라고 합니다.
▶사회적 소수자의 뜻

또한 사회적 소수자는 어디까지나 상대적인 개념입니다. 누구나 사회적 소수자가 될 수 있습니다. 사고나 질병으로 장애인이 될 수도 있고, 다른 나라로 이주하여 살 수도 있습니다. 실제로 한국에서 사회적 소수자가 아니었던 평범한 대학생이 외국으로 어학 연수를 가서 외국에서 사회적 소수자 집단이 되기도 하고, 다시 한국으로 귀국하여 사회적 소수자 집단에서 벗어나기도 합니다. 이렇게 사회적 소수자 집단은 특정 사회를 배경으로 존재할 뿐, 상황이나 배경이 바뀌면
<sub 3번의 근거>
㉠그 특징이 사라지는 경우가 많습니다.
▶상대적인 개념의 사회적 소수자

우리나라는 사회적 소수자의 차별을 금지하기 위해 '장애인 차별 금지 및 권리 구제 등에 관한 법률', '외국인 근로자
<sub 2번의 근거>
의 고용 등에 관한 법률' 등의 정책을 시행하고 있습니다. 이

러한 정책이나 법률이 실제로 사회적 소수자들의 인권을 보장하는 데 부족한 점은 없는지, 실질적인 보호 대책이 될 수 있는지 수시로 따져 보아야 합니다.▶사회적 소수자 차별을 금지하는 정책

우리 사회는 다수자뿐만 아니라 다양한 소수자로 구성되어 있습니다. 나와 다른 사람의 차이를 받아들이고 존중하려
<sub 5번의 근거>
는 개인의 노력과 사회적 소수자를 배려하는 사회적 차원의 제도가 함께 이루어져야 다양한 사회 구성원들의 행복과 권리를 보장하는 사회가 될 수 있습니다.
▶사회적 소수자에 대한 존중과 배려

이렇게 지도해 주세요! 이 글은 사회적 소수자의 정확한 뜻과 사회적 소수자가 생겨난 배경을 설명한 글입니다. 사회적 소수자를 존중하고 배려하는 마음을 가질 수 있도록 지도해 주세요.
• **주제** 사회적 소수자에 대한 존중과 배려

1 이 글은 '사회적 소수자'에 대하여 쓴 글입니다.

2 사회적 소수자를 보호하기 위한 법률에는 '장애인 차별 금지 및 권리 구제 등에 관한 법률', '외국인 근로자의 고용 등에 관한 법률'이 있다고 하였습니다.

3 수가 적은 집단을 사회적 소수자라고 하는 것이 아니라, 다른 집단과 구별되는 특징이 있거나 자신이 차별받고 있다는 것을 인식하고 있어야 사회적 소수자라고 합니다.

4 ㉠은 사회적 소수자로서의 특징을 말합니다. 사회적 소수자를 배려하는 개인적, 사회적 차원의 제도는 사회적 소수자의 특징으로 볼 수 없습니다.

5 글쓴이는 우리 모두는 상황에 따라 사회적 소수자가 될 수 있으므로 나와 다른 사람의 '차이'를 인정하고 사회적 소수자를 '배려'하는 사회를 만들자고 말하고 있습니다.

6 사회적 소수자는 상대적인 개념이라고 하였습니다. ⓒ은 한국에서 사회적 소수자였던 베트남인이 베트남에 돌아가 사회적 소수자에서 벗어난 예입니다.

7 해설에 제시한 글의 문단별 주제를 통해 정답을 확인할 수 있습니다.

생각 글 쓰기

◆**예시 답안** 나와 다른 점을 가진 사람의 차이를 받아들이고 존중하는 마음을 가진다.
이렇게 지도해 주세요! 나와 다른 점을 지닌 사람이 잘못된 것이 아니라 다를 뿐이라는 사실을 설명해 주세요.

어법 다지기

03 '옆집'의 '옆'이 '엽'으로 발음되고, 받침 'ㅂ' 뒤에 오는 'ㅈ'은 'ㅉ'으로 발음되므로 [엽찝]으로 읽습니다.

▶ 본문 26~29쪽

1 버섯 2 씨앗 3 ⑤ 4 곰팡이, 생물, 분해자 5 ⑤ 6 (1) ×
(2) ○ (3) ○ (4) × 7 엽록소, 균류
어휘·어법 다지기 01 (1)-ⓒ (2)-ⓛ (3)-㉠ 02 (1) 성숙 (2)
분해 (3) 양분 03 (1) 될 (2) 돼 (3) 되는

우리들은 매일 밥과 반찬을 먹고, 과일, 우유, 고기, 생선 등 여러 가지를 먹어야 힘을 내어 살 수 있어요. 또 집에서 키우는 개나 고양이는 사료를 먹고, 사자나 코끼리처럼 야생에서 사는 동물들도 다른 동물을 잡아먹거나 풀과 나뭇잎을 먹어야 살 수 있지요. 하지만 식물은 무엇을 먹지 않아도 자라나고 열매를 맺어요. 왜냐하면 식물은 자신의 안에 있는 엽록소와 햇빛을 이용해서 살아가는 데 필요한 양분을 만들기 때문이에요. 즉 식물은 움직이거나 무엇을 먹지 않아도 스스로 양분을 만들어 살아갈 수 있는 생물이지요.

그런데 나무 밑에서 자라는 버섯도 식물일까요? 버섯은 식물처럼 보이지만 사실은 식물이 아니에요. 버섯은 균류의 일종이에요. 균류의 '균'은 '곰팡이'라는 뜻으로, 버섯은 곰팡이의 한 종류라는 말이에요. 식물은 광합성을 해서 스스로 영양분을 만들지만, 균류인 버섯은 스스로 영양분을 만들지 못해요. 식물처럼 뿌리가 있는 것도 아니지요. 예를 들면 초록색 잎을 가진 소나무는 엽록소가 있는 식물이고, 소나무 뿌리에 기생해서 자라는 송이버섯은 식물이 아니라 균류랍니다.

▶ 버섯과 식물의 차이점

버섯의 몸은 대부분 갓과 자루로 이루어져 있어요. 우산처럼 생긴 갓 안쪽에는 수많은 주름이 있고 그 속에는 '포자'라는 것이 있지요. 포자는 식물의 씨앗과 같아요. 포자는 작고 가벼워서 눈에 잘 보이지 않고 공기 중에 떠서 멀리 이동할 수 있어요. 이런 포자가 자라서 어린 버섯이 되고, 어린 버섯이 성숙한 버섯이 되면 포자를 갖게 되지요.

▶ 버섯의 구조

식물이 살아갈 수 있는 것은 엽록소를 가지고 영양분을 만들기 때문인데, 버섯을 포함한 곰팡이류는 엽록소가 없어서 그런 능력이 없답니다. 그래서 곰팡이가 살아가기 위해서는 다른 것으로부터 영양분을 얻어야 해요. 버섯이 죽은 나무에 붙어서 자라는 것도 다른 곰팡이들처럼 스스로 영양분을 만들어 내지 못하기 때문이지요. 버섯은 보통 나무껍질, 나무 밑동, 동물의 사체 등에서 자라면서 죽은 생물로부터 영양분

을 얻어요.

▶ 버섯이 영양분을 얻는 방법

버섯은 이렇게 여러 가지 생물에서 영양분을 얻는 과정에서 생물들의 사체를 아주 작은 조각으로 분해하고, 점점 더 많이 썩게 해서 흙을 기름지게 만들지요. 이처럼 식물이나 동물의 사체, 배설물 등을 분해하는 버섯과 같은 생물을 분해자라고 한답니다.

▶ 버섯이 '분해자'로 불리는 까닭

이렇게 지도해 주세요! 이 글은 엽록소를 가지고 스스로 영양분을 만드는 식물과 다르게 나무 껍질이나 사체 등에서 영양분을 얻는 버섯의 특징을 설명한 글입니다. 버섯은 식물로 오해하기 쉽지만 사실은 균류에 속한다는 것을 이해하도록 지도해 주세요.
• **주제** 식물과 버섯의 차이점 및 버섯의 특징

---

1 이 글은 식물이 아닌 '버섯'의 특징을 설명한 글입니다.

2 버섯의 포자는 식물의 씨앗과 같다고 하였습니다. 포자가 자라서 어린 버섯이 됩니다.

3 둘 이상의 대상에서 나타나는 차이점을 들어 설명하는 방법을 '대조'라고 합니다. 이 글은 엽록소가 있어서 햇빛을 이용해 스스로 영양분을 만들어 살아가는 식물과, 엽록소가 없어서 스스로 영양분을 만들지 못하고 죽은 생물에서 영양분을 얻는 버섯을 대조하여 버섯의 특징을 설명하고 있습니다.

오답 풀이
① 표현하고자 하는 대상을 다른 대상에 빗대어 표현하는 방법을 '비유'라고 합니다. 이 글에 쓰인 표현 방법은 아닙니다.
② 대상과 관련된 구체적인 예를 들어서 설명하는 방법을 '예시'라고 합니다. 이 글에서는 버섯을 제외하면 곰팡이의 예를 찾아볼 수 없습니다.
③ 둘 이상의 대상이 지닌 공통점을 들어 설명하는 방법을 '비교'라고 합니다. 이 글에서는 버섯과 식물의 차이점을 들어 설명하는 '대조'의 방법을 사용하였습니다.
④ 대상을 일정한 기준에 따라 종류별로 묶어서 설명하는 방법을 '분류'라고 합니다. 이 글에서는 버섯의 종류를 나누어 설명하지 않았습니다.

4 버섯은 식물이 아니라 '곰팡이'의 한 종류라고 하였습니다. 버섯은 엽록소가 없어서 스스로 영양분을 만들지 못하기 때문에 죽은 '생물'에서 자라면서 영양분을 얻는다고 하였습니다. 또, 그 과정에서 생물을 점점 더 많이 썩게 해서 흙을 기름지게 만드는 '분해자'라고 하였습니다.

5 이 글에서 버섯의 영양분이 몸에 좋은 까닭은 설명하지 않았습니다.

오답 풀이
① 식물은 엽록소를 가지고 광합성을 해서 영양분을 만듭니다. 그렇지만 버섯은 식물이 아닌 균류이므로 스스로 영양분을 만들어 내지 못합니다.
② 버섯은 갓과 자루로 구성되어 있습니다.
③ 버섯은 나무껍질, 나무 밑동, 동물의 사체 등에서 자라면서 죽은 생물로부터 영양분을 얻습니다.
④ 버섯은 영양분을 얻는 과정에서 생물들의 사체를 아주 작은 조각으로 분해하고, 점점 더 많이 썩게 해서 흙을 기름지게 만드는 분해자의 역할을 합니다.

6
(1) 버섯이 곰팡이에 속하며, 곰팡이는 식물이 아닙니다.
(2) 버섯의 포자가 자라나면 어린 버섯이 된다고 하였습니다.
(3) 식물은 엽록소와 햇빛을 이용해 스스로 영양분을 만들어 낸다고 하였습니다.
(4) 버섯은 흙을 기름지게 만들지만 흙에서 영양분을 얻는 것이 아니라 생물의 사체에서 영양분을 얻는다고 하였습니다.

7
이 글은 식물과 버섯의 차이점을 대조하고 버섯의 특징을 설명한 글입니다. 식물은 '엽록소'가 있다고 하였고, 버섯은 엽록소가 없기 때문에 '균류'에 해당한다고 하였습니다.

생각 글 쓰기

◆예시 **답안** 분해자가 없다면 자연은 죽은 동식물로 가득 차게 될 것이다.

이렇게 지도해 주세요! 버섯과 같은 분해자가 없다면 동물의 사체와 배설물 등이 땅 위에 넘쳐 나게 될 것입니다. 또한 흙에 거름이 부족해져서 식물이 잘 자라지 못하게 되고 결국 동물의 먹이도 부족해지므로 생태계가 큰 위험에 빠질 수 있다고 설명해 주세요.

어법 다지기

03 '되-'는 '되다'의 어간(낱말에서 변하지 않는 중심부)인데, 용언의 어간은 홀로 쓰일 수 없기 때문에 반드시 뒤에 '-고', '-니', '-다가' 등의 말을 붙여 씁니다. 이때 어간 '되-' 뒤에 어미 '-어'가 붙으면 '되어'와 같이 활용되며, 이것이 줄면 '돼'의 형태가 됩니다. 따라서 '되-'와 '돼'가 헷갈릴 때는 그 말을 '되어'로 바꾸어 보면 됩니다. '되어'로 바꾸어 어색하지 않으면 '돼', 어색하면 '되-'라고 판단할 수 있습니다.

06회 뮤지컬

▶ 본문 30~33쪽

1 뮤지컬 2 ④ 3 아리아 4 연극, 오페라, 현대적 5 노래, 현대적, 대중적, 노래 6 공통점, 커튼콜
어휘·어법 다지기 01 (1)-ⓒ (2)-ⓒ (3)-㉠ 02 (1) 고전 (2) 전환 (3) 기량 (4) 조성 03 ③

여러분은 뮤지컬을 본 적이 있나요? 뮤지컬은 노래를 중심으로 무용과 연극이 더해진 현대적 음악극의 한 형식입니다. (4번의 근거) 20세기 초반에 영국과 미국에서 시작되었으며, (2번의 근거) 연극에서 발전한 장르입니다. 비교적 줄거리가 단순하고 배우가 노래하며 춤을 추기 때문에 연극보다 좀 더 대중적이고 오락적인 공연입니다. ▶뮤지컬의 역사와 성격

뮤지컬과 비슷한 음악극으로 오페라가 있습니다. 오페라는 16세기 말에 이탈리아에서 시작된 음악극으로, 문학, 연극, 미술, 무용 등의 요소가 합쳐진 종합 무대 예술입니다. 뮤지컬과 오페라의 가장 큰 공통점은 음악입니다. 연극에서 (4번의 근거) 음악은 주로 배경의 분위기를 조성하거나 효과음을 내는 데 (2번의 근거) 만 쓰이고, 전체적인 내용은 배우들의 대사를 통해 전달됩니다. 하지만 뮤지컬과 오페라는 배우가 노래를 통해서 관객에게 극의 내용과 감정을 전달하기 때문에 음악이 중심이 됩니다. 또한 화려한 분장과 의상, 조명과 무대 장치 등이 어우러진 종합 예술이라는 점도 공통점입니다. (2번의 근거) ▶오페라와 뮤지컬의 공통점

「뮤지컬과 오페라의 가장 큰 차이점은 대사의 전달 방법입니다. (「」: 5번의 근거) 오페라는 모든 대사를 노래로 대신하지만, 뮤지컬은 배우들이 노래를 부르기도 하고 연극처럼 대사로 전달하기도 합니다. 그리고 뮤지컬은 배우가 노래와 연기를 하면서 안무에 맞추어 춤을 추지만, 오페라는 무용수가 따로 있고 가수는 노래만 부릅니다. 즉 뮤지컬의 주연 배우는 노래를 할 뿐만 아니라 춤을 추는 사람이지만, 오페라의 가수는 성악가로서의 기량을 중점적으로 발휘하는 사람입니다. 그리고 오페라는 고전이나 문학 작품 속 내용을 주로 다루는 고전적이고 문학적인 장르인 반면, 뮤지컬은 오페라보다 전반적으로 소재 (4번, 5번의 근거) 와 형식 등이 더 현대적이고 대중적인 장르입니다.」 ▶오페라와 뮤지컬의 차이점

뮤지컬의 노래는 넘버(Number)라고 불립니다. 뮤지컬은 제작 과정에서 특정 장면의 노래를 숫자로 정해 놓고 이후에 (2번의 근거) 제목을 붙이기 때문입니다. 특히 뮤지컬의 시작 부분이나 전환 장면 등에서 중요한 역할을 하는 넘버는 뮤지컬의 대표곡

으로 사랑을 받습니다. 그중에서 뮤지컬의 주제가는 (아리아)
라고 하는데 주로 극의 주요 장면에 주인공이 등장해서 부르
는 독창 또는 이중창입니다. 아리아는 아름다운 선율과 구성
으로 작품의 주제를 다룹니다. 주인공은 이야기하듯이 노래
를 부르다가 감정이 고조되면 극의 주제를 드러내고 긴장감
을 해소합니다.   ▶뮤지컬 속 노래의 역할

  연극은 대체로 관객들의 감상에 초점이 맞추어져 있습니
다. 오페라도 공연자와 관객이 마주 보고 있지만 연극과 크게
다르지 않고, 관객은 조용하게 노래를 들으며 작품을 감상합
니다. 하지만 뮤지컬은 배우들이 관객을 의식하면서 공연을
진행하고 때로는 관객의 참여를 유도합니다. 특히 뮤지컬 공
연이 끝나고 나면 관객의 박수와 환호성에 맞추어 배우가 다
시 무대로 등장하는데, 이를 (커튼콜)이라고 합니다. 배우들이
한 명씩 나와서 관객들의 환호에 답하는 의미에서 중요한 넘
버나 아리아 등을 부르며 노래와 춤을 다시 보여 주는 것이지
요. 마지막으로 전체 배우들이 나와서 손을 맞잡고 관객들에
게 인사하는 것으로 막을 내리면 공연은 끝이 납니다.
                                              ▶뮤지컬의 특징

이렇게 지도해 주세요! 이 글은 뮤지컬과 오페라의 공통점과 차이점을
설명하고, 뮤지컬의 여러 가지 특징을 소개한 글입니다. 뮤지컬은 오
페라와 같은 음악극이지만 더 대중적이고 오락적인 성격을 가지고 있
다고 설명해 주세요.
• **주제** 뮤지컬의 형식을 비롯한 여러 가지 특징

들이 다시 무대로 등장하여 관객의 환호에 답하여 노래와 춤
을 보여 주는 '커튼콜'을 소개하였습니다.

생각 글 쓰기

◆예시 **답안** 오페라는 고전적이고 문학적인 주제를 다루
는 반면, 뮤지컬은 더 현대적이고 대중적인 주제를 다루
기 때문이다.

이렇게 지도해 주세요! 오페라는 고전과 문학 작품 속 내용을 주로 다
루고, 뮤지컬은 이보다 현대적이고 대중적인 내용을 다룹니다. 뮤지
컬에서는 배우가 노래하고 춤을 추지만 오페라에서는 가수가 노래만
합니다. 그리고 조용하게 감상하는 오페라와 달리, 뮤지컬은 배우들
이 관객들의 참여와 호응을 유도합니다. 이러한 여러 가지 차이로 뮤
지컬이 더 대중적인 종합 예술이 되었다고 지도해 주세요.

어법 다지기

03 먼 곳이나 가까운 곳이나 어디에 살아도 고향을 잊지 말라는
뜻이므로 '–든지'가 알맞습니다.

오답 풀이
① 무엇을 그려도 잘만 그리라는 뜻 → '–든지'
② 배와 사과 중 어느 것을 선택해도 차이가 없음. → '–든지'
④ 언 손이 펴지지 않은 사실에 대한 막연한 추측이나 판단 → '–던지'
⑤ 동생이 엄마를 찾지 않은 사실에 대한 막연한 추측이나 판단 → '–던지'

1 이 글은 음악극인 뮤지컬의 성격을 오페라와 비교하여 설명
  하고, 뮤지컬만의 특징을 소개하고 있습니다. 따라서 중심
  글감은 뮤지컬입니다.

2 뮤지컬은 배우가 노래를 통해서 내용을 전달하기 때문에 음
  악이 중심이 됩니다. 음악을 배경의 분위기를 조성하거나 효
  과음을 내는 데만 쓰는 것은 연극이라고 하였습니다.

3 극의 주요 장면에서 주인공이 부르는 뮤지컬의 주제가 '아
  리아'라고 합니다.

4 뮤지컬은 노래를 중심으로 하고 무용과 '연극'이 더해진 음악
  극입니다. '오페라'와의 공통점과 차이점을 모두 가지고 있는
  데, 뮤지컬이 더 '현대적'이고 대중적인 장르입니다.

5 오페라는 대사를 '노래'로만 전달합니다. 또한 뮤지컬은 오페
  라보다 '현대적'이고 '대중적'인 성격을 가지고 있습니다. 오
  페라에서 배우의 역할은 성악가로서의 기량을 발휘하는 것,
  즉 '노래'를 부르는 것입니다.

6 둘째, 셋째 문단에서는 오페라와 뮤지컬의 '공통점'과 차이점
  을 설명하고 있습니다. 다섯째 문단에서는 관객들의 참여를
  유도하는 뮤지컬의 특징을 소개하였고, 공연이 끝난 뒤 배우

1 ③ 2 ② 3 우주 4 (1) ⓒ (2) ㉠ (3) ⓛ 5 힘, 과정, 진심
어휘·어법 다지기 **01** (1)-ⓛ (2)-㉠ (3)-ⓒ (4)-ⓔ **02** (1) 잠
재 (2) 인색 (3) 발휘 (4) 미약 **03** ④

어린이 여러분, "칭찬은 고래도 춤추게 한다."라는 말을 들
어 본 적이 있나요? 이 말처럼 들을 때마다 항상 기분이 좋
아지는 말이 칭찬이에요. 우리는 칭찬을 들으면 기분이 좋
아질 뿐만 아니라 일을 더욱 잘하려고 노력하기도 해요. 이
게 바로 칭찬의 힘이랍니다. 칭찬 한마디는 누군가에게 용기
를 주고 자신을 긍정적으로 바라보게 해요. 또 올바른 습관
을 기르고 능력을 키우는 데도 도움이 돼요. 그리고 다른 사
람의 긍정적인 모습을 칭찬하는 것은 그 사람과의 관계를 좋
아지게 만들어요. 칭찬 한마디는 누군가의 인생을 변화시키
는 결정적인 계기가 되기도 한답니다. ▶칭찬의 효과

그러나 우리는 칭찬받기를 좋아하는 것에 비해 누군가를
칭찬하는 일에는 인색한 편이에요. 또 칭찬을 한다고 하지만
칭찬이 힘을 발휘하지 못하는 경우도 많아요. 그렇다면 어떻
게 해야 칭찬이 힘을 발휘할 수 있을까요?

먼저, 분명하고 자세하게 칭찬해야 해요. 누군가를 칭찬할
때 두루뭉술하게 칭찬하지 말고 칭찬하는 내용이 무엇인지
를 자세하게 말하는 것이 좋아요. "우와 멋지다!", "정말 대
단해!"와 같이 칭찬하기보다는 "다른 사람을 생각해서 양보
하는 모습이 정말 멋지구나!"와 같이 분명하고 자세하게 칭
찬해야 해요. 그래야 상대가 무엇을 잘했는지 알고 칭찬을
받으려고 더 노력하게 된답니다. ▶분명하고 자세하게 칭찬하기

둘째, ㉠결과보다 과정을 칭찬해야 해요. 누군가를 칭찬할
때 일의 결과가 아닌 과정을 칭찬하는 것이 좋아요. "100점
이네. 정말 좋겠다."와 같이 칭찬하기보다 "그렇게 열심히 하
니 좋은 결과가 나오는구나!"와 같이 칭찬하면 좋은 결과가
나오지 않았더라도 상대는 노력의 의미를 깨닫게 됩니다. ▶결과보다 과정을 칭찬하기

셋째, ⓛ평가하지 말고 설명하는 칭찬을 해야 해요. 누군
가를 칭찬할 때에는 평가하기보다 잘한 일이나 행동을 설명
하듯이 칭찬하는 것이 좋아요. "넌 정말 착하구나!"와 같이
칭찬하면 착한 아이로 평가받으려고 억지스럽거나 과장된
행동을 할 수도 있어요. 이렇게 칭찬하기보다 "잃어버린 물
건을 찾아 주어 친구가 참 고마워하겠다!"와 같이 칭찬하면

상대가 행동의 가치를 이해한답니다. ▶평가하지 말고 설명하는 칭찬하기

마지막으로 ⓒ가능성을 키워 주는 칭찬을 할 수 있으면 더
욱 좋아요. 누군가를 칭찬할 때 지금의 능력보다 잠재 능력
을 보고 칭찬하는 것이지요. 현재 겉으로 드러난 결과는 미
약하고 부족해 보이더라도 앞으로의 가능성을 보고 "미술에
소질이 많은 것 같아. 앞으로 계속 노력한다면 훌륭한 화가
가 될 수 있을 거야."와 같이 칭찬하면 상대가 자신의 재능을
발견하고 꿈을 실현하는 데 큰 도움을 줄 수 있답니다. ▶가능성을 키워 주는 칭찬하기

또 어떻게 칭찬하면 좋을까요? 무엇보다 칭찬이 힘을 발
휘할 수 있게 하려면 칭찬하는 말에 마음을 담아야 해요. 달
콤한 칭찬의 말이지만 진실된 마음이 없으면 그것은 결코 힘
을 발휘할 수 없어요. 진심 어린 칭찬이야말로 힘을 발휘할
수 있는 최고의 칭찬이라는 것을 잊지 마세요. ▶진심 어린 칭찬하기

이렇게 지도해 주세요! 이 글은 칭찬의 중요성에 대하여 이야기한 뒤
올바르게 칭찬하는 방법을 설명하고 있습니다. 칭찬이 힘을 발휘할 수
있는 방법을 구체적인 사례를 들어 설명해 주세요.
• **주제** 칭찬의 효과와 중요성

1 이 글은 다른 사람을 칭찬하였을 때 나타나는 긍정적인 효과
와 칭찬의 중요성을 설명하고 있습니다.

2 다른 사람에게 긍정적인 영향을 미치는 칭찬의 힘과 칭찬의
중요성을 말하고 있지만, 다른 사람의 부정적인 모습까지 칭
찬하라는 내용은 없습니다.

오답 풀이
① 들을 때마다 기분이 좋아지는 말이 칭찬이라고 하였습니다.
③ 칭찬 한마디는 누군가에게 용기를 주고 자신을 긍정적으로 바라보게
합니다.
④ 칭찬 한마디는 누군가의 인생을 변화시키는 결정적인 계기가 되기도
합니다.
⑤ 우리는 칭찬받기를 좋아하는 것에 비해 누군가를 칭찬하는 일에는 인
색한 편이라고 하였습니다.

3 우주는 현수가 우등상을 받을 때까지 노력한 과정을 칭찬하
고, 자신도 기쁘다고 공감하는 말을 하였으므로 이 글에서 강
조한 것처럼 진심을 담아 칭찬한 것으로 볼 수 있습니다.

오답 풀이
유빈이와 지아도 칭찬을 하였지만 유빈이의 말에는 칭찬하는 내용이 무엇
인지 분명하게 드러나지 않았습니다. 또, 지아는 성적이라는 결과만 칭찬
하였으므로 결과보다 과정을 칭찬하라는 이 글의 내용과 맞지 않습니다.

4 (1) 앞으로 작가가 될 가능성을 키워 주는 칭찬이므로 ⓒ에 해
당합니다.
(2) 달리기 연습을 꾸준히 했다는 과정을 칭찬한 것이므로 ㉠
에 해당합니다.
(3) 잘한 일에 대해서 평가가 아니라 설명하듯이 칭찬한 것이
므로 ⓛ에 해당합니다.

5 이 글은 칭찬이 '힘'을 발휘할 수 있게 하는 방법을 여러 가지로 나누어서 설명하고 있습니다. 글쓴이는 분명하고 자세하게, 결과보다 '과정'을, 평가하지 말고 설명하며, 가능성을 키워 주도록 칭찬해야 한다고 하였습니다. 마지막으로 '진심' 어린 칭찬이 중요하다고 강조하였습니다.

생각 글 쓰기

◆예시 답안 칭찬을 받은 사람이 자신을 긍정적으로 바라보게 된다. 올바른 습관을 기르고 능력을 키울 수 있다.

이렇게 지도해 주세요! 다른 사람의 긍정적인 모습을 칭찬하는 것은 그 사람과의 관계를 좋아지게 만들고, 한 사람의 인생을 변화시키는 결정적인 계기가 될 수 있다고 설명해 주세요.

어법 다지기

03 두 소리가 합쳐져서 하나의 소리가 되는 현상을 '축약'이라고 합니다. '젖히다'는 '젖'의 받침 'ㅈ'과 '히'의 'ㅎ'이 합쳐져서 [저치다]로 발음됩니다.

오답 풀이
① '맞혀서'는 '맞'의 받침 'ㅈ'과 '혀'의 'ㅎ'이 합쳐져서 [마처서]로 발음됩니다.
② '받혀서'는 '받'의 받침 'ㄷ'과 '혀'의 'ㅎ'이 합쳐져서 [바처서]로 발음됩니다.
③ '잡혀서'는 '잡'의 받침 'ㅂ'과 '혀'의 'ㅎ'이 합쳐져서 [자펴서]로 발음됩니다.
⑤ '축하'는 '축'의 받침 'ㄱ'과 '하'의 'ㅎ'이 합쳐져서 [추카]로 발음됩니다.

08회 봄은 고양이로다_이장희

▶ 본문 38~41쪽

1 ③   2 꽃가루   3 ④   4 ④   5 ⑤   6 ㉮   7 털, 불길, 입술
어휘·어법 다지기   01 (1)-㉣ (2)-㉢ (3)-㉥ (4)-㉠ (5)-㉡
02 (1) 포근한 (2) 부드러운   03 (1) 금새 (2) 금세

꽃가루와 같이 부드러운 고양이의 털에
촉각적 심상
㉠고운 봄의 향기가 어리우도다.
후각적 심상
▷ ○: 같은 위치에서 글자 반복
→ 운율 형성
▶1연: 고양이의 털에 어린 봄의 향기(부드러움, 향긋함)

1, 3연: 정적인 분위기
㉡금방울과 같이 호동그란 고양이의 눈에
시각적 심상
미친 봄의 불길이 흐르도다.
시각적 심상
▶2연: 고양이의 눈에 흐르는 봄의 불길(정열, 생명력)

고요히 다물은 고양이의 입술에
청각적, 시각적 심상
포근한 봄의 졸음이 떠돌아라.
촉각적 심상
▶3연: 고양이의 입술에 떠도는 봄의 졸음(나른함, 포근함)

2, 4연: 동적인 분위기
날카롭게 쭉 뻗은 고양이의 수염에
시각적 심상
푸른 봄의 생기가 뛰놀아라.
시각적 심상
▶4연: 고양이의 수염에 뛰노는 봄의 생기(생동감)

이렇게 지도해 주세요! 이 시는 봄의 속성과 분위기를 고양이의 모습과 연결 지어 생동감 넘치게 표현한 작품입니다. 시를 읽으면서 봄은 고양이와 어떤 모습이 닮았는지 생각해 볼 수 있도록 지도해 주세요.
• 주제 고양이의 모습을 통해 드러나는 봄의 분위기

1 이 시는 봄의 특징을 고양이의 모습과 연결 지어 표현한 작품으로, 중심 글감은 '봄'과 '고양이'입니다.

2 1연에서 '꽃가루와 같이 부드러운 고양이의 털'이라고 하며 고양이의 털을 '꽃가루'에 빗대었습니다.

3 ㉠에는 봄의 향기를 코로 맡는 것처럼 나타내는 감각적 표현(후각적 심상)이 사용되었습니다. '향기로운 풀 냄새'에는 ㉠과 마찬가지로 풀 냄새를 코로 맡는 것과 같이 나타내는 감각적 표현이 쓰였습니다.

4 이 시는 각 연의 1행 끝자리에 '-에'가 반복적으로 쓰였습니다. 또한 1, 2연의 2행 끝자리에는 '-도다'가, 3, 4연의 2행 끝자리에는 '-아라'가 동일하게 나타났습니다.

오답 풀이
① 이 시는 총 4연으로 이루어져 있습니다.
② 시를 읽는 사람에게 교훈을 주는 것이 아니라 포근하고 생기 넘치는 느낌을 전달하고 있습니다.
③ 사람이 아닌 것을 사람처럼 빗댄 표현은 나타나지 않았습니다.
⑤ 소리를 흉내 내는 말은 사용되지 않았습니다.

5 '미친 봄의 불길'은 봄의 생동감을 드러내는 표현으로, 고양이의 눈을 보고 떠오른 봄의 느낌입니다. 고양이에 대한 부정

적인 생각은 담겨 있지 않습니다.

6 ㉡은 '-같이'라는 말을 사용하여 '고양이의 눈'을 '금방울'에 빗대고 있습니다. 이와 같이 '-같이', '-처럼', '-듯이' 등의 연결어로 비슷한 성격의 두 사물을 잇는 비유법을 '직유법'이라고 합니다. ㉮는 '같은'이라는 말을 사용하여 '내 동생'을 '병아리'에 빗대는 직유법이 사용되었습니다.

오답 풀이
㉯ 꽃들이 '나'를 반가워한다고 하여 사람이 아닌 꽃을 사람처럼 빗대고 있습니다.
㉰ '퍼져라'를 반복하여 강조하고 있습니다.

7 1연에서는 고양이의 '털'과 봄의 향기를 연결하여 봄의 부드러운 느낌을 드러냈습니다. 2연에서는 고양이의 눈을 봄의 '불길'과 연결하여 봄의 생명력을 드러냈고, 3연에서는 고양이의 '입술'과 봄의 졸음을 연결하여 봄의 나른함을 드러냈습니다. 4연에서는 고양이의 수염과 봄의 생기를 연결하여 생기 넘치는 봄의 느낌을 표현하였습니다.

생각 글 쓰기
◆ **예시 답안** 고양이의 푹신한 발에서 봄의 따뜻함을 떠올릴 수 있다.

이렇게 지도해 주세요! 이 시는 고양이의 모습을 관찰하고, 이를 바탕으로 고양이의 모습과 봄의 속성을 연결한 시입니다. 고양이의 생김새에서 자유롭게 봄의 특성을 떠올려 볼 수 있도록 지도해 주세요.

어법 다지기

03 '금세'는 '지금 바로.'라는 뜻이고, '금새'는 '물건의 값.'이라는 뜻입니다.
(1) 시장의 물건 값이 올랐다는 내용이므로 알맞은 것은 '금새'입니다.
(2) 난로를 켜자 방 안이 바로 따뜻해졌다는 내용이므로 '금세'가 알맞습니다.

09회 동백꽃 _김유정

▶ 본문 42~45쪽

1 ② 2 ③ 3 울타리, 감자 4 ③ 5 ㉯, ㉰, ㉮, ㉱

어휘·어법 다지기 01 (1)-㉢ (2)-㉡ (3)-㉠ 02 (1) 후려쳤다
(2) 뿌듯이 (3) 쌩이질 03 (1) 결제 (2) 결재

오늘도 또 우리 수탉이 막 쪼이었다. (내)가 점심을 먹고 나
 이런 일이 이전에 또 있었음. 이야기의 주인공 ①
무를 하러 갈 양으로 나올 때이었다. 산으로 올라서려니까
                                      2번의 근거
등 뒤에서 푸드덕푸드덕하고 닭의 횃소리가 야단이다. 깜짝 놀라서 고개를 돌려 보니 아니나 다르랴, 두 놈이 또 얼리었다.

(점순네 수탉(은 대강이가 크고 똑 오소리같이 실팍하게 생
 이야기의 주인공 ②   '머리'를 속되게 이르는 말
긴 놈)이 덩저리 작은 우리 수탉을 함부로 해내는 것이다. 그
                                   마구 때리거나 물어서 괴롭히는
것도 그냥 해내는 것이 아니라 푸드덕하고 면두를 쪼고 물러섰다가 좀 사이를 두고 푸드덕하고 모가지를 쪼았다. 이렇게 멋을 부려 가며 여지없이 닦아 놓는다. 그러면 이 못생긴 것
                                              '나'의 집 수탉
은 쪼일 적마다 주둥이로 땅을 받으며 그 비명이 킥, 킥 할 뿐이다. 물론 미처 아물지도 않은 면두를 또 쪼이어 붉은 선혈은 뚝뚝 떨어진다.

이걸 가만히 내려다보자니 내 대강이가 터져서 피가 흐르
             2번의 근거
는 것같이 두 눈에서 불이 번쩍 난다. 대뜸 지게막대기를 메고 달려들어 점순네 닭을 후려칠까 하다가 생각을 고쳐먹고
         점순이가 마름 집 딸이기 때문
헛매질로 떼어만 놓았다.

이번에도 점순이가 쌈을 붙여 났을 것이다. 바짝바짝 내기를 올리느라고 그랬음에 틀림없을 것이다. **고놈의 계집애가 요새로 들어서서 왜 나를 못 먹겠다고 그렇게 아르릉거리**
1번의 근거 – 점순이의 마음을 잘 헤아리지 못하는 순박한 '나'
는지 모른다. →
              ▶닭싸움을 붙여 '나'를 괴롭히는 점순
[과거 회상] →
나흘 전 감자 쪼간만 하더라도 나는 저에게 조금도 잘못한
              사건
것은 없다.

계집애가 나물을 캐러 가면 갔지 남 울타리 엮는데 쌩이질
                 2번의 근거
을 하는 것은 다 뭐냐. 그것도 발소리를 죽여 가지고 등 뒤로 살며시 와서,

"얘! 너 혼자만 일하니?"

하고 긴치 않은 수작을 하는 것이다.
         점순이의 애정 표현
어제까지도 저와 나는 이야기도 잘 않고 서로 만나도 본척만척하고 이렇게 점잖게 지내던 터이련만 오늘로 갑작스레 대견해졌음은 웬일인가. 항차 망아지만 한 계집애가 남 일하
         하물며
는 놈 보구······.

"그럼 혼자 하지 떼루 하디?"

무뚝뚝한 성격의 '나'

내가 이렇게 내배앝는 소리를 하니까

"너 일하기 좋니?" / 또는

"한여름이나 되거든 하지 벌써 울타리를 하니?"

▶'나'에게 말을 걸며 관심을 드러내는 점순

잔소리를 두루 늘어놓다가 남이 들을까 봐 손으로 입을 틀
어막고는 그 속에서 깔깔댄다. 별로 우스울 것도 없는데 날
씨가 풀리더니 이놈의 계집애가 미쳤나 하고 의심하였다. 게

점순이의 마음을 모르는 '나'의 반응 – 우스꽝스러움.

다가 조금 뒤에는 제 집께를 할금할금 돌아다보더니 행주치

식구들에게 들킬까 봐

마의 속으로 꼈던 바른손을 뽑아서 나의 턱 밑으로 불쑥 내

오른손

미는 것이다. 언제 구웠는지 아직도 더운 김이 홱 끼치는 굵
은 감자 세 개가 손에 뿌듯이 쥐였다.   ▶'나'에게 감자를 주는 점순

점순이의 애정을 드러냄.

"느 집엔 이거 없지?"

점순 앞에서 민망함을 감추기 위한 말

하고 생색 있는 큰소리를 하고는 제가 준 것을 남이 알면 큰

점순의 호의에 대한 '나'의 오해

일 날 테니 여기서 얼른 먹어 버리란다. 그리고 또 하는 소
리가

"너 봄 감자가 맛있단다."

'나'에게 맛있는 것을 주고 싶은 점순

『"난 감자 안 먹는다. 니나 먹어라."

『 』: 점순이와 '나'가 갈등하게 된 까닭

나는 고개도 돌리지 않고 일하던 손으로 그 감자를 도로
어깨 너머로 쑥 밀어 버렸다.』   ▶점순이 건네는 감자를 거절한 '나'

그랬더니 그래도 가는 기색이 없고, 뿐만 아니라 쌔근쌔근
하고 심상치 않게 숨소리가 점점 거칠어진다. 이건 또 뭐야
싶어서 그때에야 비로소 돌아다보니 나는 참으로 놀랐다. 우
리가 이 동네에 들어온 것은 근 삼 년째 되어 오지만 여태껏
가무잡잡한 점순이의 얼굴이 이렇게까지 홍당무처럼 새빨개
진 법이 없었다. 게다가 ㉠눈에 독을 올리고 한참 나를 요렇

분하고 창피해서 눈물을 흘리는 점순

게 쏘아보더니 나중에는 눈물까지 어리는 것이 아니냐. 그리
고 바구니를 다시 집어 들더니 이를 꼭 악물고는 엎더질 듯
자빠질 듯 논둑으로 휑허케 달아나는 것이다.

▶'나'의 거절에 마음이 상한 점순

이렇게 지도해 주세요! 이 글은 마름 집 딸인 '점순'과 소작인 집 아들인
'나'의 순박한 사랑을 익살스럽지만 따뜻한 시선으로 그려 낸 김유정의
단편 소설입니다. 글을 읽고 인물들의 마음을 헤아려 볼 수 있도록 지
도해 주세요.
• **주제** 산골 마을 사춘기 소년, 소녀의 순박한 사랑

1 '나'는 이 글의 주인공으로, 자신이 겪은 일을 직접 이야기하
고 있습니다.

오답 풀이
① 이 글의 주인공은 '나'로, 작품 안에 놓여 있습니다.
③ '나'는 점순이의 마음을 제대로 헤아리지 못해 점순이를 토라지게 만들
었습니다.
④ '나'는 다른 사람에게 들었던 이야기를 전달하고 있지 않습니다.

⑤ '나'는 자신이 겪은 일을 말하고 있을 뿐, 사건과 인물에 대한 모든 것을
알고 있지 않습니다.

2 점순이는 '나'에게 호감이 있어서 친해지기 위해 다가온 것입
니다. '나'가 울타리 엮는 일을 도와주기 위해 다가온 것이 아
닙니다.

3 '나'와 친해지고 싶었던 점순이는 '울타리'를 엮고 있던 '나'에
게 다가와 집에서 몰래 가져온 '감자'를 건넸습니다. 하지만
'나'가 이것을 받지 않자 토라졌고, '나'를 괴롭히기 위해 닭싸
움을 붙였습니다.

4 점순이가 '나'를 노려보다 눈물을 흘리는 장면에서 분하고 속
상한 기분, 무안하고 창피한 기분 등을 느꼈음을 알 수 있습니
다. 마음이 조마조마하고 겁이 나는 '불안함'은 점순이가
느꼈을 기분으로 알맞지 않습니다.

5 어느 날 '나'가 일을 하는데 점순이가 다가와 말을 걸며 관심
을 보였습니다(㉯). 그리고 '나'에게 구운 감자를 건네며 좋
아하는 마음을 드러내지만, '나'는 이를 거절하였습니다(㉰).
분하고 창피한 마음이 든 점순이는 울며 논둑으로 달아났고
(㉮), 그 뒤로 '나'를 괴롭히기 위해 자신의 집 수탉과 '나'의
집 수탉끼리 싸움을 붙였습니다(㉱).

✂ **생각 글 쓰기** ✂

◆예시 **답안** '느 집엔 이거 없지?'라는 말에 자존심이 상
했기 때문이다.

이렇게 지도해 주세요! 점순이는 '나'를 좋아하는 마음을 감추기 위해
생색내듯이 말했지만, '나'는 이 말에 자존심이 상했습니다. '나'의 순
박하고 어수룩한 성격과 점순이의 적극적인 성격을 파악하며 글을
읽을 수 있도록 지도해 주세요.

어법 다지기

03 '결재'와 '결제'는 발음 구분이 어려워 혼동하기 쉽지만 그 쓰
임에 차이가 있어 구별하여 써야 합니다. 신용 카드로 대금을
지불한 것은 '결제'이고, 상관에게 기획안을 제출하여 승인을
받은 것은 '결재'입니다. 돈을 내거나 무언가를 사고팔 때 사
용하는 낱말이 '결제'라고 기억하면 좀 더 쉽게 구분할 수 있
습니다.

1 ① 2 ② 3 ㉮, ㉯ 4 ③ 5 인생의 절반, 존중

어휘·어법 다지기 01 (1)-㉠ (2)-㉢ (3)-㉡ 02 (1) ㉡ (2) ㉢
(3) ㉠ 03 ④, ⑤

큰 강에서 작은 나룻배로 사람들을 태워다 주며 하루하루
살아가는 <u>뱃사공</u>이 있었습니다. 건너편에 있는 도시로 들어
〔1번의 근거 / 글의 중심 인물 1〕
가려면 누구나 강을 건너야 했기에 날마다 많은 사람이 배에
오르곤 했습니다.

하루는 양손에 커다란 가방을 든 <u>학자</u>가 배에 올랐습니다.
〔글의 중심 인물 2〕
뱃사공은 얼른 달려가 가방을 대신 들어 주었습니다. 그러고
는 학자를 편안한 자리에 앉게 한 뒤 노를 젓기 시작했습니
다. 학자는 가방을 열어 책을 한 권 꺼내 들고 읽기 시작했습
니다. 가방에는 책이 가득 들어 있었습니다.

"학자이신 모양이군요. 그 많은 책을 다 읽으셨습니까?"

뱃사공이 물었습니다.

"벌써 몇 번이나 읽은 책들이오. 인생의 지혜가 가득 담긴
〔책 읽는 것을 중요하게 여기는 학자〕
책들이라 읽을 때마다 새로운 깨달음을 얻을 수 있다오.
한데 뱃사공 양반은 책을 읽을 줄 아시오?"

뱃사공은 고개를 저었습니다.

"책은커녕 학교 문턱에도 가 본 적이 없습니다. 할 줄 아는
〔1번의 근거〕
것이라곤 그저 노를 저어 배를 움직이는 일밖에 없지요."

"그럼 여태 책 한 권조차 읽은 적이 없단 말이오?"

"저 같은 뱃사공이 책은 읽어서 뭐합니까?"

"허, ㉠책을 한 권도 안 읽었다니……. 인생의 절반을 잃
은 거나 다름없구려." / "예? 그게 무슨 뜻입니까?"

학자는 뱃사공이 무식해서 말이 안 통한다고 생각하고, 고
〔2번의 근거 – 뱃사공을 자신의 관점에서 함부로 판단하는 학자〕
개를 돌려 다시 책을 읽기 시작했습니다. 뱃사공은 학자의
〔자신의 맡은 일에 충실한 뱃사공〕
태도에 기분이 상할 법도 했지만 묵묵히 노만 저었습니다.
〔▶뱃사공을 무시하는 학자〕
배가 강 한가운데쯤 이르렀을 때였습니다. 갑자기 바람이
세차게 불어오는가 싶더니 물결이 크게 일었습니다. 뱃사공
은 파도를 피해 힘껏 노를 저었습니다. 하지만 배는 거센 물
결에 휩쓸려 그만 뒤집히고 말았습니다. 그 바람에 뱃사공과
학자는 순식간에 물에 풍덩 빠져 허우적거렸습니다.
〔1번의 근거〕

"살려 주시오, 제발 살려 주시오!"

학자는 점점 물속으로 가라앉고 있었습니다. 뱃사공은 학
자를 향해 열심히 헤엄을 쳤지만 물살이 워낙 거센 탓에 좀

처럼 거리가 좁혀지지 않았습니다.

"헤엄을 쳐요! 팔다리를 움직여서 헤엄을 치란 말이에요!"

뱃사공이 소리쳤습니다.

"나, 난 헤엄을 못 친단 말이오!"

학자의 말에 뱃사공은 깜짝 놀라 이렇게 외쳤습니다.

"그럼 여태 헤엄치는 법을 못 배웠단 말입니까?"

"모, 못 배웠소." / 그러자 뱃사공이 학자에게 말했습니다.

㉡"그렇다면 선생께서는 인생의 전부를 잃어버린 셈이군요."
〔헤엄을 못 치면 목숨을 잃게 될 것이라는 뜻〕
뱃사공의 말에 학자는 아무 대답도 못 하고 그저 물속으로
꼬르륵 잠겨 들었습니다.

잠시 후 뱃사공은 가까스로 학자에게 다가갔습니다. <u>그리
고 학자가 정말로 인생의 전부를 잃어버리지 않게끔 있는 힘
껏 그를 끌어 올렸습니다.</u>
〔▶물에 빠진 학자를 살려 주는 뱃사공〕

이렇게 지도해 주세요! 이 글은 뱃사공과 학자의 이야기를 통해 다른
사람을 존중하는 태도가 중요하다는 교훈을 주고 있습니다. 학자의 태
도가 잘못된 까닭을 스스로 생각해 보도록 지도해 주세요.
• **주제** 다른 사람을 존중하는 태도의 중요성

1 뱃사공은 학자에게 책을 읽지 않았다고 솔직하게 말하였습니다.

2 뱃사공이 무식하다고 생각하고 그의 말에 대답하지 않은 사
람은 학자입니다.

3 자신과 의견이 다르다고 무시하는 사람(㉮), 식당 종업원에
게 함부로 반말을 하는 사람(㉯)이 학자와 비슷한 태도를 가
지고 있습니다.

4 ㉠은 남을 무시하는 태도입니다. **보기**의 괄호에는 ㉠과 반대
되는 태도가 나타나야 하므로 학자가 승리의 태도를 보이지
못했다는 의견은 알맞지 않습니다.

5 학자는 뱃사공에게 '인생의 절반'을 잃은 것이나 다름없다고
하였습니다. 학자는 뱃사공의 가치를 무시하고 뱃사공을 '존
중'하지 않았다고 볼 수 있습니다.

생각 글 쓰기

◆ **예시 답안** 학자가 수영을 하지 못하면 죽을 것이기 때
문에 인생의 전부를 잃는 것이라고 말하였다.

이렇게 지도해 주세요! 뱃사공은 자신을 무시했던 학자가 위험에 처하
자 그가 했던 말을 그대로 되돌려 주었습니다. 이 장면에서 다른 사람
을 존중하는 태도가 중요하다는 점을 알 수 있다고 지도해 주세요.

어법 다지기

03 '소나무'는 '솔'과 '나무'가 결합하면서 '솔'의 받침 'ㄹ'이 없어
졌고, '아드님'은 '아들'과 '님'이 결합하면서 '아들'의 받침 'ㄹ'
이 없어졌습니다.

1 ⑤ 2 ⑤ 3 ① 4 방송, 송신 5 다빈 6 탑, 에펠 탑, 중국
어휘·어법다지기 01 (1)-ⓒ (2)-㉠ (3)-ⓛ 02 (1) 딸려 (2) 보수 (3) 지반 (4) 송신 03 (1) 삼가해 (2) 삼가

탑은 여러 층으로 짓거나 높고 뾰족하게 세운 건축물을 가리킵니다. 사람들은 다양한 목적으로 탑을 세웁니다. 교회의 종탑이나 피라미드처럼 종교 목적으로 탑을 만들기도 하고, 감시탑이나 방어탑처럼 군사 목적으로 탑을 만들기도 합니다. 뿐만 아니라 사람들은 무엇인가를 기념하기 위해 탑을 짓습니다. 이처럼 여러 가지 목적으로 만들어진 세계 여러 도시의 유명한 탑을 알아봅시다. ▶세계 여러 도시의 유명한 탑

이탈리아 토스카나주에는 피사의 사탑이 있습니다. 피사
1번, 2번의 근거   3번의 근거
의 사탑은 피사 대성당에 딸린 종탑으로, 종교 목적으로 만들어졌습니다. 흰 대리석으로 만든 이 탑은 원통형 모양이고, 높이는 55미터입니다. 피사의 사탑은 땅의 한 부분이 다른 부분에 비해 너무 무른 지반 위에 세워진 탓에 완성되기도 전에 조금씩 한쪽으로 기울기 시작했습니다. 탑이 너무 기울어져서 무너질 위기에 놓이자 이탈리아 정부는 1990년부터 11년간 보수 공사를 했습니다. 하지만 피사의 사탑은 여전히 기울어져 있습니다. 그 아슬아슬한 모습은 눈길을 많이 끕니다. ▶이탈리아 토스카나주에 있는 피사의 사탑

프랑스 파리에는 에펠 탑이 있습니다. 에펠 탑은 프랑스의 건축가 구스타브 에펠이 지은 탑으로, 1889년에 프랑스 혁명
1번, 2번의 근거
100주년을 기념하여 세워졌습니다. 324미터에 달하는 에펠
2번의 근거
탑은 건축될 당시 세계에서 가장 높은 건축물이었습니다. 에펠 탑이 처음 만들어졌을 때 프랑스의 예술가와 지식인들은
1번의 근거
이 고철 탑이 파리의 경치를 해친다며 아주 싫어했습니다. 하지만 시간이 지날수록 에펠 탑을 싫어하는 사람보다 좋아하는 사람이 더 많아졌습니다. 에펠 탑은 이제 해마다 세계 여러 나라에서 수백만 명의 관광객이 찾을 만큼 유명합니다. 또한 파리뿐만 아니라 프랑스 전체를 상징하는 건축물이 되었습니다. ▶프랑스 파리에 있는 에펠 탑

중국 상하이에는 높이가 468미터인 동방명주 탑이 있습니
1번, 2번의 근거
다. 이 탑은 1994년에 방송을 송신하려고 세웠습니다. 방송
1번의 근거   4번의 근거
을 송신하기 위해 세운 탑을 전파탑이라고 하는데, 동방명주 탑은 세계에서 다섯 번째로 높은 전파탑입니다. 관광객들은

이 높은 탑 안에 놓인 전망대에서 상하이 시내를 감상합니다. 동방명주 탑은 독특한 생김새를 하고 있습니다. 높은 기둥을 중심축으로 하여 구슬 세 개를 꿰어 놓은 것 같은 생김새 때문에 사람들은 이 탑을 '동양의 진주'라고 부릅니다.
1번의 근거   ▶중국 상하이에 있는 동방명주 탑

이렇게 지도해 주세요! 이 글은 다양한 목적에 의해 세워진 세계의 여러 탑들을 소개한 글입니다. 탑들의 건축 목적과 각각의 탑들만이 가지는 고유한 특성을 잘 이해할 수 있도록 설명해 주세요.
• **주제** 세계 여러 탑들의 건립 목적과 특징

1 에펠 탑이 처음 만들어졌을 때 프랑스의 예술가와 지식인들은 이 고철 탑이 파리의 경치를 해친다며 아주 싫어했다고 하였습니다.

2 피사의 사탑이 언제 세워졌는지 이 글에 나타나 있지 않습니다.

3 피사의 사탑은 종교 목적에 의해 만들어졌다고 하였습니다.

4 '방송'을 '송신'하기 위해 세운 탑을 전파탑이라고 합니다.

5 한쪽으로 기울어진 탑은 에펠 탑이 아니라 피사의 사탑입니다. 따라서 기울어진 에펠 탑 앞에서 사진을 찍는다는 다빈이의 계획은 잘못된 것입니다.

6 이 글은 세계 여러 도시에 있는 유명한 '탑'에 대해 설명한 글입니다. 이탈리아 토스카나주에 있는 피사의 사탑, 프랑스 파리에 있는 '에펠 탑', '중국' 상하이에 있는 동방명주 탑의 특징을 구체적으로 설명하고 있습니다.

생각 글 쓰기

◆예시 **답안** 높은 기둥을 중심축으로 하여 구슬 세 개를 꿰어 놓은 것 같은 독특한 생김새 때문에 '동양의 진주'로 불리게 되었다.

이렇게 지도해 주세요! 마지막 문단에서 동방명주 탑의 생김새를 자세히 설명하고 있습니다. 이 글에서와 같이 사물의 생김새를 구체적으로 설명할 수 있도록 지도해 주세요.

어법다지기

03 '삼가다'는 '① 몸가짐이나 언행을 조심하다. ② 꺼리는 마음으로 양(量)이나 횟수가 지나치지 아니하도록 하다.'의 뜻이 있는데, 문제에서는 ②의 뜻으로 쓰였습니다. 기본형인 '삼가다'를 올바르게 활용한 표현은 '삼가'이므로 틀린 표현은 '삼가해', 올바른 표현은 '삼가'입니다.

1 저작물 2 ⑤ 3 ⑤ 4 이용, 보호 5 수민 6 ③ 7 정품, 허락, 출처

어휘·어법 다지기 01 (1)-② (2)-ⓒ (3)-① (4)-ⓒ 02 (1) 출처 (2) 지불 (3) 행사 03 ④

사람의 생각이나 감정을 표현한 결과물을 저작물이라고
_{2번, 6번의 근거}
합니다. 저작물에는 소설, 시, 음악, 춤, 그림, 건축물, 사진, 영화 등이 포함됩니다. 이러한 작품들을 창작하려면 많은 노력이 필요합니다. 그런데 만약 힘들게 만든 저작물을 다른 사람이 함부로 쓰거나 자신이 만든 것이라고 속이면 어떻게 될까요? 저작물을 만든 사람은 더 이상 새로운 작품을 만들고 싶지 않을 것입니다. 이러한 일을 막기 위해 저작자를 보호하는 저작권이 생겼습니다. 저작권은 저작자가 자신의 저
_{1번의 근거}
작물에 행사하는 권리를 말합니다. 저작권을 보호하면 저작자는 더욱 힘을 내어 좋은 작품을 만들 수 있고, 우리는 저작자의 작품을 누릴 수 있습니다. 저작권을 보호할 수 있는 저작물의 올바른 이용 방법이 무엇인지 알아봅시다.

▶저작물과 저작권의 뜻

먼저 정품을 구입해서 이용해야 합니다. 우리가 일상생활에서 접하는 음악, 영화, 컴퓨터 게임 등은 대부분 저작권이
_{2번의 근거}
있습니다. 그래서 그것들을 이용하려면 대가를 지불해야 합니다. 하지만 어떤 사람들은 저작권료를 지불하지 않으려고 저작물을 무단으로 도용한 복제품을 만듭니다. 이러한 복제품을 이용하면 저작자에게 저작권료가 돌아가지 않습니다.
_{2번의 근거}
복제품을 이용하는 행동은 저작자와 정당하게 저작권료를
_{3번의 근거}
내고 저작물을 이용하는 사람에게 피해를 주는 행동입니다. 그러므로 저작권을 보호하려면 정당한 대가를 치르고 정품을 구입해서 이용해야 합니다.

▶정품 구입하기

다음으로 저작권자에게 허락을 받고 저작물을 이용해야 합니다. 저작권료를 내는 것으로 저작권자에게 허락받는 일을 대신하는 경우도 있지만 저작물을 이용하기 전에 반드시 저작권자의 허락을 받아야 하는 경우도 있습니다. 예를 들어 정품 음악 CD나 영화 DVD를 사서 혼자 이용할 때는 저작권자의 허락을 따로 받을 필요가 없습니다. 하지만 그것을 다
_{2번의 근거}
시 여러 사람과 함께 이용하려고 한다면 반드시 저작권자의 허락을 받아야 합니다.

▶저작권자 허락받기

마지막으로 저작권자의 허락 없이 저작물을 이용할 경우

저작자와 출처를 표시해야 합니다. 다른 사람의 저작물을 이용할 때는 원칙적으로 저작권자의 허락을 받아야 하지만, 허락 없이 이용할 수 있는 저작물도 있습니다. 이럴 때는 저작
_{2번의 근거}
자, 출처 등을 반드시 표시하고 이용해야 합니다. 예를 들어 국어 숙제로 어떤 시를 소개하는 글을 쓰려고 한다면 그 시를 쓴 사람의 이름과 시의 제목, 시가 들어 있는 시집의 이름 등을 꼭 밝혀야 합니다.

▶저작자와 출처 표시하기

이렇게 지도해 주세요! 이 글은 저작물의 올바른 이용을 통해 저작권을 보호하자고 주장한 글입니다. 저작권을 왜 보호해야 하는지, 저작자의 노력이 담긴 저작물을 어떻게 이용해야 하는지 알려 주세요.
• **주제** 저작물을 올바르게 이용해서 저작권을 보호하자.

---

1 저작권은 저작자가 자신의 '저작물'에 행사하는 권리를 뜻하는 말입니다.

2 정품을 구매하였다고 해도 그것을 다시 여러 사람과 함께 이용하려면 저작권자의 허락을 받아야 한다고 하였습니다.

3 복제품을 이용하는 행동은 저작자와 정당하게 저작권료를 내고 저작물을 이용하는 사람에게 피해를 주는 행동이라고 하였습니다.

4 저작물을 올바르게 '이용'해서 저작권을 '보호'하자는 것이 글쓴이의 주장입니다.

5 정당한 대가를 치르고 정품을 사서 이용하는 것이 저작물의 올바른 이용법입니다.

6 저작물은 사람의 생각이나 감정이 표현된 결과물이어야 합니다. 그러므로 새가 지저귀는 소리는 저작물이 아닙니다.

7 이 글은 저작물을 올바르게 이용해서 저작권을 보호하자는 글쓴이의 생각이 담긴 글입니다. 실천 방법으로는 '정품' 구입해서 이용하기, 저작권자에게 '허락'을 받고 저작물을 이용하기, 허락 없이 저작물을 이용할 때는 저작자와 '출처' 표시하기가 있습니다.

✎ 생각 글 쓰기

◆ **예시 답안** 저작권을 보호하면 저작자가 더 좋은 작품을 만들 수 있고 우리도 저작물을 누릴 수 있기 때문이다.

이렇게 지도해 주세요! 저작권이 보호되어야 저작자가 좋은 작품을 창작할 수 있다고 알려 주세요.

어법 다지기

03 ④는 민지가 조금 전까지 '여기'에 머무르는 상태를 유지하다가 그 일을 중단하고 움직여 집에 갔다고 말하고 있습니다. 따라서 '이따가'를 '있다가'로 고쳐 써야 합니다.

1 ⑤ 2 ③ 3 (1)-ⓒ (2)-㉠ (3)-ⓛ 4 일정하다 5 우아하다,
쓰기 편하다, 글씨의 선이 곧다 6 재은 7 (다), (가), (라), (나)

어휘·어법다지기 01 (1)-ⓛ (2)-ⓓ (3)-ⓒ (4)-㉠ 02 (1) 수
행 (2) 개성 (3) 창제 (4) 품위 03 ②

붓으로 글씨를 써 본 적이 있나요? 똑같은 글자를 써도 내
가 쓴 것과 친구가 쓴 것은 글자 모양이 서로 다르지 않았나
요? 그 까닭은 나와 친구의 '운필' 방법이 서로 다르기 때문입
니다. 운필이란 글씨를 쓰거나 그림을 그리기 위해 붓을 움직
이는 것을 말합니다. 이 과정은 기필, 행필, 수필의 세 단계
로 구분할 수 있습니다. 기필은 점이나 획을 그을 때 처음 붓
을 대는 단계이고, 행필은 기필에서부터 시작한 획을 그어 가
는 단계입니다. 수필은 획을 마무리하는 단계입니다. 각 단계
를 어떻게 수행하느냐에 따라 글자 모양도 달라집니다.
▶운필의 개념과 운필의 단계
운필 방법은 글씨를 쓰는 사람이 누구냐에 따라 달라지기
도 하지만 쓰는 사람의 기분이 어떠한가, 쓰는 사람이 무엇
을 말하고 싶은가에 따라 달라지기도 합니다. 따라서 우리는
글의 내용뿐만 아니라 글씨 모양을 통해서도 글을 쓴 사람이
무엇을 표현하고 싶은지 알 수 있어요. 이렇게 운필 방법에
따라 독특하게 굳어진 글씨 모양을 서체라고 합니다. 서체
는 그 서체를 쓰는 사람의 개성이 담긴 것이지요.
▶서체의 개념
궁체는 조선 시대에 만들어진 서체로, 한글을 적는 데 사
용되었습니다. 하지만 한글이 창제되자마자 많이 쓰인 것은
아닙니다. 맨 처음 한글이 만들어졌을 때는 획의 굵기가 일
정하고 반듯해서 읽기 쉬운 '판본체'가 쓰였지요. 하지만 판
본체로 글씨를 쓰려면 시간이 아주 많이 걸렸답니다. 그래서
점점 쓰기 편한 서체로 발전하게 되었는데, 그것이 바로 궁
체입니다. 궁체는 특히 궁중 나인들이 많이 썼던 서체이기
때문에 붙여진 이름이지요. 궁체는 쓰기 편할 뿐만 아니라
아름다운 서체입니다. 글씨의 선이 곧고 맑으며 단정하고 아
담합니다. 또한 전체적으로 부드럽고 우아하면서도 글에서
품위가 느껴집니다.
▶궁체의 특징
궁체의 운필 방법은 다음과 같습니다. 먼저 둥근획을 쓸
때는 'ㅇ'의 위나 아래에 뾰족한 봉우리가 만들어지지 않도
록 조심하며 고른 굵기로 씁니다. 손가락이 아닌 팔 전체를
움직여야 쓰기 쉽지요. 다음으로 세로획을 쓸 때는 붓을 45

도 방향으로 대고 내리긋습니다. 내리그으면서 글씨의 굵기
를 점점 가늘게 하다가 마지막에는 왼쪽으로 모아서 마무리
합니다. 가로획은 왼쪽보다 오른쪽이 약간 올라가게, 그리고
양쪽 끝보다 중간이 더 가늘게 씁니다. 마지막으로 꺾은획을
쓸 때는 획을 꺾을 부분에서 붓을 약간 세워서 수직으로 내
리면 된답니다.
▶궁체의 운필 방법

이렇게 지도해 주세요! 이 글은 운필과 서체의 개념을 설명한 뒤 이 개
념들을 적용해 궁체의 특징을 밝혔습니다. 운필과 서체의 개념, 그리
고 궁체의 특징을 잘 파악할 수 있도록 지도해 주세요.
• **주제** 운필과 서체의 개념과 궁체의 특징

1 이 글은 운필과 서체의 개념을 설명하고 그 개념에 따라 궁체
의 특징을 밝힌 글입니다.

2 판본체는 획의 굵기가 일정하고 반듯해서 읽기 쉽다고 하였
습니다.

오답 풀이
① 운필은 기필, 행필, 수필 세 단계로 구분할 수 있습니다.
② 궁체는 궁중 나인들이 많이 써서 붙여진 이름입니다.
④ 서체는 글씨를 쓰는 사람의 감정, 글을 쓰는 목적 등이 반영된 운필 방
법에 따라 굳어진 것이므로 서체를 쓴 사람의 개성이 담겨 있습니다.
⑤ 운필 방법에 따라 독특하게 굳어진 글씨 모양을 서체라고 합니다.

3 처음 붓을 대는 단계를 '기필(起筆)', 획을 그어 가는 단계를
'행필(行筆)', 획을 마무리하는 단계를 '수필(收筆)'이라고 합
니다.

4 '일정하다'는 '어떤 것의 크기, 모양, 범위, 시간 등이 하나로
정하여져 있다.'라는 뜻의 낱말입니다. 이 글에서 판본체는
획의 굵기가 '일정하다'고 하였습니다.

5 궁체는 쓰기 편할 뿐만 아니라 아름답다고 하였습니다. 또한
글씨의 선이 곧고 맑으며 단정하고 아담합니다. 전체적인 인상
이 부드럽고 우아하며 글에서 품위가 느껴지는 것도 궁체의 특
징입니다.

6 세로획의 운필 방법은 붓을 내리그으면서 글씨 굵기를 점점
가늘게 하다가 마지막에 왼쪽으로 모아서 마무리하는 것입
니다.

오답 풀이
정희: 궁체의 가로획은 왼쪽보다 오른쪽이 약간 올라가게, 그리고 양쪽 끝
보다 중간이 더 가늘게 쓴다고 하였습니다.
서란: 궁체의 둥근획은 손가락이 아닌 팔 전체를 움직여야 쓰기 편하다고
하였습니다.

7 이 글은 먼저 운필의 개념과 운필의 단계를 설명하였습니다.
다음으로 운필 방법에 따라 발달하는 서체에 대해 설명하였
습니다. 이후에는 운필과 서체의 개념을 적용해 조선 시대 한
글 서체인 궁체의 서체적 특징을 밝혔고, 궁체의 운필 방법을
설명하며 글을 마무리하였습니다.

◆예시 **답안** 사람마다 글씨를 쓸 때 운필 방법이 다르기 때문이다.

이렇게 지도해 주세요! 이 글에서 똑같은 글자를 써도 나와 친구의 글자 모양(글씨)이 다른 것은 운필 방법이 서로 다르기 때문이라고 하였습니다. 비교 범위를 보다 확장해서 나와 친구뿐만 아니라 운필 방법이 다른 사람들끼리는 글자 모양도 다르다고 설명해 주세요.

어법다지기

03 **보기**는 합성어나 파생어에서, 앞 낱말이나 접두사의 끝이 자음이고 뒤 낱말이나 접미사의 첫음절이 '이, 야, 여, 요, 유'일 때 'ㄴ' 소리가 덧나는 'ㄴ' 첨가 현상을 설명한 것입니다. ②는 낱말의 끝이 자음 'ㅇ'인 '콩' 뒤에 '여'로 시작되는 '엿'이 결합되어 만들어진 낱말이므로 '콩'과 '엿' 사이에 'ㄴ'을 더해 [콩녇]으로 발음해야 합니다.

14회 어린이 보행 안전

▶ 본문 64~67쪽

1 ④ 2 ⑤ 3 ③ 4 ④ 5 민주 6 교통사고, 운전자, 안전시설, 스스로

어휘·어법 다지기 **01** (1)-ⓒ (2)-㉠ (3)-ⓒ **02** (1) 분포 (2) 유형 (3) 비극 **03** (1) 않 (2) 안 (3) 안

　자동차가 많아지면서 교통사고는 심각한 사회 문제가 되었습니다. 우리는 신문 기사나 방송으로 교통사고 소식을 자주 접할 수 있습니다. 그중에서도 어린이 교통사고는 가벼운 사고로도 심각한 결과를 가져올 수 있기 때문에 주의가 필요합니다. 어린이가 교통사고로 사망하는 유형을 보면 보행 중에 교통사고로 사망하는 경우의 비율이 매우 높습니다. 어린이의 생명을 지키기 위해서는 보행 중인 어린이의 교통사고를 줄일 수 있는 방법을 찾아야 합니다. ▶보행 중 어린이 교통사고 문제

　어린이 보행 중 교통사고를 줄이는 방법은 무엇일까요? 운전자를 대상으로 어린이 보행에 대한 안전 교육을 철저히 _{2번의 근거} 해야 합니다. 전체 교통사고 가운데 보행 중에 발생한 사고의 나이대별 분포를 살펴보면, 초등학생이 다른 나이대보다 상대적으로 높게 나타나는 것을 알 수 있습니다. 이는 초등학생들이 바깥 활동이 잦은데다 위험 상황을 판단하고 그에 대처하는 능력이 부족하기 때문입니다. 그러므로 운전자에 _{2번의 근거} 게 어린이 보행자를 보호할 수 있는 안전 교육을 실시해 어린이 보행 중 교통사고가 일어나지 않도록 해야 합니다. ▶운전자 안전 교육하기

　어린이를 고려한 보행 안전시설도 더 필요합니다. 학교 앞 길에는 과속 차량을 단속하는 장치를 마련해야 합니다. 그리고 학교 근처의 어린이 보호 구역을 현재 반지름 300미터보 _{2번의 근거} 다 더 넓게 하여 어린이들이 안전하게 다닐 수 있게 해야 합니다. 또한 어린이가 많이 다니는 길에는 과속 방지 턱을 만 _{2번의 근거} 들어 차량 속도를 낮추도록 합니다. 이와 같은 안전시설은 어린이 교통사고를 줄이는 데 많은 도움이 될 것입니다. ▶보행 안전시설 확대하기

　어린이 스스로도 보행 중 교통사고를 당하지 않도록 노력해야 합니다. ㉠도로에서 발생하는 수많은 비극은 교통 법규를 무시하고 조금 빨리 가려다가 발생합니다. 그러므로 운전자와 보행자 모두 도로에서 시간적 여유를 가지는 마음이 필요합니다. 보행 신호가 초록색으로 바뀌지도 않았는데 보행 _{5번의 근거} 자가 무리하게 길을 건너면 사고를 당할 수 있습니다. 그리고 신호가 바뀌자마자 좌우를 살피지 않고 출발하는 것도 사

고의 위험성을 높입니다. 신호가 바뀐 뒤에도 신호 위반을 하는 차가 있을 수 있기 때문에 늘 조심해야 합니다. 운전자 와 보행자는 모두 도로에서 조급하게 서두르지 말고 교통 법규와 안전 수칙을 지키며 생활해야 합니다.
<small>2번의 근거</small>

▶ 어린이 스스로 노력하기

우리는 모두 이제부터라도 어린이 보행 중 교통사고를 줄이는 일에 힘써야 합니다. 어린이 보행 안전은 남에게 미룰 수도 없고, 남이 대신해 줄 수도 없습니다. 우리 모두 노력해 어린이 보행 중 교통사고가 일어나지 않도록 합시다. 어린이는 미래의 희망이요, 우리 모두의 꿈입니다.
<small>1번의 근거</small>

▶ 어린이 보행 중 교통사고 줄이기

이렇게 지도해 주세요! 이 글은 어린이의 보행 중 교통사고를 줄이자는 주장과 이에 대한 실천 방안이 담긴 글입니다. 아이들이 실생활에서 실천 방안을 잘 지킬 수 있도록 지도해 주세요.
• **주제** 어린이 보행 중 교통사고를 줄이자.

1 이 글은 보행 중 교통사고로 사망하는 어린이가 많으니 이를 줄이기 위해 노력해야 한다는 주장을 담은 글입니다.

2 이 글에서 지적한 문제 상황은 어린이 보행 중 교통사고가 많다는 것입니다. 이 문제를 해결하기 위해 어린이가 어른과 항상 함께 다녀야 한다고 설명하지 않았습니다.

오답 풀이
① 학교 근처 어린이 보호 구역을 현재 반지름 300미터보다 더 넓게 하여 어린이들이 안전하게 다닐 수 있게 해야 한다고 하였습니다.
② 운전자와 보행자 모두 도로에서 조급하게 서두르지 말고 교통 법규와 안전 수칙을 지키며 생활해야 한다고 하였습니다.
③ 운전자를 대상으로 어린이 보행에 대한 안전 교육을 철저히 해야 한다고 하였습니다.
④ 어린이 보행 안전 시설의 하나로 어린이가 많이 다니는 길에 과속 방지 턱을 만들어 차량 속도를 낮추자고 하였습니다.

3 글쓴이는 어린이가 보행 중에 교통사고를 당하는 경우가 많다고 지적한 뒤 이를 줄여야 한다고 주장하였습니다. 또한, 어떻게 줄여야 하는지 해결 방안을 제시하였습니다.

4 '급하다고 바늘 허리에 실 매어 쓸까.'는 아무리 급해도 일의 순서나 규칙을 지키지 않으면 안 된다는 뜻을 담고 있으므로 ㉠에 어울립니다.

오답 풀이
① 대항해도 도저히 이길 수 없는 경우를 비유적으로 이르는 말입니다.
② 철없이 함부로 덤비는 경우를 비유적으로 이르는 말입니다.
③ 자기가 남에게 말이나 행동을 좋게 하여야 남도 자기에게 좋게 한다는 말입니다.
⑤ 아무리 위급한 경우를 당하더라도 정신만 똑똑히 차리면 위기를 벗어날 수가 있다는 말입니다.

5 보행 신호가 초록색으로 바뀌지도 않았는데 보행자가 무리하게 길을 건너면 사고를 당할 수 있다고 하였습니다.

6 이 글은 보행 중 '교통사고'로 사망하는 어린이가 많다는 문제를 지적하고 이를 해결하기 위해 노력해야 한다고 주장한

글입니다. 구체적인 실천 방안으로 '운전자'를 대상으로 어린이 보행에 대한 안전 교육 실시하기, 어린이를 고려한 보행 '안전시설' 늘리기, 어린이 '스스로'도 보행 중 교통사고를 당하지 않도록 노력하기를 제시하였습니다.

생각 글 쓰기

◆ **예시 답안** 어린이 교통사고는 가벼운 사고로도 심각한 결과를 가져올 수 있기 때문이다.

이렇게 지도해 주세요! 글쓴이는 어린이 교통사고가 가벼운 사고로도 심각한 결과를 가져올 수 있기 때문에 주의가 필요하다고 하였습니다. 어린이들이 길을 걸을 때 주의할 수 있도록 이 점을 강조해 주세요.

어법 다지기

03 (1) '말을 아니하고'로 바꾸어 쓸 수 있고, '(안 / 않)' 바로 뒤에 '−고'가 이어지므로 '않'이 알맞습니다.
(2) '밥 아니 먹을래요.'로 바꾸어 쓸 수 있고 '(안 / 않)' 바로 뒤에 아무것도 이어지지 않았으므로 '안'이 알맞습니다.
(3) '비가 아니 온다고 했어.'로 바꾸어 쓸 수 있고 '(안 / 않)' 바로 뒤에 아무것도 이어지지 않았으므로 '안'이 알맞습니다.

1 622 2 ① 3 ① 4 고등어, 달걀, 두부 5 용준 6 복합당
질, 식물성 단백질, 지방

어휘·어법 다지기 01 (1) 사고력 (2) 즉석 (3) 비축 02 (1) 사
고력 (2) 면역 (3) 혈당 (4) 비축 03 (1) 튼튼히 (2) 튼튼이

청소년기에 식단은 매우 중요합니다. 청소년기는 몸이 만
들어지고 키가 크는 시기이기 때문입니다. 이 시기에 자라는
신체 조직들은 아주 다양합니다. 뼈, 근육, 간, 콩팥, 눈, 치
아 등 모든 조직이 자라지요. 그중에서 가장 중요한 기관은
바로 뇌입니다. 뇌는 우리의 사고력, 판단력, 행동력, 결정력
등에 관한 명령을 몸에 내리고 모든 이성과 감성 활동을 주
관합니다. 뇌는 운동, 수면, 스트레스 관리 등 다양한 요인의
영향을 받는데, 특히 성장기의 뇌는 어떤 음식을 먹느냐에
따라 달라집니다. 2번의 근거 그러므로 올바른 식단을 유지해야 뇌가 잘
성장할 수 있습니다. '622 법칙 식단'은 뇌의 성장을 돕는 좋
은 식단이랍니다. ▶청소년기에 지켜야 할 622 법칙 식단

622 법칙 식단은 탄수화물, 단백질, 지방의 비율이 6:2:2
2번의 근거 인 식단을 말합니다. 탄수화물 비율이 가장 높지요? 뇌는 오
로지 탄수화물만을 활동 에너지원으로 쓰기 때문에 몸에 좋
3번의 근거 은 탄수화물을 꼭 섭취해야 합니다. 몸에 좋은 탄수화물은
3번의 근거 섬유질이 풍부해 혈당을 갑자기 올리지 않는 복합당질을 말
합니다. 반면 단순당은 소화, 흡수되고 분해되는 속도가 매
우 빠르기 때문에 섭취하자마자 혈당이 확 오르는 탄수화물
이지요. 혈당이 가파르게 상승하면 우리 뇌는 불안정한 상태
가 되고, 이 상태가 반복되면 당뇨 같은 질병에 걸릴 수 있답
니다. 따라서 좋은 탄수화물을 섭취하는 것은 매우 중요합니
다. 좋은 탄수화물이 들어 있는 대표적인 음식은 채소와 나
3번의 근거 물입니다. 그래서 식사할 때 채소나 나물을 먼저 먹는 것이
좋습니다. 간식을 먹을 때도 즉석 식품보다 당근, 토마토, 오
이를 활용한 간식을 먹는 것이 뇌 건강에 훨씬 도움이 됩니
다. 흰쌀밥 대신 보리밥이나 잡곡밥을 먹는 것도 좋습니다.
3번의 근거 ▶복합당질 위주의 탄수화물 섭취하기
단백질은 우리 몸의 세포와 면역 물질 그리고 호르몬을 생
산하는 중요한 영양소입니다. 우리 몸의 조직 영양소이자 소
2번의 근거 통 영양소, 방어 영양소라고 할 수 있지요. 따라서 단백질 섭
취가 부족하면 몸도 부실해질 수밖에 없습니다. 단백질은 고
등어, 청어, 연어 같은 생선이나 두부, 대두, 콩 등으로 섭취
4번의 근거

하는 것이 바람직합니다. 식물성 단백질과 동물성 단백질이
2번의 근거 제공하는 영양소의 구성이 다르므로 생선이나 달걀, 살코기
등의 동물성 단백질과 콩, 두부 등의 식물성 단백질을 골고
루 섭취해야 합니다. ▶동물성 단백질과 식물성 단백질 골고루 섭취하기

지방은 우리가 흔히 알고 있는 것처럼 몸에 나쁜 영양소
2번의 근거 인 것만은 아닙니다. 지방이 없으면 사람은 살아갈 수 없습
니다. 지방은 지방 세포에 비축되며 신체 조직의 구성 원료
가 됩니다. 저장 영양소이자 바탕 영양소라고 할 수 있지요.
그러나 포화 지방산을 지나치게 많이 섭취하면 혈관 속에 기
름이 끼이는 동맥경화증이 발생할 수 있으므로 불포화 지방
산 위주로 섭취하도록 합니다. 특히 견과류나 생선에 불포화
지방산이 풍부하게 들어 있습니다. 지방이 주는 혈관 문제를
5번의 근거 보완하기 위해 사과, 바나나 등 섬유질이 많아 포만감을 주
는 음식을 함께 섭취하면 더욱더 좋습니다.
▶불포화 지방산 위주로 지방 섭취하기

이렇게 지도해 주세요! 이 글은 뇌의 성장을 돕는 식단인 622 법칙 식
단을 설명한 글입니다. 622 법칙 식단을 잘 이해하고 실천할 수 있도
록 지도해 주세요.
• **주제** 뇌의 성장을 돕는 622 법칙 식단

---

1 이 글은 뇌의 성장을 돕는 식단인 '622' 법칙 식단을 설명한
글입니다.

2 지방은 우리가 흔히 알고 있는 것처럼 몸에 나쁜 영양소인 것
만은 아니라고 하였습니다. 지방은 신체 조직의 구성 원료가
된다고 하였습니다.

3 탄수화물에는 혈당을 갑자기 올리지 않는 복합당질과 갑자기
혈당을 오르게 하는 단순당이 있습니다.

오답 풀이
② 좋은 탄수화물은 채소나 나물에 많이 들어 있습니다.
③ 뇌는 오로지 탄수화물만을 활동 에너지로 씁니다.
④ 단순당이 소화, 흡수되고 분해되는 속도가 매우 빠릅니다.
⑤ 좋은 탄수화물을 먹으려면 흰쌀밥보다는 보리밥을 먹어야 합니다.

4 동물성 단백질은 고등어, 청어, 연어 같은 생선과 달걀, 살
코기에 많이 들어 있고 식물성 단백질은 두부, 대두, 콩 등에
많이 들어 있다고 하였습니다.

5 동맥경화증을 예방하려면 불포화 지방산이 풍부한 견과류나
생선 등으로 지방을 섭취해야 한다고 하였습니다. 또한, 지
방이 주는 혈관 문제를 보완하기 위해 사과, 바나나 등 섬유
질이 많은 음식들을 함께 섭취하면 좋다고 하였습니다.

오답 풀이
지현: 식물성 단백질과 동물성 단백질이 제공하는 영양소의 구성이 다르
므로 동물성 단백질과 식물성 단백질을 골고루 섭취해야 합니다.
준성: 즉석 식품은 뇌 건강에 도움이 되지 않습니다.

6 이 글은 뇌 성장을 돕는 622 법칙 식단을 소개하는 글입니다. 식단에서 60퍼센트를 차지하는 탄수화물은 단순당보다 '복합당질' 위주로 섭취하는 것이 좋습니다. 식단의 20퍼센트에 해당하는 단백질은 동물성 단백질과 '식물성 단백질'을 함께 섭취하는 것이 바람직합니다. 식단의 20퍼센트를 차지하는 '지방'은 불포화 지방산을 주로 섭취하고, 섬유질이 많은 음식과 함께 먹는 것이 좋습니다.

생각 글 쓰기

◆ **답안** 복합당질은 섬유질이 풍부해 혈당을 갑자기 올리지 않기 때문이다.

이렇게 지도해 주세요! 복합당질은 우리 몸의 혈당을 서서히 올리는 반면 단순당은 혈당을 갑자기 상승시켜 뇌를 불안정한 상태로 만듭니다. 이 상태가 반복되면 당뇨 같은 질병에 걸릴 수 있으니 몸에 좋은 복합당질 형태의 탄수화물을 먹어야 한다고 설명해 주세요.

어법 다지기

03 '틈틈이'는 '벌어져 사이가 난 자리.'를 뜻하는 '틈'을 두 번 반복한 뒤 '−이'를 붙여 만든 낱말이며, '틈이 난 곳마다.' 혹은 '겨를이 있을 때마다.'를 뜻합니다. '틈'이라는 낱말은 사전에 나와 있지만 '틈틈'이라는 말은 없는 낱말이고 '−하다'가 붙을 수도 없습니다. 따라서 '틈틈'에 '−히'를 붙여 새 낱말 '틈틈히'를 만들 수 없습니다.

16회 원자력 에너지 이용 문제

▶ 본문 72~75쪽

1 원자력 2 ② 3 ③ 4 ⓒ 5 발전 단가, 부대 비용
어휘·어법 다지기 **01** (1) 단가 (2) 요긴 (3) 부대 **02** (1) 호의적 (2) 단가 (3) 부대 (4) 고갈 **03** (1) 코뚱, 콜뚱 (2) 빈물

삶과 에너지는 떼려야 뗄 수 없는 관계입니다. 거의 모든 일상생활에는 반드시 에너지가 필요하기 때문입니다. 기술이 발달하고 생활 양식이 복잡해질수록 에너지 사용량도 점차 증가해, 2030년이 되면 전 세계의 에너지 소비량은 53퍼센트 이상 증가할 것으로 보입니다. 하지만 오늘날 요긴하게 쓰이는 석유와 천연가스는 50년 안에 고갈될 예정입니다. 석탄의 경우도 채굴할 때 환경을 파괴하고 온실가스를 배출하는 문제점을 지니고 있습니다. 이에 따라 세계 각국에서는 화석 연료를 대체할 만한 에너지를 개발하는 일에 관심을 기울이고 있습니다. ▶화석 연료 대체 에너지의 필요성

오늘날 원자력 에너지는 화석 연료를 대체할 에너지 자원으로 주목받고 있습니다. 특히 에너지 자원이 부족한 우리나라에서는 원자력 에너지를 이용한 발전을 적극적으로 받아들이고 있습니다. 우리나라의 에너지 자원별 발전 비중을 살펴보면 원자력이 31퍼센트로, 전체 발전 비중의 42퍼센트를 차지하는 석탄 바로 다음으로 많이 쓰이는 에너지가 원자력인 것을 알 수 있습니다. 또한, 원자력 발전 비중은 시간이 지날수록 더욱 높아질 것으로 보입니다. ▶원자력 발전의 부상(浮上)

원자력 에너지가 긍정적으로 평가받는 까닭은 원자력 발전이 화력 발전이나 수력 발전 같은 다른 발전 방식보다 발전 단가가 저렴하기 때문입니다. ㉠원자력 에너지 이용에 호의적인 사람들은 발전 단가가 저렴한 원자력 발전을 확대하면 에너지 수급의 불균형을 해소하고 소외 계층에게 저렴한 에너지를 공급할 수 있다고 말합니다. ▶단가가 저렴한 원자력 에너지

원자력 에너지가 긍정적으로 평가받는 또 다른 까닭은 석유 및 석탄을 이용한 발전은 발전 시 배출되는 이산화 탄소의 양이 매우 많은 데 비해 원자력을 이용한 발전은 이산화 탄소가 배출되지 않기 때문입니다. 이산화 탄소는 온실가스 중 하나로, 지구 표면의 온도를 높이는 주범입니다.
▶이산화 탄소가 배출되지 않는 원자력 에너지

하지만 ㉡원자력 에너지를 부정적으로 평가하는 사람들도 적지 않습니다. 이들은 원자력 에너지에 치명적인 단점이 있다고 말합니다. 원자력 에너지를 이용하다가 사고가 날 경우

방사성 물질이 유출되는데, 방사성 물질에 의한 피해는 되돌리기 힘들뿐더러 아주 오래도록 지속된다는 것입니다. 한번 유출된 방사성 물질은 수백 년 동안 지속적으로 사람들의 건강을 해치고 자연환경을 파괴합니다.

▶방사능이 유출될 염려가 있는 원자력 에너지

원자력 에너지 사용을 반대하는 사람들이 지적하는 다른 문제는 원자력 발전에 드는 부대 비용 문제입니다. 원자력 에너지가 발전 단가가 가장 낮은 에너지 자원인 것은 사실이지만 방사성 폐기물 처리비, 주변 지역 보상비 등이 든다는 것을 감안하면 그렇게 저렴한 에너지는 아니라는 것입니다.

▶부대 비용이 많이 드는 원자력 에너지

이처럼 우리 사회에는 원자력 에너지에 대한 두 가지 시선이 공존합니다. 원자력 에너지가 친환경적이고 경제적이기 때문에 적극적으로 사용해야 한다고 주장하는 사람들이 있는 반면 원자력 에너지가 안전하지 못하다는 까닭으로 사용하지 말아야 한다고 말하는 사람들도 있습니다. 우리는 두 가지 의견에 모두 귀 기울이며 원자력 에너지를 어떻게 사용할 것인지에 대해 신중히 생각해 보아야 합니다.

▶원자력 에너지에 대한 두 가지 시선

이렇게 지도해 주세요! 이 글은 원자력 에너지에 대한 긍정적인 의견과 부정적인 의견을 모두 소개한 뒤 원자력 에너지 사용에 대해 신중히 생각해야 한다고 주장한 글입니다. 각 의견과 의견에 대한 근거를 잘 이해할 수 있도록 지도해 주세요.
• **주제** 원자력 에너지 이용에 대한 두 가지 의견

5 원자력 에너지 이용을 긍정적으로 보는 입장에서는 원자력 발전이 다른 발전 방식보다 '발전 단가'가 저렴하다는 장점이 있다고 하였습니다. 원자력 에너지 이용을 부정적으로 보는 입장에서는 원자력 에너지 이용에 '부대 비용'이 많이 들어간다는 단점이 있다고 하였습니다.

생각 글 쓰기

◆예시 **답안** 석유와 천연가스는 50년 안에 고갈되고, 석탄은 환경 파괴 문제를 일으키기 때문이다.

이렇게 지도해 주세요! 석유와 천연가스는 50년 안에 고갈될 예정이며, 석탄은 채굴할 때 환경을 파괴하고 발전 과정에서 온실가스를 배출하는 문제가 있습니다. 이러한 문제 때문에 대체 에너지가 주목받고 있다고 설명해 주세요.

어법 다지기

03 ⑴ '콧등'을 발음하는 방법은 '뱃속'을 발음하는 방법과 비슷합니다. 사이시옷 뒤에 'ㄱ, ㄷ, ㅂ, ㅅ, ㅈ'이 오면 'ㄱ, ㄷ, ㅂ, ㅅ, ㅈ'을 [ㄲ, ㄸ, ㅃ, ㅆ, ㅉ]로 발음합니다. 사이시옷은 발음하지 않거나 [ㄷ]으로 발음합니다.
⑵ '빗물'을 발음하는 방법은 '아랫마을'을 발음하는 방법과 비슷합니다. 사이시옷 뒤에 'ㄴ, ㅁ'이 오면 사이시옷을 [ㄴ]으로 읽습니다.

1 이 글은 '원자력' 에너지 이용에 대한 긍정적인 의견과 부정적인 의견을 함께 제시한 글입니다.

2 원자력 발전 비중은 시간이 지날수록 더욱 높아질 것으로 보인다고 하였습니다.

3 이 글은 원자력 에너지 이용을 긍정적으로 보는 의견과 부정적으로 보는 의견을 아울러 제시한 뒤 원자력 에너지를 어떻게 사용할 것인지 신중히 생각해 보아야 한다고 주장한 글입니다.

오답 풀이
① 원자력 에너지를 이용하는 것을 신중하게 생각해야 한다고 말하였지만, 이용하는 것 자체를 반대하지 않았습니다.
② 온실가스가 지구 표면의 온도를 상승시킨다는 문제를 지적하였지만, 여러 가지 문제점들을 나열하지 않았습니다.
④ 원자력 에너지 발전 과정은 글에 나타나지 않았습니다.
⑤ 전 세계가 화석 연료를 대체할 에너지를 개발하는 일에 관심을 기울이고 있다고 말하였지만, 대체 에너지가 개발되어야 한다고 주장하지 않았습니다.

4 **보기**는 원자력 발전소가 멈출 때마다 금전적 피해가 발생하며 주변 시민들이 두려워한다는 문제를 제시하였습니다. 이러한 문제는 원자력 에너지에 대한 부정적인 의견을 뒷받침합니다.

인구 증가의 문제점

▶ 본문 76~79쪽

1 인구 증가　2 ④　3 ④　4 생물종, 유전자, 생태계　5 ㉢
6 다양성, 실업률
어휘·어법다지기　01 (1) 배분 (2) 밀집 (3) 실시간　02 (1) 밀
집 (2) 광물 (3) 배분　03 (1) 갱신 (2) 경신

　전 세계에는 몇 명의 사람들이 살고 있을까요? 한 실시간
통계 누리집에서 제시한 자료에 의하면 전 세계의 인구 수는
2015년 2월 기준으로 약 72억 9천 명이며, 2050년이 되면
지구에 약 93억 명 이상의 사람이 살게 될 것이라고 합니다.
(2번의 근거)
이러한 인구 증가는 우리의 삶과 직접적인 연관이 없는 것처
럼 보이지만 실제로는 그렇지 않습니다. 인구 증가가 때로는
우리의 삶에 문제를 일으키기도 합니다.　▶인구 증가의 문제

　인구 증가는 우선 자원의 고갈 문제를 가져옵니다. 인구
가 증가하면 인구가 소비하는 자원의 양도 자연스럽게 증가
합니다. 문제는 지구가 가지고 있는 자원이 한정되어 있다는
것입니다. 철, 금 등의 광물이나 석유 같은 화석 연료는 인간
의 힘으로 만들 수 없는 천연 자원입니다. 이러한 자원들은
쓰면 쓸수록 양이 줄어들다가 언젠가는 고갈됩니다. 숲과 바
(2번의 근거)
다에 존재하는 생물 자원은 써도 다시 재생된다는 점에서 광
물, 화석 연료와 대비되지만 사정은 크게 다르지 않습니다.
식물이 자라고 동물이 번식하는 속도보다 인간이 소비하는
(3번의 근거)
속도가 빠르다면 결국 생물 자원도 씨가 마를 것입니다. 이
러한 자원의 고갈 문제는 자원의 배분 문제와도 연결됩니다.
(2번의 근거)
가난한 사람들에게 자원이 더 적게 돌아갈 것이기 때문입
니다.　▶자원 고갈 문제

　다음으로 인구가 증가하면 생물 다양성이 보존되기 어렵다
(2번의 근거)
는 문제가 발생합니다. 생물 다양성은 지구상에 존재하는 생
(4번의 근거)
물종, 그들이 가지는 유전자, 생물종이 만들어 내는 생태계
의 다양성을 아울러 일컫는 말입니다. 지구를 구성하는 모든
(2번의 근거)
생물종들은 서로 영향을 주고받으며, 하나의 생물종이 감소
할 때마다 그 생물종과 연결된 생물 전체는 큰 변화를 경험
합니다. 따라서 생물 다양성이 보존되어야 인간을 비롯한 모
든 생물이 안전할 수 있습니다. 그런데 인구가 계속해서 증
(2번의 근거)
가한다면 생물 다양성은 감소할 수밖에 없습니다. 늘어나는
인구를 수용할 공간을 마련하려면 산을 깎고 여러 생물들의
서식지를 파괴해야 하기 때문입니다. 또한, 사람들이 배출하

는 쓰레기와 오염 물질은 생태계가 훼손되는 속도를 높입니
다. 이러한 생태계 파괴는 결국 인간에게 악영향을 미칠 수
있습니다.　▶생물 다양성 감소 문제

　마지막으로 인구가 증가하면 특정 지역에 인구가 밀집되
는 문제가 일어납니다. 많은 사람들은 일자리와 학교, 병원
등 기반 시설이 풍부한 도시로 모여듭니다. 하지만 한 도시
가 책임질 수 있는 사람보다 더 많은 수의 사람이 한꺼번에
몰리게 되면 실업률은 오히려 증가하고, 기반 시설도 넘쳐
나는 수요를 감당하기 어려워집니다. 곧 다수의 도시 인구는
(5번의 근거)
한정된 일자리와 기반 시설을 두고 경쟁하면서 빈곤과 불평
등 속에서 살아가게 됩니다.　▶도시의 인구 밀집 문제

> **이렇게 지도해 주세요!** 이 글은 인구 증가가 우리 삶에 일으키는 여러
> 가지 문제를 지적한 글입니다. 인구가 늘어나는 일이 왜 문제가 되는
> 지 이해할 수 있도록 설명해 주세요.
> • **주제** 인구 증가가 우리 삶에 일으키는 문제

1 　이 글은 '인구 증가'로 인해 생기는 문제점에 대해 쓴 글입
니다.

2 　지구를 구성하는 모든 생물종들이 연결되어 있기 때문에 하
나의 생물종이 감소할 때마다 생물 전체가 큰 변화를 경험한
다고 하였습니다.

오답 풀이
① 인구가 증가하면 생물 다양성이 감소합니다.
② 자원 고갈 문제는 자원의 배분 문제와도 연결됩니다. 가난한 사람들에
게 자원이 더 적게 돌아갈 것이기 때문입니다.
③ 숲과 바다에 존재하는 생물 자원은 써도 다시 재생된다고 하였습니다.
다만 동식물이 재생되는 속도보다 인간이 소비하는 속도가 빠르다면 결국
생물 자원도 씨가 마를 것입니다.
⑤ 2015년 2월 기준 약 72억 9천 명이며, 2050년이 되면 지구에 약 93억
명 이상의 사람이 살게 될 것이라고 하였습니다.

3 　**보기**는 생물 자원을 무분별하게 소비하는 모습을 보여 주고
있습니다. 이렇게 물고기가 다 자라서 번식할 시간을 주지 않
으면 물고기의 번식 속도보다 인간의 소비 속도가 빨라서 바
닷속 물고기가 고갈될 것입니다.

4 　생물 다양성은 지구상에 존재하는 '생물종', 그들이 가지는
'유전자', 생물종이 만들어 내는 '생태계'의 다양성을 아울러
일컫는 말이라고 하였습니다.

5 　학교, 병원 등의 기반 시설이 넘쳐 나는 수요를 감당하지 못
하는 것은 도시의 인구 밀집 문제와 연관됩니다.

6 　인구 증가는 자원의 고갈 문제를 가져옵니다. 광물, 화석 연
료 같은 천연 자원은 물론 생물 자원도 고갈됩니다. 또한 인
구 증가는 생물 '다양성'을 감소시킵니다. 마지막으로 도시의
인구 밀집 문제가 생깁니다. 그 결과 '실업률'이 증가하고 기
반 시설이 부족해집니다.

◆예시 **답안** 자원이 부족해지면 가난한 사람들에게 자원이 더 적게 돌아갈 것이기 때문이다.

이렇게 지도해 주세요! 인간이 쓸 수 있는 자원의 양이 부족해질수록 쓸 수 있는 사람도 줄어듭니다. 그 결과 자원을 구매할 능력이 있는 사람만 자원을 얻고 가난한 사람들은 자원을 구하기 어려워지기 때문에 자원을 누구에게 얼마만큼 나누어 주어야 공평한가 하는 자원의 배분 문제가 생긴다고 설명해 주세요.

어법 다지기

03 (1) 법적으로 인정되는 여권의 사용 기간이 다 끝나서 그 기간을 연장하는 것이므로 '갱신'이 알맞습니다.

(2) 어린이 수영 대회라는 기록 경기에서 종전의 대회 신기록을 깨뜨린 것이므로 '경신'이 알맞습니다.

보기 에는 제시되지 않았지만 '경신'은 '어떤 분야의 종전 최고치나 최저치를 깨뜨림.'의 뜻이 더 있고 '갱신'은 '기존의 내용을 변동된 사실에 따라 변경·추가·삭제하는 일.'이라는 뜻이 더 있습니다.

18회 가 **반딧불** _윤동주
나 **꽃** _정여민

▶ 본문 80~83쪽

1 ③ 2 반딧불 3 (다) 4 얼굴 5 ③ 6 수일
어휘·어법 다지기 01 (1)-㉠ (2)-ⓒ (3)-㉣ (4)-ⓛ 02 (1) 길목 (2) 그믐 (3) 부서졌다 03 (1) 매어 (2) 메고

가

가자 가자 가자
숲으로 가자
달 조각을 주으러
숲으로 가자.

'가자'의 반복을 통한 운율 형성

반딧불
▶1연: 숲으로 가서 반딧불을 보자.

㉠ 그믐밤 반딧불은
부서진 달 조각
○: 중심 글감
'A는 B이다' 꼴의 은유법 사용
▶2연: 반딧불은 부서진 달 조각이다.

가자 가자 가자
숲으로 가자
달 조각을 주으러
숲으로 가자.

첫 연과 동일한 내용을 마지막에 반복하는 수미상관법
▶3연: 숲으로 가서 반딧불을 보자.

나

꽃이 얼굴을 내밀었다
4번의 근거 – 꽃이 피는 장면. 꽃을 의인화한 표현 ①
○: 중심 글감
▶1연: 꽃이 핀 것을 보았다.

내가 먼저 본 줄 알았지만

봄이 쫓아가던 길목에서

내가 보아 주기를 날마다 기다리고 있었다
꽃을 의인화한 표현 ②
▶2연: 꽃이 이미 피어 있었다.

내가 먼저 말 건 줄 알았지만

바람과 인사하고 햇살과 인사하며
꽃을 의인화한 표현 ③
날마다 내게 말을 걸고 있었다
▶3연: 꽃이 '나'를 기다리고 있었다.

내가 먼저 웃어 준 줄 알았지만

떨어질 꽃잎도 지켜 내며
꽃을 의인화한 표현 ④
나를 향해 더 많이 활짝 웃고 있었다
▶4연: 꽃이 '나'를 기다리고 있었다.

내가 더 나중에 보아서 미안하다.
5번의 근거 – 말하는 이가 꽃에 느끼는 감정
▶5연: 꽃에게 미안하다.

이렇게 지도해 주세요! 「반딧불」은 그믐밤에 반딧불을 본 경험을 바탕으로 쓴 윤동주의 시이고, 「꽃」은 봄에 꽃이 핀 것을 보고 미안함을 느꼈던 경험을 바탕으로 쓴 학생의 시입니다. 시를 읽고 말하는 이가 경험한 일을 머릿속에 떠올릴 수 있도록 지도해 주세요.
• 주제 ㉮ 그믐밤 반딧불을 보았던 경험
       ㉯ 이미 피어 있는 꽃을 발견하고 미안함을 느꼈던 경험

1 ㉯에는 색깔을 나타내는 표현이 드러나지 않았습니다.

오답 풀이
① '가자'라는 표현을 반복하고 있으며, 1연과 3연 전체가 반복되는 구조입니다.
② '얼굴을 내밀었다.', '기다리고 있었다.', '웃고 있었다.' 등에 의인법이 나타나 있습니다.
④ ㉮는 그믐밤이 배경이고, ㉯는 꽃이 보이는 낮이 배경입니다.
⑤ ㉮는 반딧불, ㉯는 꽃이 중심 글감입니다.

2 말하는 이는 부서진 달 조각을 주우러 숲으로 가자고 하였는데, 2연에서 알 수 있듯이 부서진 달 조각은 그믐밤의 '반딧불'을 가리킵니다.

3 ㉠에 쓰인 표현 기법은 은유법입니다. 은유법은 'A는 B이다' 형태로 A의 특성을 드러내는 것입니다. 보기의 (다)에서는 책을 마음의 양식에 빗대어 표현하는 은유법이 쓰였습니다.

오답 풀이
㈎ 둥근 달을 쟁반에 비유하는 직유법이 쓰였습니다.
㈏ 놀라서 오그라든 간을 콩알만하다고 말하는 과장법이 쓰였습니다.

4 말하는 이는 꽃이 핀 것을 꽃이 '얼굴'을 내밀었다고 표현하였습니다.

5 말하는 이는 자신이 꽃을 더 나중에 보아서 미안하다고 하였습니다.

6 보기에서 하나의 시는 여러 가지 뜻으로 해석될 수 있다고 하였습니다. 수일이의 반 친구들의 경험은 모두 다르기 때문에 시를 읽은 뒤 수일이가 생각하는 것과 다른 경험을 떠올릴 수 있습니다.

생각 글 쓰기

◆예시 **답안** 반딧불이 달처럼 밤에 빛나기 때문이다.

이렇게 지도해 주세요! 말하는 이가 반딧불을 부서진 달 조각에 비유한 까닭은 반딧불과 달이 동일하게 밤에 빛나는 특성을 가졌기 때문입니다. 이처럼 비유법은 원래의 대상과 비유할 대상이 비슷한 생김새나 특성을 지녔을 때 쓸 수 있다고 알려 주세요.

어법 다지기

03 (1) 목도리를 목에 두른 뒤 목에서 풀리지 않도록 매듭을 짓는다는 뜻이므로 '매어'가 알맞습니다.
(2) 형이 어깨에 기타를 완전히 고정시킨 것이 아니라 내릴 수 있도록 걸치고 간다는 뜻이므로 '메고'가 알맞습니다.

---

1 ③ 2 통계 3 ① 4 ③ 5 ⑤

어휘·어법 다지기 **01** (1) 천상 (2) 주시 (3) 석방 **02** (1) 석방
(2) 골창 **03** (1) 명령문 (2) 청유문 (3) 의문문

㉮ 1815년 10월에 그는 석방되었다. 유리창을 깨뜨리고 한 개의 빵을 훔쳤기 때문에 그는 1796년 감옥에 들어갔던 것이다. _{1번의 근거} 「여기서 잠깐 한마디 덧붙이겠다. 작가가 형법 문제 및 법

「 」: 작가의 개입 – ① 이야기의 사실성을 높임. ② 사회에 대한 비판을 드러냄.

률상의 처형 판결에 관해서 연구하던 중, 한 개의 빵을 훔친

당시 범죄자를 다스리는 법이 매우 엄했음을 보여 주는 예

일이 한 인간의 운명을 파멸로 이끄는 출발점이 되었다는 예에 접한 것은 이것으로 두 번째이다. 클로드 괴(위고의 작품

이 이야기를 쓰는 계기가 된 실제 인물로, 1932년에 처형됨.

에 나오는 인물)라는 사나이도 빵 한 개를 훔쳤다. 장 발장도 빵 한 개를 훔쳤다. 영국의 어느 통계가 증명하는 바에 의하면 런던에서는 도둑질 다섯 건 중의 네 건까지가 굶주림이 직접적인 원인이었다고 한다.」

장 발장은 흐느끼고 떨면서 항구의 감옥에 들어갔다. 그리고 무감동한 인간이 되어 거기서 나왔다. 그 영혼 속에는 어떤 일이 일어나고 있었던가?

▶감옥에 들어간 장 발장

㉯ "20루이도 벌고 이 가엾은 노인의 목숨을 구할 사람이 없단 말이오?"

아무도 움직이지 않았다. 자베르가 다시 말하였다.

마들렌으로 이름을 바꾼 장 발장을 끝까지 추격하는 냉혹한 경찰

㉠"손 기중기를 대신할 수 있는 사람은 단 하나밖에 보지못하였는데, 그 도형수입니다."

중노동에 종사하도록 벌을 받은 죄수로, '장 발장'을 가리킴.

"아! 몸이 으스러지는구나!"

노인이 비명을 질렀다. 마들렌이 고개를 쳐들었다. 자기를

이야기의 중심 인물. 새 삶을 살기로 결심하고 이름을 바꾼 장 발장

계속 주시하고 있던 자베르의 매 눈과 마주쳤다. 꼼짝도 하

3번의 근거   사람에 대한 차가운 시선

지 않고 서 있던 촌사람들을 둘러보았다. 구슬픈 미소를 지었다. 그런 다음, 아무 말 없이 무릎을 꿇더니, 사람들이 놀라 비명을 지를 겨를도 주지 않고, 마차 밑으로 들어갔다.

기다림과 침묵 속에서 끔찍한 시간이 흘렀다. 마들렌이 그 무시무시한 무게 밑에서 배를 깔고 엎드려, 자기의 두 팔꿈치와 두 무릎을 접근시키려 하였다. 두 번 시도하였으나 뜻을 이루지 못하였다. 사람들이 그에게 소리쳤다.

"마들렌 아저씨! 어서 빠져나오세요!"

1번의 근거

늙은 포슐르방조차도 그에게 말하였다.

마차에 깔린 노인. 평소에 마들렌을 괴롭히던 인물

"마들렌 씨! 어서 나가세요! 보시다시피 제가 죽을 수밖에

없어요! 저를 내버려 두세요! 자칫 당신마저 다치시겠어요!"

마들렌은 아무 대꾸도 하지 않았다.

바라보고 있던 사람들의 숨결이 가빠졌다. 그동안에도 바퀴들은 계속 깊이 박혀, 마들렌이 마차 밑에서 빠져나오기가 거의 불가능해졌다.

문득 그 거대한 덩어리가 흔들리더니 마차가 서서히 쳐들리고, 바퀴들이 진흙 골창으로부터 반쯤 솟아올랐다. 숨 막히는 소리가 들려왔다.

"서둘러요! 도와줘요!"

<u>마들렌이 마지막 사력을 다하였다.</u>
<small>1번의 근거</small>
<u>모두들 서둘러 달려들었다. ㉡단 한 사람의 희생적 열정이</u>
<small>사건에 대한 작가의 평가</small>
<u>모든 이들에게 힘과 용기를 주었다.</u> 팔 스물이 마차를 들어 올렸다. 늙은 포슐르방이 구출되었다.

마들렌이 다시 일어섰다. 비록 땀을 흘리고 있었지만 얼굴은 창백하였다. 옷은 찢기고 진흙투성이였다. 모두들 눈물을 흘렸다. 노인이 그의 무릎에 입을 맞추며, 그를 착한 신이라
<small>1번의 근거</small>
고 불렀다. <u>그의 얼굴에는 행복한, 그리고 천상의 고통이 서려 있는데, 그의 ⟨평온한 눈⟩이 그를 여전히 주시하고 있던 자</u>
<small>자베르의 눈과 대조를 이루는 사람에 대한 따뜻한 시선</small>
<u>베르를 그윽이 바라보고 있었다.</u>
▶ 포슐르방을 구한 장 발장

이렇게 지도해 주세요! 이 글은 굶주림으로 빵 한 개를 훔쳐도 엄하게 처벌받는 사회에서 새 사람이 되기로 결심한 장 발장(마들렌)과 죄 지은 사람을 처벌하고 싶어 하는 자베르 경감의 갈등이 담긴 글입니다. 두 인물이 갈등하는 장면을 잘 이해할 수 있도록 설명해 주세요.
• **주제** 장 발장의 비극적 삶과 구원의 과정

오답 풀이
① 이 글과 **보기**에는 장 발장과 클로드 괴가 만났음을 알 수 있는 사건이 나타나지 않았습니다.
② 마들렌의 정체를 의심하는 사람은 포슐르방이 아닌 자베르입니다.
③ 장 발장은 미리엘 주교의 용서에 감동해 이름을 마들렌으로 바꾸고 새 삶을 살아갔다고 하였습니다.
④ 장 발장은 미리엘 주교의 도움을 받아 감옥에 들어가지 않았다고 하였습니다.

✎ 생각 글 쓰기

◆ **예시 답안** 마들렌이 위험을 무릅쓰고 마차 밑에 들어가 포슐르방을 구했다.

이렇게 지도해 주세요! 포슐르방이 마차에 깔렸을 때 사람들 중 아무도 나서지 않았지만, 마들렌이 위험을 무릅쓰고 마차에 들어가자 사람들도 마들렌을 도왔습니다. 마들렌의 희생이 사람들에게 힘과 용기를 준 것이라고 설명해 주세요.

어법 다지기

03 말하는 이는 듣는 이에게 자신의 생각이나 느낌을 효과적으로 전달하기 위해 전달하는 내용에 따라 다른 방식으로 문장을 끝맺습니다. 문장의 끝맺음에 따라 평서문, 의문문, 명령문, 청유문, 감탄문으로 나눌 수 있습니다.
(1) 듣는 이에게 자라고 요구하고 있으며, '−라'로 끝맺고 있으므로 명령문입니다.
(2) 듣는 이에게 내일 떡볶이를 함께 먹자고 요청하고 있으며, '−자'로 끝맺고 있으므로 청유문입니다.
(3) 듣는 이에게 동생의 생일을 물어 대답을 요구하고 있으며, '−니'로 끝맺고 있으므로 의문문입니다.

---

1 경감 자베르는 마들렌이 포슐르방을 구할 때 지켜보고만 있었습니다.

2 '어떤 현상을 종합적으로 한눈에 알아보기 쉽게 일정한 체계에 따라 숫자로 나타냄.'을 뜻하는 낱말은 '통계'입니다.

3 마들렌이 고개를 쳐들었을 때 자기를 계속 주시하고 있던 자베르의 매 눈과 마주쳤다고 하였습니다. 마들렌을 날카롭게 바라보는 자베르는 냉정한 성격의 인물입니다.

4 ㉠에서 도형수는 장 발장을 뜻합니다. 즉, 자베르는 힘을 발휘해서 마차를 들어 올릴 수 있는 사람은 장 발장이라고 말하고 있는 것입니다. 자베르는 마들렌을 곤란하게 만들기 위해 ㉠과 같이 말하였습니다.

5 **가**는 장 발장이 감옥에서 풀려 난 직후의 상황이고, **나**는 장 발장이 마들렌으로 이름을 바꾸고 새 삶을 살아갈 때의 상황입니다. **보기**를 보면 그 사이에 있었던 일은 장 발장이 미리엘 주교를 만나 도움을 받은 일입니다.

20회 심청전

▶ 본문 88~91쪽

1 ② 2 ③ 3 ⑤ 4 ③ 5 (1) 부인 (2) 심청 (3) 아버지 (4) 효성
어휘·어법 다지기 01 (1)-㉠ (2)-㉢ (3)-㉣ (4)-㉡ 02 (1) 봉
양 (2) 가련히 (3) 속죄 03 (1) 몇 일 → 며칠 (2) 몇 일 → 며칠

[앞부분 줄거리] 황해도 황주군 도화동에 심학규라는 봉사가 살고 있었습니다. 심 봉사의 부인은 딸 청이를 낳고 죽고 말았습니다. 마을 사람들의 도움으로 자란 심청은 삯바느질을 하며 아버지를 극진히 모시며 살았습니다.

심청이 나이가 열한 살이 되었을 때 집안 형편이 가난하고
_{이야기의 중심 인물}
아버지가 병이 들어 어리고 약한 심청이가 의지할 곳이 없었습니다. 하루는 심청이 아버지께 여쭈었습니다.

「아버지 들으세요. 말 못 하는 ㉮까마귀도 쓸쓸한 숲에서
_{「」: 아버지를 설득하는 심청}
날 저문 날에 효도할 줄을 알고, 맹종이란 사람은 추운 날
_{'맹종'의 고사를 인용해서 아버지를 설득함.}
씨에도 죽순을 얻어 부모를 모셨다고 합니다. 저도 나이가
십여 세라, 옛 이야기의 효자만은 못할망정 맛난 음식으로
_{4번의 근거}
아버지를 모시지 못하겠습니까. 아버지의 어두우신 눈으로 험한 길을 다니시다가 넘어져 다치시기 쉽고, 비바람을 무릅쓰고 다니시면 병이 날까 염려가 되니, ㉠아버지는 오늘부터 집 안에 계세요. 제가 혼자 밥을 빌어 와서 아침저녁으로 아버지의 근심을 덜겠습니다.」

심 봉사가 크게 웃으며 말했습니다.

"너의 말이 효녀 같구나. 마음은 그렇지만 어린 너를 내보
_{1번의 근거}
내고 앉아서 받아먹는 내가 어찌 마음 편하겠느냐. 그런 말을 다시는 하지 마라."

「아버지 그런 말 마세요. ㉯자로는 어진 사람으로 백 리
_{'자로'와 '제영'의 고사를 인용해서 아버지를 설득함.}
길을 쌀을 날라 봉양하였고, 옛날 제영은 장안성에 갇힌 아비를 위해 몸을 팔아 속죄하였습니다. 그런 일을 생각하면 사람은 다 마찬가지인데, 이런 일을 못 하겠습니까. 너무 말리지 마세요.」
_{「」: 자신을 말리는 아버지를 다시 설득하는 심청}
심 봉사가 옳게 여겨 허락하였습니다.

"효녀로다, 내 딸이여! ㉡네 말이 기특하니 하고 싶은 대로 하려무나."
▶ 아버지 대신 밥을 빌러 가는 심청

심청이 그날부터 밥을 빌러 나설 적에, 먼 산에 해 비치고 앞마을 연기 나는데, 심청이 베옷에 대님 매고, 깃만 남은 헌
_{4번의 근거 – 심청의 가난한 처지를 나타내는 장면}
저고리, 자락 없는 청목 모자를 보잘것없이 숙여 쓰고, 뒤축 없는 헌신짝에 버선 없이 발을 벗고, 헌 바가지를 손에 들고 건넛마을을 바라보았습니다.

산에 새도 날지 않고, 넓은 땅에 사람들이 전혀 없었
습니다. 북풍으로 모진 바람이 화살 쏘듯이 불어왔습니
㉰ 다. 해질 무렵에 심청이 가는 모습은, 눈 뿌리는 수풀 속
을 외로이 날아가는 어미 잃은 까마귀 같았습니다. 심청
은 옆걸음으로 손을 불고 웅크리며 건너갔습니다.
_{㉰: 외롭고 쓸쓸하며 애처로운 분위기}

건넛마을에 도착하여 이집 저집 부엌문에 들어서며 가련히 비는 말이,

"어머니가 돌아가신 후에 눈이 안 보이시는 우리 아버지를 모실 길이 없어 왔습니다. 댁에서 잡수시는 대로 밥 한 술만 주세요."

보고 듣는 사람들이 마음이 감동하여 밥, 김치, 장을 아끼
_{1번, 4번의 근거}
지 않고 덜어 주었습니다.

㉱"아가, 어서 몸을 녹이고 많이 먹고 가거라."
_{심청을 도와주는 마을 사람들}
하는 말은 가련한 정에 감동되어 고마운 마음으로 하는 말이었습니다. 그러나 심청이,

"추운 방에서 늙은 아버지께서 제가 오기만 기다리시니 저 혼자 먹을 수 있겠습니까?"

하는 것은 또한 부친을 생각하는 착한 마음에서 나오는 말이었습니다.
▶ 이집 저집 밥을 비는 심청

이렇게 얻은 밥이 두세 그릇이 충분히 되었습니다. 심청은 급한 마음에 돌아와서 사립문 밖에 이르렀습니다.

㉲"아버지, 춥지 않으신지요. 몹시 시장하시지요. 여러 집을 다니자니 늦어졌습니다."

심 봉사는 딸을 보내 놓고 마음을 놓지 못하다가 딸의 목
_{심청을 걱정하며 기다리는 아버지의 모습}
소리를 반갑게 듣고 문을 활짝 열어 놓았습니다.

"에고 내 딸, 너 오느냐?"

두 손을 덥석 잡고,

㉳"손 시리지 않느냐? 화로에 불 쬐어라."

했습니다. 자식 아끼는 부모 마음같이 간절한 것은 없는 것이어서, 심 봉사는 기가 막혀 훌쩍 눈물지었습니다.
_{1번의 근거} ▶ 밥을 비는 심청이 안쓰러운 심 봉사

이렇게 지도해 주세요! 이 글은 앞 못 보는 아버지 심 봉사에 대한 딸 심청의 지극한 효성을 그린 작품입니다. 가난한 처지에도 불구하고 어린 시절부터 효성이 지극했던 심청의 마음을 이해할 수 있도록 지도해 주세요.

• **주제** 부모에 대한 심청의 지극한 효성

---

1 심 봉사는 심청이 밥을 빌러 나서는 것을 처음에는 미안한 마음으로 말렸으나, 나중에는 심청의 효성에 감동하여 허락하였습니다. 심청의 위험한 행동을 그대로 내버려 둔 것은 아닙니다.

오답 풀이
① 아버지가 비바람을 무릅쓰고 다니시면 병이 나실까 염려되어 집 안에 안전하게 계시라고 한 것입니다.
③ 마을 사람들은 심청의 효성에 감동하여 밥, 김치, 장을 아끼지 않고 덜어 주며 심청을 도와주었습니다.
④ 혼자 기다리시는 아버지가 걱정된 심청은 급한 마음에 들어와서 아버지께 추우신지, 시장하지 않으신지 여쭈어보았습니다.
⑤ 심 봉사는 추운 겨울에 밥을 얻으러 다니는 심청이 걱정되어 집에 돌아온 심청에게 손을 화로에 쬐라고 하였습니다.

2 심청은 '말 못 하는 까마귀도 ~ 효도할 줄을 알고'라고 말하며 짐승이 부모님께 효도할 줄 아는 것처럼 자신도 아버지를 모실 수 있다고 아버지를 설득하고 있습니다. 따라서 ㉮'까마귀'는 심청이 본받고자 하는 대상입니다.

3 ㉯는 심청이 밥을 얻어 오려고 마을로 가는 장면입니다. 심청은 산에 새도 날지 않고 사람들도 전혀 없이 찬바람을 맞으며 어미 잃은 까마귀처럼 가고 있습니다. 따라서 쓸쓸하고 애처로운 분위기가 느껴집니다.

오답 풀이
① 해질 무렵에 북풍으로 모진 바람이 불어오는 곳을 지나 건넛마을에 가는 장면에서 밝고 따뜻한 분위기를 느낄 수 없습니다.
② 어두운 분위기로는 볼 수 있지만, 무서운 느낌이 아니라 불쌍하고 애처로운 느낌입니다.
③ 심청이 추운 날 밥을 빌러 나가는 장면이므로 신나고 재미있는 분위기가 아닙니다.
④ 산에 새도 날지 않고, 넓은 땅에 지나다니는 사람이 전혀 없으므로 부드럽고 친밀한 분위기를 느낄 수 없습니다.

4 이웃들은 밥을 빌러 나온 심청을 불쌍해하며 밥, 김치, 장을 아끼지 않고 덜어 주었다고 하였습니다. 사람들의 이기심을 느꼈다는 감상은 알맞지 않습니다.

오답 풀이
① 심청은 형편이 가난하고 의지할 곳도 없다고 하였습니다.
② '베옷에 대님 메고 ~ 헌신짝에 버선 없이 발을 벗고'를 보면 당시 사람들이 어떤 옷을 입었는지 생활을 알 수 있습니다.
④ 심청은 '옛 이야기의 효자만은 못할망정 맛난 음식으로 아버지를 모시지 못하겠습니까'라고 말합니다. 당시에는 이렇게 부모를 모시는 것을 당연하다고 생각하였음을 알 수 있습니다.
⑤ 심청은 가난하고 어려운 형편에서도 아버지를 모시고 잘 살아갑니다. 이를 보고 스스로의 모습을 반성할 수 있습니다.

5 (1) 심 봉사의 '부인'은 딸 청이를 낳고 죽었습니다.
(2) 심 봉사는 마을 사람들의 도움을 받아 '심청'을 키웠습니다.
(3) 심청은 '아버지' 대신 동냥을 하여 아버지를 극진히 모셨습니다.
(4) 마을 사람들은 심청의 '효성'에 감동하여 먹을 것을 아끼지 않고 주었습니다.

생각 글 쓰기

◆예시 **답안** 옛사람들이 부모님을 모신 것처럼 자신도 그 태도를 본받아 아버지를 잘 모시겠다고 말한 것이다.

이렇게 지도해 주세요! ㉯처럼 과거로부터 전해 내려오는 옛사람들의 이야기를 '고사'라고 합니다. '고사'를 인용하여 말하면 더 설득력 있게 자신의 생각을 전할 수 있습니다. 심청은 자신이 대신 동냥하러 나가겠다고 아버지를 설득하기 위해 옛사람들의 이야기를 들어 말씀드렸다고 설명해 주세요.

어법 다지기

03 '그달의 몇째 되는 날.', '몇 날.'의 뜻을 가진 명사는 '며칠'로 씁니다. '몇 일'로 적는 경우는 없으며, 항상 '며칠'로 씁니다.

▶ 본문 94~97쪽

1 신문고, 상언, 격쟁   2 ③   3 ②   4 ③   5 사회, 경제   6 ⓒ
7 조선, 상언
어휘·어법 다지기   01 (1)-ⓒ (2)-ⓒ (3)-ⓐ   02 (1) 상소 (2)
호소 (3) 계기 (4) 행차   03 (1) 하는 것이다 (2) 했기 때문이다

모든 사람들은 태어나면서부터 인간답게 살 권리가 있으며, 어떤 이유로도 인간답게 살 권리를 침해당해서는 안 됩니다. 이처럼 사람이기 때문에 당연히 누리는 권리를 ⊙인권⊙이라고 합니다. 오늘날 사람들은 억울한 누명을 쓰거나 어려운 일을 당하는 등 자신의 인권이 침해당하는 일이 생기면 경찰서에 신고를 하거나 재판을 받아서 해결할 수 있습니다.
　그러나 오늘날과 달리 조선 시대에는 신분이 높은 사람은
▶인권의 뜻
상소를 올리거나 나라의 여러 기관에 자신의 억울함을 말할
2번의 근거
수 있었지만, 일반 백성은 원통하고 억울한 일을 당해도 이를 하소연하기가 어려웠습니다. 백성이 양반에게 억울한 일을 당했을 경우, 이를 다른 사람에게 하소연하거나 소문을 내면 도리어 해를 당하는 경우도 있었다고 합니다.
　이러한 어려움을 풀어 주기 위해 백성에게 억울한 일이 있
▶억울한 일을 당한 백성이 겪는 어려움
을 때 대궐 밖에 설치된 북을 쳐서 임금에게 알리는 ⊙신문고
3번의 근거
제도⊙가 만들어졌습니다. 그러나 북을 함부로 치면 큰 벌을
받았고, 북을 칠 수 있는 사건의 종류도 제한되어 있었습니
3번의 근거
다. 또 현실적으로 서울 부근에 사는 백성들만 이용이 가능
3번의 근거
했습니다. 이러한 까닭으로 신문고 제도는 실제로는 거의 실
3번의 근거
시되지 않았습니다.
▶신문고 제도 실시
　백성들은 자신들의 억울함을 직접 호소할 수 있는 수단인
2번의 근거
⊙상언과 격쟁⊙을 만들었습니다. 상언은 백성이 임금에게 글월을 올린다는 뜻으로, 신분과 관계없이 억울한 일을 당한 사람이 한문으로 된 문서를 직접 작성하여 임금에게 호소하는 제도였습니다. 이처럼 상언은 한문으로 작성해야 했으므로
2번의 근거
문자에 익숙하지 못한 일반 백성들이 작성하기는 어려웠습니다.
▶상언 실시
　반면 격쟁은 직접 대궐에 들어가서 임금에게 호소하는 방
4번의 근거
법과 임금의 행차 때 징이나 꽹과리를 쳐서 억울함을 호소하는 방법 등으로 행해졌습니다. 상언과 달리 격쟁은 횟수에
2번, 4번의 근거
제한 없이 여러 번 할 수 있었고, 격쟁에서 말한 사실은 3일
내에 빠짐없이 임금에게 전달되어야 했기 때문에 문자를 모
4번의 근거

르는 백성들은 격쟁을 선호했습니다.
▶격쟁 실시
　시간이 흐르면서 상언과 격쟁은 백성들의 개인적인 어려움과 억울함을 호소하는 것에서 더 나아가 점차 백성들이 현실에서 겪는 사회·경제 전체의 문제를 해결하는 수단으로
5번의 근거
발전하였습니다. 따라서 상언과 격쟁은 백성들이 자신들의 권리를 깨닫고 서서히 인권 의식을 갖게 되는 계기가 되었다고 볼 수 있습니다.
▶상언과 격쟁의 의의

이렇게 지도해 주세요! 이 글은 조선 시대에 백성이 억울한 일을 당했을 때 임금에게 호소할 수 있도록 마련된 제도들을 설명하고 있습니다. 세 가지 제도들의 차이점과 특징을 중심으로 글을 읽도록 지도해 주세요.
• **주제** 조선 시대 백성들의 인권을 지키는 제도였던 신문고, 상언, 격쟁

1 이 글은 조선 시대의 백성들이 자신의 억울함을 호소하는 제도였던 신문고, 상언, 격쟁을 설명하는 글입니다.

2 상언은 한문으로 작성해야 했으므로 문자에 익숙하지 못한 일반 백성들이 작성하기 어려웠다고 하였습니다.

3 신문고 제도에서는 북을 칠 수 있는 사건의 종류가 제한되어 있었다고 하였습니다.

4 상언은 한문으로 된 문서를 작성하여 글을 올리는 제도이고, 격쟁은 징이나 꽹과리를 쳐서 억울함을 호소하는 제도라고 하였습니다.
   오답 풀이
   ① 격쟁은 상언과 달리 횟수에 제한 없이 여러 번 할 수 있었다고 하였습니다.
   ② 상언은 한문으로 작성해야 했기 때문에 백성들이 작성하기는 어려웠습니다. 따라서 신분이 낮은 백성들은 상언보다 격쟁을 선호했을 것입니다.
   ④ 격쟁에서 말한 사실은 3일 이내에 빠짐없이 임금에게 전달되어야 했습니다.
   ⑤ 신문고는 현실적으로 서울 부근에 사는 백성들만 이용이 가능했다고 하였습니다.

5 상언과 격쟁은 백성들이 현실 속에서 겪는 '사회·경제' 전체의 문제를 해결하는 수단으로 발전했다고 하였습니다.

6 상언은 한문으로 써야 했기 때문에 일반 백성들이 작성하기 어려웠다고 하였습니다. 따라서 머슴인 돌쇠가 직접 써서 임금에게 올리기는 어려웠을 것입니다.
   오답 풀이
   ⊙ 양반인 김 진사는 조선 시대에 신분이 높은 사람이므로 억울한 일이 있으면 상소를 올렸을 것입니다.
   ⓒ 장사를 하는 갑돌이는 일반 백성의 신분이므로 격쟁으로 억울한 일을 호소했을 것입니다.

7 이 글은 '조선' 시대에 백성들이 억울함을 호소하는 제도였던 신문고, '상언', 격쟁을 설명하고 있는데, 이 제도들은 백성들이 인권 의식을 갖는 계기가 되었다고 하였습니다.

생각 글 쓰기

◆예시 답안 백성들이 개인적 문제에서 출발하여 사회 전체적인 문제까지 생각하게 되면서 인권 의식을 갖게 되었다.

이렇게 지도해 주세요! 상언과 격쟁은 개인적인 문제에서 더 나아가 점차 사회·경제 전체의 문제를 해결하는 수단으로 변화했다고 하였습니다. 이 일은 백성들 스스로 자신들의 권리를 깨닫고 인권 의식을 갖는 계기가 되었다고 설명해 주세요.

어법 다지기

03 올바른 문장 표현을 하기 위해서는 필요한 문장 성분을 갖추어야 하고, 문장 성분 간의 호응을 고려해야 합니다.
(1)은 주어 '목표는'과 어울리는 서술어 '것이다'를 넣어야 알맞게 이루어진 문장이 됩니다.
(2)는 주어 '까닭은'과 어울리는 서술어 '때문이다'를 넣어야 알맞게 이루어진 문장이 됩니다.

22회 초등학생들의 화장을 금지해야 할까?

▶ 본문 98~101쪽

1 ① 2 ② 3 ㉠ 4 관심, 화장 5 ① 6 개성, 피부
어휘·어법 다지기 01 (1)-㉠ (2)-㉢ (3)-㉡ (4)-㉣ 02 (1) 전략 (2) 모방 (3) 공유 (4) 동경 03 (1) 일부로 (2) 일부러

요즘 초등학생 친구들이 화장을 하고 다니는 모습을 흔히
_{2번의 근거}
볼 수 있습니다. 한 설문 조사 결과에 따르면 화장품을 사용하는 초등학생의 비율이 무려 42퍼센트이고, 이 중 43퍼센트는 초등학교 5학년 때부터 화장을 시작했다고 합니다. 친구들끼리 생일 선물로 화장품을 주고받고, 또래끼리 화장품 정보나 화장법을 공유한다는 친구들도 많았습니다.
▶초등학생들의 화장 문화

설문 조사에서 초등학생들이 화장을 하는 까닭으로 꼽은 것은 첫 번째가 '자기 만족(57퍼센트)'이었고, '다른 사람의 시선 의식(25퍼센트)', '호기심(8퍼센트)'이 그 뒤를 이었습니다. 즉 초등학생들이 남들에게 예쁘게 보이고 싶어서 화장을 할 것이라는 어른들의 예상과는 달리, 자신의 만족을 위해
_{2번의 근거}
화장하는 아이들이 많다는 것입니다. ▶초등학생들이 화장하는 까닭

그렇다면 화장하는 초등학생들이 늘어나고 이것이 문화로 자리잡게 된 까닭은 무엇일까요? 무엇보다 화장품 회사의 마케팅 전략이 적중했다는 점을 꼽을 수 있습니다. 초등학생들 사이에서는 특정 화장품을 광고 모델의 이름을 따서 '○○의 비비크림', '○○의 틴트'로 부르는 일이 흔합니다. 연예인을 동경하고 모방하려는 심리가 강한 아이들에게는 십대들이 좋아하는 아이돌이나 배우를 모델로 내세워 광고하는 이러한 마케팅 전략이 힘을 발휘하는 것입니다.
▶화장품 회사의 마케팅 전략

이처럼 초등학생들에게 화장 문화가 널리 퍼지면서 우리
_{2번의 근거}
가 함께 고민해야 할 문제도 늘고 있습니다. 화장은 초등학
_{2번의 근거}
생들에게 자신의 개성과 아름다움을 표현하는 수단이 될 수 있습니다. 그리고 자외선 차단제나 보습제처럼 아이들의 피부에 꼭 필요한 화장품들도 있습니다. 따라서 ㉠초등학생들에게도 자유롭게 화장할 권리를 허락해야 한다는 목소리가 높아지고 있습니다.
▶초등학생들의 화장에 따른 문제

그러나 청소년기는 화장을 하기에 이른 시기이며 초등학생 신분에 화장을 하는 것은 바람직하지 않기 때문에 ㉡화장을 금지해야 한다는 의견도 있습니다. 자아 정체성이 완전히 성립되지 않은 청소년 시기의 아이들은 또래 집단의 영향을 크게 받아 본인의 외모에 만족하지 못하고, 미디어가 정해
_{2번의 근거}

놓은 기준에 자신을 맞추려고 하는 경향이 있습니다. 그 결과 미디어에 노출되는 아이돌 스타의 화장을 무분별하게 모방하거나 매력적인 외모에만 집착하여 학업에 소홀할 수 있습니다. 또한 아이들은 자신에게 맞는 화장품, 올바른 화장법, 피부 건강 등에 대한 지식이 부족하기에 자칫 잘못된 화장품을 사용해서 피부 건강이 상하고 심각한 부작용에 시달릴 위험도 있습니다. ▶초등학생들의 화장을 금지해야 한다는 의견

초등학생들이 화장을 하면서 겪는 문제를 예방하기 위해서는 "너희들의 있는 모습 그대로가 예뻐."라고 말만 할 것이 아니라, 외모에 대한 올바른 인식을 심어 주고 올바른 화장 방법을 알려 주어야 합니다. 타고난 외모나 인위적으로 꾸민 아름다움이 아니라 내면의 아름다움과 가치를 칭찬하는 사회가 되어야 합니다. 또한 화장을 하는 초등학생들에게 올바른 피부 관리법을 알려 주고 ㉮화장품 안전 교육을 실시해야 합니다. 이처럼 학교, 가정, 사회 모두가 초등학생들의 화장에 관심을 가지고, 올바른 화장 문화를 만들도록 이끌어 가는 것이 바람직합니다. ▶초등학생들의 올바른 화장 문화 조성
_{4번의 근거}

이렇게 지도해 주세요! 이 글은 초등학생 때부터 화장을 하는 문화가 생기고 있음을 설명하고, 화장을 하는 것에 찬성하는 시각과 반대하는 시각을 보여 주었습니다. 찬성과 반대의 근거를 자세히 설명해 주시고, 화장에 대한 올바른 관점을 갖도록 지도해 주세요.
• **주제** 초등학생들의 화장 문화에 대한 시각과 올바른 화장 문화

1 이 글은 초등학생들의 화장에 대해 찬성하는 의견과 반대하는 의견을 근거를 들어 제시하고, 학교와 사회, 가정 모두가 관심을 가지고 올바른 화장 문화를 만들도록 이끌어 가자고 주장한 글입니다. 제목은 '초등학생들의 화장을 금지해야 할까?'가 가장 알맞습니다.

2 초등학생들의 화장을 찬성하는 입장에서는 초등학생들의 화장이 자신의 개성과 아름다움을 표현하는 수단이 될 수 있다고 하였습니다.

오답 풀이
① 화장품을 사용하는 초등학생의 비율이 무려 42퍼센트라고 하였습니다.
③ 설문 조사에 따르면 화장을 하는 첫 번째 까닭이 '자기 만족'입니다.
④ 초등학생들이 화장하는 것을 허락해야 한다는 입장과 화장하는 것을 금지해야 한다는 입장이 있습니다.
⑤ 청소년 시기의 아이들은 자아 정체성이 확립되지 못해서 미디어가 정해 놓은 외모의 기준에 자신을 맞추려고 합니다.

3 **보기**에서는 아름다움을 추구하는 것은 기본적인 욕구이며, 초등학생들에게도 성인과 마찬가지로 개성을 표현할 권리가 있다고 하였습니다. 이는 초등학생들에게도 자유롭게 화장할 권리를 허락해야 한다는 ㉠을 뒷받침하는 내용입니다.

4 이 글의 주제는 마지막 문단에 잘 나타나 있습니다. 학교, 가

정, 사회 모두가 초등학생들의 화장에 '관심'을 가지고 올바른 '화장' 문화를 만들도록 이끌어 가자고 하였습니다.

5 ㉮는 화장을 하는 아이들이 자신에게 맞는 화장품을 찾고 올바른 화장법으로 화장할 수 있도록 알려 주는 교육입니다. 연예인이 광고한 제품도 화장품의 성분과 기능을 확인하기 전까지는 안전성이 검증되었다고 볼 수 없습니다.

6 초등학생들의 화장을 찬성하는 입장에서는 화장이 '개성'과 아름다움을 표현하는 수단이라고 보았습니다. 반면 이를 반대하는 입장에서는 어린 나이부터 학생들이 화장을 하면 '피부'가 망가질 수도 있다고 보았습니다.

생각 글 쓰기

◆예시 **답안** 겉으로 보이는 모습이 아니라 내면의 아름다움과 가치를 칭찬하는 사회가 되어야 한다.

이렇게 지도해 주세요! 외적인 아름다움만을 추구하는 사회에서는 초등학생들도 외모에만 관심을 가지게 될 것입니다. 외모에 대한 평가를 함부로 하지 않고, 겉으로 드러나는 모습보다 내면의 아름다움과 가치를 존중하는 사회가 되어야 함을 지도해 주세요.

어법 다지기

03 '일부러'는 '어떤 목적이나 생각을 가지고. 또는 마음을 내어 굳이.', '알면서도 마음을 숨기고.'라는 뜻을 가진 말입니다. 누리집에 '일부러'를 검색하면 연관 검색어에 '일부로'가 뜰 만큼 '일부러'와 '일부로'를 혼동하는 사람들이 많습니다. 하지만 '일부로'는 잘못된 표현입니다.

▶ 본문 102~105쪽

1 쓰나미 2 ① 3 ㉠ 4 화산 폭발, 지각 변동 5 동북부, 쓰나미, 파도, 지진파 6 파도, 바다, 속도

어휘·어법 다지기 01 (1)-ⓒ (2)-ⓛ (3)-㉠ 02 (1) 굴곡 (2) 타격 (3) 섣불리 03 (1) 개발 (2) 계발

2011년 3월 11일, 일본 동북부에서 일본 관측 사상 최대 규모인 리히터 규모 9.0의 지진이 발생했습니다. _{5번의 근거} 이 지진으로 인해 높이 10미터 이상 최고 40미터에 달하는 거대 쓰나미가 일어났습니다. 파도는 순식간에 도시를 덮쳤고, 지진에 의한 사망 및 실종자 1만 8,526명, 건축물의 파손 및 붕괴 39만 9,251가구, 피난민 40만 명 이상이라는 큰 피해가 발생했습니다. 또한 강력한 쓰나미로 후쿠시마 원자력 발전소가 피해를 입으면서 많은 양의 방사능이 유출되어 일본은 큰 타격을 받게 되었습니다. 쓰나미의 위력이 얼마나 대단하기에 평화롭던 마을을 순식간에 쑥대밭으로 만들고, 많은 사람들의 목숨을 앗아갔을까요? ▶쓰나미의 위력

쓰나미(Tsunami)는 해안을 뜻하는 일본어 '쓰'(Tsu)와 파도를 뜻하는 일본어 '나미'(Nami)가 합쳐진 말로, 항구에 불어닥친 비정상적으로 높은 파도를 가리키는 일본어에서 비롯된 _{2번의 근거} 용어입니다. 과학적으로는 깊은 바다 밑에서 지진이나 화산 폭발이 발생하면서 지각 변동이 생기고, 그 에너지로 인해 생_{4번의 근거} 긴 거대한 파도가 해안가에 도달하는 현상을 말합니다. ▶쓰나미의 어원과 뜻

그렇다면 왜 멀고 깊은 바다에서 일어난 지각의 변화가 수십 미터 높이의 해일을 만드는 것일까요? 깊은 바다에서 지각 변동이 일어나면 바닷속 지각의 높이가 달라지면서 지각 위에 있던 바닷물의 수면도 굴곡이 생겨 높이가 달라집니다. 그리고 달라진 해수면의 높이가 다시 같아지려 하면서 상하 방향으로 큰 출렁거림이 생겨나게 됩니다. 이때 바닷물의 출렁거림, 즉 파동은 옆으로 계속 전달되어 가는데 이것이 바로 지진 해일인 쓰나미를 발생시킵니다. 쓰나미는 처음에 발_{2번의 근거} 생한 먼 바다에서 보면 그 움직임이 크게 느껴지지 않지만, 이 해일이 해안에 가까워지면 바다의 깊이가 얕아져서 해일의 속도가 줄어들고 에너지는 좁은 범위로 압축되면서 파도의 높이가 크게 높아집니다. 그렇기 때문에 먼 바다에서는 그다지 대수롭지 않았던 파도가 해안에서는 높이 수십 미터의 큰 파도가 되어 도시 전체를 덮치기도 하는 것입니다. ▶쓰나미가 생기는 까닭

지금의 과학 기술로 지진 발생 시간은 예측하기 어렵지만, _{2번의 근거} 쓰나미의 도착 시간은 예측할 수 있다고 합니다. 쓰나미의 _{2번의 근거} 속도가 지진파보다 늦다는 것을 이용하는 것이지요. 한 예로 칠레 해안에서 발생한 지진의 경우 지진파가 하와이 호놀룰루까지 도달하는 데 13분 52초가 걸린 반면, 쓰나미는 15시간 29분이나 걸렸다고 합니다. 따라서 쓰나미로 인한 피해는 예보를 통해서 최소화할 수 있습니다. ▶쓰나미 도착 시간 예측하기

쓰나미 관련 특보가 발표되면 바다에서 수영을 하거나 보트 놀이를 하는 등 해안가에서 하던 모든 행위를 중지해야 합니다. 그리고 즉시 높은 지역으로 대피해야 하며, 높은 지역으로 이동할 시간이 부족하다면 15미터 이상의 튼튼하고 높은 건물의 옥상으로 대피해야 합니다. _{3번의 근거} 지진이 발생한 뒤 여진이 뒤따르는 것처럼 쓰나미도 한 번으로 끝나는 게 아니라 여러 차례 발생할 수 있습니다. 그러므로 해일이 지나갔_{3번의 근거} 다고 해서 섣불리 낮은 지대로 내려오지 말고, 안전하다는 방송이 나오기 전까지는 대피해 있어야 합니다. ▶쓰나미 대피 방법

이렇게 지도해 주세요! 이 글은 쓰나미의 뜻과 발생 원인, 쓰나미가 발생했을 때의 대피 요령을 설명하고 있습니다. 올바른 대피 요령을 알 수 있도록 지도해 주세요.
• **주제** 쓰나미의 정의와 발생 원인, 대피 요령

1 이 글은 2011년 일본 동북부에 큰 피해를 끼친 '쓰나미'의 뜻과 발생 원인, 대피 요령 등을 설명한 글입니다.

2 지금의 과학 기술로 지진 발생 시간은 예측하기 어렵지만, 쓰나미의 도착 시간은 예측할 수 있다고 하였습니다. 지진 발생 시간을 예측할 수 있는 것은 아닙니다.

오답 풀이
② 쓰나미(Tsunami)는 해안을 뜻하는 일본어 '쓰'(Tsu)와 파도를 뜻하는 일본어 '나미'(Nami)가 합쳐진 말입니다.
③ 쓰나미는 먼 바다에서 보면 그 움직임이 크게 느껴지지 않지만 이 해일이 해안에 가까워지면서 파도의 높이가 크게 높아집니다.
④ 쓰나미의 속도가 지진파보다 늦습니다.
⑤ 깊은 바다에서 지각 변동이 일어나면 해수면의 높이가 다시 같아지려고 상하 방향으로 큰 출렁거림이 일어납니다. 이때 바닷물의 출렁거림이 옆으로 전달되어 쓰나미를 발생시킵니다.

3 쓰나미가 발생하면 해안가에서 하던 모든 행위를 중지하고 높은 지역으로 대피하라고 하였습니다. 바닷가의 배 안으로 대피하라는 ㉠은 대피 요령으로 알맞지 않습니다.

4 쓰나미는 깊은 바다에서 지진이나 '화산 폭발'이 발생하면서 일어난 '지각 변동' 때문에 생기는 거대한 파도라고 하였습니다.

5 2011년 일본 '동북부'에서 '쓰나미'가 발생하였는데, 쓰나미는 거대한 '파도'가 해안가에 도달하는 현상이라고 하였습니다.

또 쓰나미의 속도가 '지진파'보다 느려서 도착 시간을 예측할 수 있다고 하였습니다.

6 쓰나미는 해안을 뜻하는 일본어 '쓰'(Tsu)와 '파도'를 뜻하는 일본어 '나미'(Nami)가 합쳐진 말이라고 하였습니다. 깊은 '바다'에서 일어난 지각 변동으로 인해 생긴 파동으로 발생하며, 쓰나미의 '속도'가 지진파보다 늦다는 것을 이용하면 예측이 가능하다고 하였습니다.

생각 글 쓰기

◆ 예시 답안 해일이 해안에 가까워지면 바다의 깊이가 얕아져서 해일의 속도가 줄어들고 파도의 높이가 높아진다.

이렇게 지도해 주세요! 쓰나미는 먼 바다에서 보면 그 움직임이 크게 느껴지지 않으나, 이 해일이 해안에 가까워지면 바다의 깊이가 얕아져서 해일의 속도가 줄어들고 에너지는 좁은 범위로 압축되면서 파도의 높이가 크게 높아진다고 설명해 주세요.

어법 다지기

03 '개발'과 '계발'은 생김새와 뜻이 비슷하지만 서로 다른 낱말입니다. 둘 다 무엇을 발전시킨다는 뜻이지만, '개발'이 '계발'보다 더 광범위하게 사용됩니다. '계발'은 발전 중에서도 추상적이고 정신적인 영역에서의 발전을 뜻합니다. 따라서 '자원 계발, 신소재 계발'과 같은 표현은 잘못된 표현입니다.

24회 마틴 루서 킹

▶ 본문 106~109쪽

1 마틴 루서 킹 2 ③ 3 백인 4 인권, 흑인 5 ④ 6 버스 안 타기, 투표권

어휘·어법다지기 01 (1)-ⓒ (2)-㉠ (3)-ⓒ 02 (1) 차별 (2) 단결 (3) 체포 03 ④

마틴 루서 킹은 1929년 미국 애틀랜타에서 목사의 아들로
2번의 근거
태어났습니다. 그는 어릴 때 한 백인 친구의 아버지가 친구에게 흑인과 같이 놀지 말라고 말하는 것을 듣고 충격을 받았고, 처음으로 인종 차별에 눈을 뜨게 되었습니다. 미국의 흑인들은 단지 피부색이 검다는 이유로 식당에 출입하지 못하거나 버스에 앉지 못하는 등 오래도록 차별을 받아 왔습니다. 그리고 백인들은 이런 차별을 당연하게 여겼습니다. 킹은 백인이 흑인에게 행하는 차별과 폭행을 지켜보고 자라면서 인종 차별을 없애야겠다는 생각을 갖게 되었습니다. 그리고 더 많은 사람들에게 흑인의 자유와 평등을 이야기하기 위
2번의 근거
해 신학을 공부한 뒤 목사가 되었습니다.
▶인종 차별 의식을 갖게 된 마틴 루서 킹

1955년 12월 1일, 로사 파크는 집으로 가기 위해 버스를 탔습니다. 버스 운전 기사는 백인 좌석이 가득 차 있는 것을 보고 로사 파크를 포함한 네 명의 흑인들에게 일어나라고 요구했습니다. 그녀는 자리를 양보하지 않은 죄로 체포되어 벌금형을 선고받았습니다. 이 사건을 계기로 마틴 루서 킹 목사를 비롯한 흑인 지도자들은 일 년 넘게 '버스 안 타기' 운동을 전개했습니다. 흑인끼리 차를 태워 주거나 짧은 거리는 걸어 다니고, 말을 타고 다니기까지 했습니다. 결국 1956년 11월 13일, 법원은 버스에서 인종 차별을 하는 것은 불법이며, 피부색에 따라 버스 좌석을 나누는 것을 금지한다는 판결을 내렸습니다. 킹 목사의 '버스 안 타기' 운동은 폭력이 아
2번의 근거
닌 평화로운 방법으로도 인종 차별 문제를 해결할 수 있다는 사실을 보여 준 것입니다. 이러한 평화적인 방법은 흑인뿐 아니라 백인들의 마음도 움직일 수 있었습니다.
▶평화로운 방법으로 인권 운동을 펼침.

킹 목사는 링컨의 노예 해방 선언 100주년을 기념해 1963년 8월 워싱턴에서 인종 차별에 반대하는 평화 행진 대회를 열었습니다. 전국에서 수십만 명의 흑인이 모여 사상 최대 규모의 흑인 시위를 벌였고, 여기에서 킹 목사는 ㉠"나에게는 꿈이 있습니다."라는 명연설을 남겼습니다. 그는 이렇게 흑인 인권을 위해 보여 준 노력과 성과를 인정받아 1964년에

노벨 평화상을 받았습니다. ▶흑인 인권 운동으로 노벨 평화상 수상

하지만 그 후에도 여전히 흑인들은 가난했고, 투표권을 가지고 있어도 실제로 투표하기는 어려웠습니다. 흑인은 투표하려면 세금을 내야 했고, 정치·사회 문제를 풀어 시험에 통과해야 했기 때문입니다. 국가에서는 백인에게 쉬운 문제를, 흑인에게 어려운 문제를 내어 흑인이 투표하는 것을 방해했습니다. 이에 킹 목사는 흑인들의 투표권을 요구하며 평화적인 행진을 했습니다. 결국 1965년에 존슨 대통령은 인종 차별을 금지하는 법에 서명했고, 마침내 흑인도 투표할 수 있는 권리를 얻었습니다. ▶흑인의 투표권 쟁취 운동

킹 목사는 계속해서 세계 평화를 위한 노력을 이어 갔습니다. 전 세계의 가난한 사람을 돕기 위해 행진을 했고, 베트남 전쟁에도 반대했습니다. 그러던 1968년, 그는 그에게 반대하는 백인의 총에 맞아 숨을 거두었습니다. 그러나 킹 목사의 <u>2번의 근거</u> 영웅적 투쟁은 많은 흑인들이 자긍심을 가지고 단결하는 계기가 되었습니다. <u>그는 미국 역사상 가장 위대한 흑인 중 한</u> <u>4번의 근거</u> <u>사람으로 평가받고 있으며,</u> 미국에서는 킹 목사의 업적을 기리고자 1월 세 번째 월요일을 마틴 루서 킹의 날로 정하고 있습니다. ▶킹 목사의 죽음과 업적

이렇게 지도해 주세요! 이 글은 흑인들의 인권 신장을 위해 노력하며 살다 간 마틴 루서 킹 목사에 대한 글입니다. 인권이 무엇이며 왜 중요한지에 대해 쉽게 설명해 주세요.
• **주제** 흑인 인권을 위해 노력한 마틴 루서 킹 목사

1 이 글은 흑인 인권 보호 운동에 앞장선 마틴 루서 킹의 생애에 대한 이야기입니다.

2 마틴 루서 킹은 흑인 차별에 반대하기 위해 '버스 안 타기' 운동을 전개하였고, 평화적인 방법으로 인종 차별 문제를 해결하였습니다.

3 킹 목사가 워싱턴에서 남긴 "나에게는 꿈이 있습니다."라는 연설은 사람이 피부색이 아니라 인격으로 평가받고, 흑인과 백인이 평등하게 손을 잡는 날이 올 것이라는 내용입니다. 즉 흑인도 '백인'과 똑같은 인간으로 동일하게 대우받아야 한다는 내용을 담고 있습니다.

4 이 글의 마지막 문단을 보면, 흑인의 '인권' 신장을 위해 투쟁한 킹 목사는 미국 역사상 가장 위대한 '흑인' 중 한 사람으로 평가받고 있다고 하였습니다.

5 마틴 루서 킹은 백인들에게 차별받으며 가난하게 살았던 흑인들의 인권 신장을 위해 평생을 노력한 인물입니다. 이와 비슷한 삶을 산 인물은 인도의 가난하고 아픈 사람들을 위해 평생을 봉사한 테레사 수녀입니다.

오답 풀이
① 퀴리 부인은 방사능 연구를 한 과학자입니다.
② 세종 대왕은 한글을 만든 조선 시대의 훌륭한 왕입니다.
③ 에디슨은 여러 가지 발명품을 만든 발명가입니다.
⑤ 베토벤은 장애를 극복한 뛰어난 작곡가입니다.

6 마틴 루서 킹은 '버스 안 타기' 운동을 하여 평화적으로 인종 차별 문제를 해결하였습니다. 흑인이 '투표권'을 얻은 뒤에도 계속해서 인권 신장을 위해 노력하였습니다.

생각 글 쓰기

◆예시 답안 마틴 루서 킹 목사가 흑인들이 자긍심을 갖고 인권을 위해 투쟁할 수 있도록 이끌었기 때문이다.
이렇게 지도해 주세요! 킹 목사는 흑인 인권 신장을 위해 평생 노력하였고, 흑인들이 자신들의 인권에 관심을 갖고 함께 평화적으로 투쟁할 수 있도록 이끌었기 때문에 미국에서 가장 위대한 흑인 중 한 사람으로 평가받는다고 설명해 주세요.

어법 다지기

03 ④는 '폭풍 경보'와 어울리는 서술어 '발령하다'가 있고 '대피'와 어울리는 서술어 '권고하다'가 있어 목적어와 서술어의 호응이 알맞게 이루어졌습니다.

오답 풀이
① '동생에게 빵을 주고 어머니께 빵을 드렸다.'라고 고쳐야 합니다.
② '오후에 케이크를 먹고 차를 마셨다.'라고 고쳐야 합니다.
③ '비가 와서 우산을 쓰고 장화를 신었다.'라고 고쳐야 합니다.
⑤ '짐승은 다른 동물에게 잡아먹히기도 하고, 다른 동물을 잡아먹기도 한다.'라고 고쳐야 합니다.

1 시간, 시간 2 ④ 3 ⑤ 4 ⓒ 5 유하 6 미래, 우선순위
어휘·어법 다지기 01 (1)-ⓒ (2)-㉠ (3)-ⓛ (4)-ⓔ 02 (1) 한
정 (2) 시도 (3) 풍요 (4) 가치 03 (1) 토의 (2) 토론

우리의 생활을 유지하고 풍요롭게 하기 위해 사용하는 모든 것을 생활 자원이라고 합니다. 생활 자원은 옷, 음식, 집, 돈 등과 같이 형태가 있는 자원과 시간, 지식, 기술, 흥미 등과 같이 형태가 없는 자원으로 나눌 수 있습니다. (2번, 3번의 근거) 생활 자원 중 하나인 시간은 누구에게나 똑같이 주어지는데, 사용하는 사람이 어떻게 관리하느냐에 따라 그 가치가 달라지기도 합니다. (3번의 근거)
▶생활 자원 중 하나인 시간

시간의 특성을 살펴보면, 시간은 어른이나 아이, 국가와 지역, 남자와 여자 구분 없이 모든 사람에게 하루 24시간이 똑같이 주어집니다. (3번의 근거) 또한 시간은 저장하거나 정지할 수 없으며, 한번 지나가면 되돌릴 수도 없는 한정된 자원입니다. (3번의 근거) 그렇다면 이렇게 소중한 시간을 헛되이 흘려보내지 않으려면 어떻게 해야 할까요?
▶한정된 시간 자원

먼저 내가 시간을 어떤 관점으로 바라보고 있는지 알아야 합니다. 시간은 바라보는 관점에 따라 크게 두 가지로 나눌 수 있습니다. 그중 하나는 미래를 위한 시간입니다. 우리는 미래에 꿈을 이루고 원하는 것을 얻기 위해 노력하며 시간을 보냅니다. 특히 어린이나 청소년은 '미래를 위한 시간'을 많이 가지게 됩니다. (2번의 근거) 예를 들어 우리는 공부나 운동을 하고 악기를 배우거나 그림을 그리기도 하며, 다양한 것들을 시도하고 여러 사람들을 만나며 열심히 배웁니다. 이런 시간들은 미래에 정신적으로도 성숙한 사람이 되기 위한 영양분이 됩니다. 그러나 이렇게 '미래를 위한 시간'을 갖는 동안에도 '현재를 위한 시간'도 가져야 합니다.
▶미래를 위한 시간

⑦ '현재를 위한 시간'은 무엇일까요? '현재를 위한 시간'은 '미래의 나'를 가꾸는 시간이 아닌 '현재의 나'를 위해 보내는 시간입니다. 미래를 준비하는 시간도 꼭 필요하지만 현재의 '내'가 행복할 수 있는 시간을 보내는 것도 매우 중요합니다. 미래를 위해 준비하다가 몸이 지쳤다면 휴식을 취하면서 회복할 수 있는 시간을 갖고, 마음이 지쳤다면 마음을 달래 줄 수 있는 시간을 가져야 합니다. 현재의 '내'가 건강하고 행복해야 미래의 '나'를 가꾸는 시간도 알차게 보낼 수 있고, 현재의 '나'도 미래의

'나' 못지않게 소중하기 때문입니다.
▶현재를 위한 시간

시간을 어떻게 보내고 싶은지 생각했다면 이제 시간을 절약하기 위해 어떤 일이 더 중요하고 먼저 해야 하는 일인지 따져 보고 그에 맞게 앞으로 할 일의 순서를 정해야 합니다. (2번의 근거) 예를 들어 두 달 뒤에 마라톤 대회에 나갈 경우를 생각해 봅시다. 마라톤에 나가서 좋은 성적을 얻으려면 열심히 연습해야 합니다. 그런데 2주 뒤에 중간고사가 있다면 무엇을 먼저 준비해야 할까요? 중간고사를 볼 때까지는 공부를 먼저 한 뒤에 남는 시간에 마라톤 연습을 하는 것이 현명합니다. (2번의 근거) 일의 우선순위가 바뀌는 것이지요.
▶우선순위 정하기

우선순위를 정한 후에는 각각의 일에 대한 목표와 그 목표를 이룰 실행 계획을 세워 봅시다. '매일매일 2시간 이상 달리기 연습하기'와 같이 구체적인 계획이 좋습니다. 목표가 뚜렷하게 잡히고 계획이 세워졌다면 그날그날 할 일을 우선 순위에 따라 순서대로 실천할 수 있습니다. 그것이 바로 시간을 효율적으로 관리하는 것입니다. 그리고 실천한 뒤에는 목표를 달성했는지 평가하고 다음 계획을 세울 때 반영합니다. (2번의 근거)
▶시간 관리의 순서

이렇게 지도해 주세요! 이 글은 시간의 특성을 설명하고, 시간 관리가 중요한 까닭을 말해 주고 있습니다. 시간을 잘 활용하기 위해 어떻게 계획을 세우고 실천해야 하는지 알 수 있도록 지도해 주세요.
• **주제** 시간의 특성과 시간 관리의 비법

1 이 글은 한정되어 있기 때문에 더 소중한 시간의 특성을 설명하고, 어떻게 시간을 관리해야 하는지 구체적인 방법을 소개한 글입니다.

2 시간을 절약하기 위해서는 어떤 일이 더 중요한지를 따져 보고 그에 맞게 우선순위를 정해야 한다고 하였습니다. 처음에 일의 순서를 정하였다고 해도 상황에 따라 우선순위는 바뀔 수 있는 것이므로, 무조건 처음 정한 순서대로 일을 진행하는 것은 알맞지 않습니다.

3 시간은 누구에게나 똑같이 주어지지만 사용하는 사람이 어떻게 관리하느냐에 따라 그 가치가 달라지기도 한다고 하였습니다.

4 시간 관리를 위해서는 일에 대한 목표와 그 목표를 이룰 실행 계획을 세우고, 우선순위에 따라 할 일을 실천한 뒤 목표를 달성하였는지 평가해야 합니다. 문제에서는 '방과 후 활동 전에 틈틈이 책을 읽기'로 계획한 뒤, 잠자기 전에 책을 읽은 것으로 실천하였으므로 실천 방법이 잘못되었습니다.

5 ⑦에서는 현재의 '나'를 위한 시간도 중요하므로, 현재의 '내'가 행복할 수 있는 시간을 보낼 것을 강조하였습니다. 그런데 유하는 매일 축구 연습을 하느라 친구들과 만날 시간도 없고

집에도 항상 늦게 들어가서 지쳤지만 미래에 축구 선수가 될 생각을 하면서 힘을 내고 있다고 하였습니다. 이것은 현재의 '나'보다는 미래의 '나'를 위한 시간을 보내고 있는 것이므로 ㉮에서 강조한 내용과 다르게 행동한 것입니다.

6   시간의 종류에는 '미래'를 위한 시간과 현재를 위한 시간이 있다고 하였습니다. 시간을 절약하기 위해서는 먼저 '우선순위'를 정해야 한다고 하였습니다.

생각 글 쓰기

◆예시 **답안**   현재의 '내'가 건강하고 행복해야 미래의 '나'를 가꾸는 시간도 알차게 보낼 수 있고, 현재의 '나'도 미래의 '나' 못지않게 소중하기 때문이다.

이렇게 지도해 주세요!   미래의 시간을 위해서 현재의 즐거움과 행복을 포기하고 노력한다면, 현재의 '나'는 행복하지 않을 것입니다. 현재의 '나'와 미래의 '나' 모두 소중하다는 것을 일깨워 주세요.

어법 다지기

03   '토의(討議)'는 어떤 문제에 대하여 검토하고 협의하는 것을 말하고, '토론(討論)'은 어떤 문제에 대하여 여러 사람이 각각 의견을 말하며 논의하는 것을 말합니다. '토의'와 '토론'은 목적이 다른데, '토의'는 어떠한 사안에 대해 협의하는 것이 목적이고, '토론'은 서로 다른 주장을 가지고 있는 사람들이 자기의 주장을 펼쳐 상대를 설득하는 것이 목적입니다. 따라서 (1)은 '토의', (2)는 '토론'이 알맞습니다.

26회   문화재 반환 문제
▶ 본문 114~117쪽

1 문화재   2 ⑤   3 ④   4 ④   5 역사, 후대   6 (가), (다), (마), (나), (라)
어휘·어법 다지기   01 (1)-ⓒ (2)-ⓛ (3)-㉠   02 (1) 환수 (2) 유출 (3) 추정 (4) 협약   03 (1) 중개 (2) 중계

문화재란 조상의 문화 활동으로 만들어진 결과물 중 가치가 높다고 인정되는 것들을 일컫는 말입니다. 「문화재는 민족의 얼과 숨결이 담긴 민족의 역사와 같은 것이기 때문에 우리는 그것을 잘 보존해 후대에 물려줄 의무가 있습니다.」 그
²번의 근거
나라의 민족성과 문화를 이해할 수 있는 문화재는 후대 사람
「」: 5번의 근거
들이 어떻게 판단하고 보존하느냐에 따라 그 가치가 달라집니다.
▶문화재의 개념과 가치

그러나 우리나라의 많은 문화재는 일제 강점기와 한국 전쟁 중에 해외로 빠져나갔습니다. 이렇게 해외로 빠져나간 문화재의 숫자는 정확히 헤아릴 수 없으나, 대략 17만여 점이며 확인되지 않은 것까지 포함하면 그 수는 더 많을 것으로 추정됩니다. 하지만 안타깝게도 우리가 해외로 유출된 문화재에 관심을 두지 않는 동안 수십 년이 지났고 지금까지도 우리의 문화재를 되돌려 받지 못하고 있습니다.
2번의 근거   ▶우리나라 해외 유출 문화재의 실태
과거 오랜 시간 동안 해외로 빠져나간 문화재는 대부분 불법적으로 유출된 것입니다. 주로 식민지 지배 시기나 국가 간의 전쟁 중에 강대국이 약소국의 문화재를 강제로 약탈하고, 불법적인 과정으로 문화재의 소유권을 다른 국가로 넘기는 경우가 많았습니다. 우리나라도 역사의 소용돌이 속에서 수많은 문화재를 일본, 미국, 프랑스 등의 강대국에 빼앗겼습니다. 일본, 미국, 프랑스뿐만 아니라 많은 제국주의 시대의 강대국들이 식민지 국가들의 문화재를 약탈했기 때문에, 현재 많은 나라에서 문화재 반환에 관한 분쟁이 자주 일어나고 있습니다.
2번의 근거   ▶불법적으로 유출된 문화재 반환 문제와 분쟁

유엔에서는 불법적으로 유출된 문화재 환수에 대한 국제 협약을 맺으려고 시도하고 있습니다. 하지만 이 협약은 강제
2번의 근거
력이 없으며 1970년 이후에 거래된 문화재에만 적용된다는 한계가 있습니다. 결국 문화재 반환은 문화재를 빼앗긴 국가가 문화재 환수를 위해 문화재를 가진 국가나 개인과 협상하거나 문화재를 다시 구입하는 형태로 이루어지고 있습니다. 그러나 최근에는 ㉠문화재를 역사의 산물로 보는 관점에서

문화재들을 본국으로 돌려보내야 한다는 인식이 많은 사람
_{3번의 근거}
의 공감을 얻고 있습니다.　　　▶문화재 환수에 대한 협약과 인식

　문화재 반환 문제는 국제적인 이해 관계가 얽혀 있는 복잡
한 문제입니다. 그래서 한 개인의 노력으로 해결할 수 있는
문제가 아니라 정부와 개인이 함께 힘을 합쳐 노력해야 해결
할 수 있는 문제입니다. 문화재를 사랑하고 문화재에 관심을
가지는 국민이 늘어날수록 문화재 반환 문제가 더 수월하게
해결될 수 있을 것입니다. 우리는 해외로 유출된 우리 문화
_{4번의 근거}
재에 관심을 가지고 불법으로 외국에 나간 우리 문화재가 다
시 우리나라로 돌아올 수 있도록 계속 노력해야 합니다.
　　　　　　　▶문화재 환수를 위해 노력해야 하는 까닭

이렇게 지도해 주세요! 이 글은 우리 문화재가 해외로 유출된 까닭과
문화재 유출 실태를 알리고, 문화재 환수를 위해 노력할 것을 당부한
글입니다. 해외에 있는 우리 문화재에 관심을 가질 수 있도록 지도해
주세요.
• **주제** 문화재 반환 문제와 환수를 위한 노력

---

1 이 글은 문화재가 해외로 유출된 까닭을 설명하고, 국가와 개
　인이 문화재 환수를 위해 노력해야 한다고 주장한 글입니다.
　따라서 가장 중요한 낱말은 '문화재'입니다.

2 유엔에서 불법적으로 유출된 문화재 환수에 관한 협약을 맺
　으려고 시도하고 있으나, 이 협약은 강제력이 없다고 하였습
　니다.

3 ㉠은 문화재를 역사의 산물로 보는데, 이는 문화재가 그것을
　만든 나라의 역사와 같다고 보는 관점입니다. 따라서 ㉠과 같
　은 입장에서는 유출된 문화재를 본국으로 돌려보내야 한다고
　주장할 것입니다.

　오답 풀이
　① ㉠은 문화재가 문화재를 가져간 나라의 소유물이 아니라 문화재를 만
　든 나라의 역사와 같다는 관점입니다.
　② 문화재 반환 문제는 국제적으로 민감한 문제이지만, ㉠은 문화재가 그
　나라의 역사적 산물이므로 반드시 반환해야 한다는 관점입니다.
　③ ㉠은 문화재의 소유권이 문화재를 만든 나라에 있다는 관점입니다.
　⑤ ㉠은 문화재가 역사의 산물이므로 정부와 개인이 모두 노력해서 반환
　받을 수 있도록 노력해야 한다는 관점입니다.

4 글쓴이는 과거에 불법적으로 유출된 우리 문화재를 돌려받도
　록 정부와 개인이 힘을 합쳐 노력하자고 주장하고 있습니다.

5 문화재는 민족의 '역사'와 같은 것이며 우리가 '후대'에 물려
　줄 의무가 있는 것이라고 주장하고 있습니다.

6 첫째 문단에서는 '문화재의 개념과 가치', 둘째 문단에서는
　'우리나라의 해외 유출 문화재 실태', 셋째 문단에서는 '불법
　적으로 유출된 문화재 반환 문제와 분쟁', 넷째 문단에서는
　'문화재 환수에 대한 협약과 인식', 다섯째 문단에서는 '문화
　재 환수를 위해 노력해야 하는 까닭'을 설명하고 있습니다.

생각 글 쓰기

◆ **예시 답안** 불법적으로 가져간 문화재인데도 강대국이
문화재가 자신의 것이라고 돌려주지 않기 때문이다.

이렇게 지도해 주세요! 강대국이 과거에 가져간 문화재의 소유권이
이제는 자신의 나라에 있다고 주장하고 있고, 어떤 문화재를 얼마나
많이 가져갔는지도 쉽게 파악되지 않기 때문에 문화재를 돌려받기
어려운 상황이라고 설명해 주세요.

어법 다지기

03 '중개'는 제삼자로서 두 당사자 사이에 서서 일을 주선한다는
뜻의 낱말입니다. '중계'는 대상을 중간에서 이어 주거나 다
른 방송국의 방송 및 방송국 밖의 상황을 중간에서 연결하여
방송한다는 뜻입니다. '중개'는 두 대상자가 '직접' 연결될 수
있도록 '주선'하는 것을 말하는 반면 '중계'는 두 대상자가 '간
접' 연결될 수 있도록 연결 중간에 '참여'하는 것을 말합니다.

▶ 본문 118~121쪽

1 ⑤ 2 태양 3 물, 땅, 30 4 ④ 5 ④ 6 준서 7 (라), (나), (다), (가)

어휘·어법다지기 01 (1)-ⓒ (2)-ⓒ (3)-ⓔ (4)-⊙ 02 (1) 순환 (2) 기상 (3) 전달 (4) 증발 03 (1) 없다 (2) 반드시 (3) 훔쳤을까

낮에 하늘을 보면 언제나 태양이 있어요. 태양이 구름에 가려져 보이지 않을 때도 있지만 태양은 항상 떠 있답니다. 태양의 빛과 열은 지구의 모든 생물들에게 많은 영향을 주어요. 태양은 지구에 에너지를 끊임없이 공급해 주고, 지구를 따뜻하게 해 주며 생물이 살아가는 데 필요한 양분이 생길 수 있게 하지요. 예를 들어, 녹색식물은 태양 빛을 받아 광합성 작용을 하여 양분을 만들고, 초식 동물은 녹색식물이 만든 양분을 먹지요. 그렇다면, 태양은 어떻게 지구를 따뜻하게 해 주는 걸까요?
▶태양이 생물에 미치는 영향

에너지를 전달하는 방법은 여러 가지인데, 태양에서 지구로 오는 에너지는 우주 공간을 가로질러 직접 전달된다고 해요. 물체가 내보내는 에너지를 복사 에너지라고 하는데, 태양이 내보내는 에너지는 태양 복사 에너지라고 하지요. 지구에 전달된 태양 복사 에너지는 지구의 여러 부분에 흡수돼요. 땅은 태양 복사 에너지를 흡수하고, 따뜻해진 땅은 대기를 덥히지요. 무더운 여름철에 해수욕장의 모래사장에 앉아 있으면 무척 뜨거운 열이 올라오는데, 이것이 바로 모래사장이 태양 복사 에너지를 흡수했기 때문이랍니다. 그러면 바다나 강과 같이 지구에 있는 물은 태양 복사 에너지를 받으면 어떻게 될까요?
▶태양 복사 에너지의 뜻

지구에서 물이 차지하는 비율은 약 70퍼센트이고, 나머지 30퍼센트는 땅이 차지하는 비율이에요. 물이 지구의 반 이상을 차지해요. 지구의 물은 태양 복사 에너지에 의해 그 상태가 변하면서 끊임없이 순환하고 있어요. 땅과 식물, 강이나 호수, 바다 등 지구 여러 곳에 있는 물은 증발하여 하늘로 올라가지요. 이것이 바로 수증기예요. 이 수증기가 더 높이 올라가서 기온이 더욱 낮아지면 물방울로 변하고, 또 더욱더 높이 올라가서 기온이 더 내려가면 얼음 알갱이가 돼요. 정말 신기하지 않나요? 예를 들면, 우리가 사용하고 버린 물은 수증기가 되어 증발한 후, 비나 눈이 되어 어딘가에 다시 떨어진답니다. 이렇게 물은 돌고 돌면서 구름, 눈, 비 등 기상

현상으로 나타나요. 지구에 있는 물의 양은 변하지 않고 물의 상태만 계속 달라지는 것이지요. 이러한 물의 변화가 태양 복사 에너지에 의해 발생한다는 것이 정말 놀랍죠?
▶지구에 있는 물의 순환

그렇다면 지구가 계속 태양 복사 에너지를 받고 있는데도 불구하고 기온이 많이 높아지지 않는 이유는 무엇일까요? ［ ⊙ ］ 태양과 마찬가지로 지구도 에너지를 내보내요. 지구가 태양으로부터 받은 복사 에너지와 지구가 내보내는 복사 에너지의 양이 같기 때문에 기온이 많이 올라가지 않는 것이지요. 이처럼 어떤 물체가 흡수하는 복사 에너지와 내보내는 복사 에너지가 같아서 일정한 온도를 유지하는 것을 복사 평형이라고 해요. 복사 평형이 이루어지지 않는다면 지구는 어떻게 될까요? 지구가 태양으로부터 받는 태양 복사 에너지가 더 많다면 지구는 시간이 지날수록 점점 기온이 올라가서 아주 뜨거워질 거예요. 반대로 지구가 내보내는 복사 에너지가 더 많다면 시간이 지날수록 지구의 기온이 내려가서 지구에는 어느 순간 얼음만 가득하게 될지 몰라요. 따라서 복사 평형이 이루어지지 않는다면 지구에 사는 생물은 언젠가 사라지게 될 거예요.
▶지구 복사 에너지와 복사 평형

이렇게 지도해 주세요! 이 글은 태양 복사 에너지가 우리가 살고 있는 지구에 어떤 영향을 미치는지에 대하여 설명하고 있습니다. 태양 복사 에너지는 무엇이고 그 에너지로 인해 지구에서는 어떤 일이 일어나는지 설명해 주시고, 지구 복사 에너지와 복사 평형에 대해서도 알 수 있도록 지도해 주세요.

• **주제** 태양이 지구에 미치는 영향

1 이 글은 태양 복사 에너지와 지구 복사 에너지에 대하여 설명하고 있습니다. 태양 복사 에너지는 지구의 여러 부분에 흡수되고, 지구의 물도 태양 복사 에너지에 의해 끊임없이 순환한다고 하였습니다. 또한 지구 복사 에너지로 인해 지구는 일정한 온도를 유지할 수 있다고 하였습니다. 따라서 이 글에서 가장 중요한 낱말은 '복사 에너지'입니다.

2 물체가 내보내는 에너지를 복사 에너지라고 하는데, 태양 복사 에너지는 '태양'이 내보내는 에너지라고 하였습니다.

3 지구에서 '물'이 차지하는 비율은 약 70퍼센트이고, 나머지 '30'퍼센트는 '땅'이 차지하는 비율이라고 하였습니다. 물은 지구의 반 이상을 차지합니다.

4 지구에 전달된 태양 복사 에너지는 지구의 여러 부분에 흡수되어 땅을 따뜻하게 하고 대기를 덥힌다고 하였습니다. 따라서 ④는 이 글의 내용으로 알맞지 않습니다.

오답 풀이
① 지구의 물은 태양 복사 에너지에 의해 그 상태가 변하면서 끊임없이 순환한다고 하였습니다.

② 땅은 태양 복사 에너지를 흡수하여 따뜻해진 후에 대기를 덥힌다고 하였습니다.

③ 녹색식물은 태양 빛을 받아 광합성 작용을 하여 양분을 만든다고 하였습니다.

⑤ 태양에서 지구로 오는 에너지는 우주 공간을 가로질러 직접 전달된다고 하였습니다.

5 ㉠이 속해 있는 문단을 읽어 보면 알맞은 문장을 알 수 있습니다. 태양과 마찬가지로 지구도 에너지를 내보낸다고 하였으므로, ㉠에는 ④가 들어가는 것이 알맞습니다.

6 땅과 식물, 강이나 호수, 바다 등 지구 여러 곳에 있는 물이 증발하여 하늘로 올라간다고 하였습니다. 따라서 준서가 한 말은 알맞지 않습니다.

오답 풀이

가희 : 어떤 물체가 흡수하는 복사 에너지와 내보내는 복사 에너지가 같아서 일정한 온도를 유지하는 것을 복사 평형이라고 하는데, 지구가 태양으로부터 받은 태양 복사 에너지와 지구가 내보내는 지구 복사 에너지의 양이 같아 지구의 온도가 일정하게 유지되는 것이라고 하였습니다.

수지: 물은 돌고 돌면서 구름, 눈, 비 등 기상 현상으로 나타난다고 하였습니다.

7 '㈑ 태양이 생물에 미치는 영향 → ㈎ 태양 복사 에너지의 뜻 → ㈐ 지구에 있는 물의 순환 → ㈏ 지구 복사 에너지와 복사 평형'의 순서로 글을 설명하고 있습니다.

생각 글 쓰기

◆ **예시 답안** 지구가 태양으로부터 받은 태양 복사 에너지와 지구가 내보내는 지구 복사 에너지의 양이 같기 때문이다.

이렇게 지도해 주세요! 넷째 문단에 복사 평형과 함께 지구의 온도가 일정하게 유지될 수 있는 까닭이 설명되어 있습니다. 만약 복사 평형이 이루어지지 않을 경우 지구가 겪을 변화와 그에 따라 일어날 일들을 설명해 주세요.

어법 다지기

03 올바른 문장 표현을 위해서는 문장 성분들 간의 호응을 고려해야 합니다.

⑴ 부사어 '별로'를 사용하려면 이와 어울리는 서술어를 사용하여 다음과 같이 써야 합니다. → 나는 친구가 별로 '없다'.

⑵ 서술어 '해야 한다'와 어울리는 부사어를 사용하여 다음과 같이 써야 합니다. → 나는 '반드시' 달리기에서 1등을 해야 한다.

⑶ 부사어 '오죽'을 사용하려면 이와 어울리는 서술어를 사용하여 다음과 같이 써야 합니다. → 장발장은 오죽 배가 고팠으면 빵을 '훔쳤을까'.

28회 흔들리며 피는 꽃_도종환

▶ 본문 122~125쪽

1 꽃 2 ④ 3 (나) 4 ⑤ 5 ⑤ 6 꽃, 젖으며, 사랑
어휘·어법 다지기 01 ⑴-ⓒ ⑵-㉠ ⑶-ⓒ 02 ⑴ 흔들린다
⑵ 곧다 ⑶ 줄기 03 ⑴ 그러므로 ⑵ 그럼으로

㉠흔들리지 않고 피는 꽃이 어디 있으랴.
　시련과 고난을 겪지 않고
이 세상 그 어떤 아름다운 꽃들도

다 흔들리면서 피었나니
　시련, 고난, 역경
흔들리면서 줄기를 곧게 세웠나니
　시련과 고난을 이겨 낸 꽃의 모습 ①
흔들리지 않고 가는 사랑이 어디 있으랴.
꽃이 흔들리며 피는 것처럼 사랑도 시련과 고난을 통해 완성됨.
- 3번의 근거
　　　　　　　▶1연: 시련과 고난을 통해 완성되는 사랑

젖지 않고 피는 꽃이 어디 있으랴.
　시련과 고난을 겪지 않고
이 세상 그 어떤 빛나는 꽃들도

다 젖으며 젖으며 피었나니

바람과 비에 젖으며 꽃잎 따뜻하게 피웠나니
　시련, 고난, 역경　　시련과 고난을 이겨 낸 꽃의 모습 ②
젖지 않고 가는 삶이 어디 있으랴.
꽃이 젖으며 피는 것처럼 삶도 시련과 고난을 통해 완성됨.
○ 설의법: '~으랴'라는 묻는 형식으로 말하는 이의 생각을 전달함.
　　　　　　　▶2연: 시련과 고난을 통해 완성되는 삶

이렇게 지도해 주세요! 이 시는 흔들리고 젖으며 피는 꽃을 관찰하여 깨닫게 된 인간의 삶과 사랑에 대하여 쓴 작품입니다. 시련과 역경을 겪지만 결국 피어나는 꽃처럼 사랑과 인간의 삶도 어려움 속에서 성장할 수 있음을 지도해 주세요.
• **주제** 시련과 역경 속에서 완성되는 사랑과 삶

1 이 시는 '꽃'을 관찰하며 얻은 인간의 삶과 사랑에 대한 깨달음을 표현한 작품입니다. 시의 글감은 시에 쓰인 재료인데, 그 중 중심 글감은 시에 가장 많이 나오는 낱말입니다.

2 이 시에서 흔들리고 젖으며 피어나는 '꽃'은 시련과 고난을 겪으며 완성되는 인간의 '사랑'과 '삶'과 대응됩니다.

오답 풀이

① 행마다 일정하게 끊어 읽는 시가 아닙니다.

② 이 시는 인간의 삶과 사랑에 대한 깨달음을 차분하게 표현하는 시로, 밝고 즐거운 분위기가 느껴지지 않습니다.

③ 사실을 전달하는 것보다는 감정을 표현하는 데 목적을 둔 시입니다.

⑤ 이 시는 꽃을 통해 깨달은 인간의 삶과 사랑에 대한 이치를 표현하고 있습니다.

3 1연에서 ㉠ '흔들리지 않고 피는 꽃'은 5행의 '흔들리지 않고 가는 사랑'을 비유한 것입니다. 말하는 이는 '사랑'을 꽃에 비유하여 전달하려는 뜻을 효과적으로 드러내고 있습니다.

4 이 시는 시련과 역경 속에서 완성되는 사랑과 삶에 대하여 표현한 시이므로, 화가가 꿈이지만 실력이 많이 늘지 않아 걱정하는 사람에게 들려주기에 가장 알맞습니다.

5 이 시의 주제는 '시련과 역경 속에서 완성되는 사랑과 삶'입니다. 시의 중심 글감인 '꽃'이 흔들리고 젖으며 피어나는 것처럼 인간의 사랑과 삶도 시련과 고난을 겪으며 완성된다는 이치를 표현하였습니다.

6 이 시는 '꽃'이라는 글감을 사용하였습니다. 흔들리며 피는 꽃은 인간의 '사랑'을, '젖으며' 피는 꽃은 인간의 삶을 나타냈습니다. 흔들리고 젖으며 피는 꽃은, 시련 속에서 완성되는 인간의 사랑과 삶을 표현하고 있습니다.

생각 글 쓰기

◆예시 **답안** 같은 구조로 배열되어 있어 시를 보면 안정감을 느낄 수 있고 재미있게 시를 감상할 수 있다.

이렇게 지도해 주세요! 비슷한 구조의 문구를 나란히 배열하는 표현법을 대구법이라고 합니다. 대구법을 사용하면 시 안에서 안정감과 재미를 느낄 수 있음을 지도해 주세요.

어법 다지기

03 '그러므로'는 '그러니까, 그렇기 때문에, 그러하기 때문에, 그리하기 때문에'라는 뜻이 있고, '그럼으로'는 '그렇게 하는 것으로써'라는 뜻이 있습니다.
(1) '장영실은 훌륭한 학자다. 그러므로(그렇기 때문에) 존경을 받는다.'가 알맞습니다.
(2) '그는 운동을 열심히 한다. 그럼으로(그렇게 하는 것으로써) 건강해진 것을 느낀다.'가 알맞습니다.

29회 돌하르방 어디 감수광_유홍준

▶ 본문 126~129쪽

1 ④ 2 ④ 3 ② 4 일출봉, 우도 5 ②

어휘·어법 다지기 **01** (1) 시야 (2) 장관 (3) 조망 (4) 조림지
02 (1) 조망 (2) 장관 (3) 포복 **03** (1) 윗도리 (2) 웃돈

우리 답사의 첫 유적지는 한라산 산천단이었다. 한라산 산
_{기행문 구성 요소 중 '여정'}
신께 제사드리는 산천단에 가서 답사의 안전을 빌고 가는 것
이 순서에도 맞고 또 제주도에 온 예의라는 마음도 든다. 산
천단은 제주시 아라동 제주대학교 뒤편 소산봉(소산오름) 기
슭에 있다. 산천단 주위에는 제단을 처음 만들 당시에 심었
_{1번의 근거}
을 수령 500년이 넘는 곰솔 여덟 그루가 산천단의 역사와 함
께 엄숙하고도 성스러운 분위기를 보여 준다. ▶한라산 산천단

제주의 동북쪽 구좌읍 세화리 송당리 일대는 크고 작은 무
수한 오름이 저마다의 맵시를 자랑하며 드넓은 들판과 황무
지에 오뚝하여 오름의 섬 제주에서도 오름이 가장 많고 아
름다운 '오름의 왕국'이라고 했다. _{1번의 근거} 그중에서도 다랑쉬오름은
'오름의 여왕'이라고 불린다. ▶다랑쉬오름

다랑쉬라는 이름의 유래에는 여러 설이 있으나 다랑쉬오
름 남쪽에 있던 마을에서 보면 북사면을 차지하고 앉아 된바
람을 막아 주는 오름의 분화구가 마치 달처럼 둥글어 보인다
하여 붙여졌다는 설이 가장 정겹다. ▶다랑쉬오름의 유래

오름 아랫자락에는 삼나무와 편백나무 조림지가 있어 제
법 무성하다 싶지만 숲길을 벗어나면 이내 천연의 풀밭이 나
오면서 시야가 갑자기 탁 트이고 사방이 멀리 조망된다. 경
사면을 따라 불어오는 그 유명한 제주의 바람이 흐르는 땀을
_{기행문 구성 요소 중 '감상'}
씻어 주어 한여름이라도 더운 줄 모른다. 발길을 옮길 때마
다, 한 굽이를 돌 때마다 시야는 점점 넓어지면서 가슴까지
시원하게 열린다. ▶다랑쉬오름에 대한 감상

성산 일출봉은 제주 답사의 기본 경로라 할 만큼 잘 알려
져 있고, 영주 십경의 제1경이 '성산에 뜨는 해'인 성산 일출
_{1번의 근거}
이며, 제주 올레 제1경로가 시작되는 곳일 만큼 제주의 중요
한 상징이기도 하다. ▶성산 일출봉

제주도와 연결된 서쪽을 제외한 성산 일출봉의 동·남·
북쪽 외벽은 깎아 내린 듯한 절벽으로 바다와 맞닿아 있다.
일출봉의 서쪽은 고운 잔디 능선 위에 돌기둥과 수백 개의
_{1번의 근거 – 기행문 구성 요소 중 '견문'}
기암이 우뚝우뚝 솟아 있는데 그 사이에 계단으로 만든 등산
로가 나 있다. 전설에 따르면 설문대 할망은 일출봉 분화구
_{1번, 4번의 근거}

를 빨래 바구니로 삼고 우도를 빨랫돌로 하여 옷을 매일 세탁했다고 한다.　▶성산 일출봉 전설

일출봉은 멀리서 볼 때나, 가까이 다가가 올려다볼 때나, <u>정상에 올라 분화구를 내려다볼 때나 풍광 그 자체의 아름다움과 감동이 있다. 특히나 항공 사진으로 찍은 성산 일출봉은 공상 과학 영화에나 나옴 직한 신비스러운 모습을 보여 준다.</u>
기행문 구성 요소 중 '감상'　▶성산 일출봉 감상

우리는 어리목에서 출발하여 만세 동산을 지나 1700 고지인 윗세오름까지 올라 그곳 산장 휴게소에서 준비해 간 도시락을 먹고 (영실)로 하산하면서 한라산의 아름다움을 만끽했다. 영실에 들어서면 이내 솔밭 사이로 시원한 계곡물이 흐른다. 본래 실이라는 이름이 붙은 곳은 계곡을 말하는 것으로 옛 기록에는 영곡으로 나오기도 한다. <u>언제 어느 때 가도 계곡물 소리와 바람 소리, 거기에 계곡을 끼고 도는 안개가 신령스러워 영실이라는 이름에 값한다.</u> 무더운 여름날 소나기라도 한차례 지나간 뒤라면 이 계곡을 두른 절벽 사이로 100여 미터의 폭포가 생겨 더욱 장관을 이룬다.
기행문 구성 요소 중 '감상'　▶영실로 하산

숲길을 지나노라면 아래로는 제주조릿대가 떼를 이루면서 낮은 포복으로 기어가며 온통 푸르게 물들여 놓고, 위로는 하늘을 가린 울창한 나무들이 크면 큰 대로 작으면 작은 대로 아름답고 기이하다.　▶영실 감상

이렇게 지도해 주세요! 이 글은 제주도의 관광 명소인 한라산 산천단, 오름, 성산 일출봉 등을 다니며 보고 들은 것과 이에 대한 감상을 쓴 기행문입니다. 기행문의 구성 요소인 여정, 견문, 감상을 구별하며 읽을 수 있도록 지도해 주세요.
• **주제** 제주도의 관광지에 대한 견문과 감상

1 성산 일출봉의 서쪽에 고운 잔디 능선 위에 돌기둥과 수백 개의 기암이 솟아 있다고 하였습니다. 성산 일출봉의 동·남·북쪽 외벽은 깎아 내린 듯한 절벽이라고 하였습니다.

2 설문대 할망과 관련한 전설은 글쓴이가 들은 내용으로 기행문의 구성 요소 중 견문에 해당합니다. 글쓴이가 직접 본 것이 아닙니다.

3 이 글은 기행문으로, 제주도의 여러 관광지에 대한 묘사와 관광지에서 느낀 글쓴이의 감상이 나타나 있습니다.
오답 풀이
① 제주도의 한라산 산천단, 다랑쉬오름, 성산 일출봉 등 관광지를 묘사하고 있습니다.
③ 글쓴이가 직접 여행을 하며 보고 들은 내용을 썼습니다.
④ '한여름이라도 더운 줄 모른다.', '가슴까지 시원하게 열린다.' 등 관광지에 대한 느낌을 감각적으로 표현하고 있습니다.
⑤ 글쓴이는 시간과 장소의 변화에 따라 글을 쓰고 각 장소에서 느낀 감상을 표현하였습니다.

4 성산 일출봉과 관련된 전설의 내용은 설문대 할망이 성산 '일출봉'을 빨래 바구니로 삼고, '우도'를 빨랫돌로 하여 옷을 매일 세탁했다는 것입니다.

5 '한여름이라도 더운 줄 모른다.'는 오름에서 시원한 바람을 맞으며 느낀 글쓴이의 생각이므로 감상에 해당합니다. 어떤 장소를 방문해서 본 것과 들은 것을 나타내는 견문으로 볼 수 없습니다.

생각 글 쓰기

✦**예시 답안** 제주 답사의 기본 경로로 잘 알려져 있고, 영주 십경의 제1경이며, 제주 올레 제1경로로 시작하는 가치 있는 장소이기 때문이다.
이렇게 지도해 주세요! 이 글에서는 성산 일출봉이라는 장소가 가지는 가치에 대해 자세하게 설명하고 있습니다. 성산 일출봉이 중요한 장소인 까닭이 잘 드러나게 쓸 수 있도록 지도해 주세요.

어법 다지기

03 (1) 국어 낱말에는 윗도리에 반대되는 말인 '아랫도리'가 있습니다. 즉 '아래, 위'의 구분이 있으므로 '윗도리'로 적습니다.
(2) 국어 낱말 중에 '아랫돈'은 없습니다. 즉 '아래, 위'의 구분이 없는 낱말이므로 '웃돈'이 맞습니다.

1 ③ 2 ④ 3 (대) 4 ④ 5 ㉣ 6 용왕, 육지, 욕심

어휘·어법 다지기 01 (1) 하교 (2) 정기 (3) 진맥 (4) 한탄 02
(1) 보존 (2) 한탄 (3) 진맥 03 ①

[앞부분 줄거리] 남해 용왕이 병을 얻자 특효약인 토끼의 간을 얻기 위해 자라(별주부)가 육지로 나간다. 토끼를 만난 자라는 수국의 자랑을 늘어놓으며 토끼를 유혹하고, 토끼는 자라의 등에 업혀 수국으로 온다.

"토끼, 너 듣거라. ㉠내 우연히 병을 얻어 어떤 약도 소용이 없게 되었느니라. 마침 하늘로부터 도사가 내려와서 진맥하고 하는 말이, '살아 있는 토끼의 간을 구하여 먹으면 금방 나으리라.' 하기에 어진 신하를 세상에 보내어 너를 잡아 왔느니라. 죽는다고 한탄하지 마라. 「네가 죄 없는 줄이야 알지만 과인의 한 몸이 너와 달라, 만일 내가 불행해지면 한 나라의 백성과 신하들을 보존하기 어려운 줄 넌들 설마 모르겠느냐. 너 죽고 과인이 살아나면, 수국의 모든 백성 다 살리는 것이니 네가 바로 일등 충신이로다.」 너 죽은 후에 네 몸 곱게 묻고 나무 비석이라도 만들어서 세울 것이니라. 또 설, 한식, 단오, 추석 제사를 착실하게 지내 줄 것이니 죽는 것을 조금도 한탄하지 마라. ㉡할 말이 있거든 하고 그냥 죽어라."

토끼가 그제야 별주부에게 속은 줄을 알고 가슴을 친다. 하지만 지금은 어쩔 도리가 없다. 토끼가 잠시 눈을 깜짝깜짝 하더니 얼른 한 꾀를 생각하고 배를 앞으로 쫙 내민다.

"자, 내 배 따 보시오."

㉢용왕이 덜컥 의심이 난다.

'저놈이 죽지 않으려고 온갖 변명을 늘어놓을 터인데, 배를 의심 없이 내미는구나. 무슨 까닭이 있는가 보다.'

토끼가 더 당돌하게 말한다.

"소토의 간은 달의 정기를 받아 만들어진 것이라, 보름이면 간을 꺼냈다가 그믐이면 다시 넣습니다. 간을 꺼낼 때마다 세상의 병든 사람들이 간을 달라고 보채기로, 꺼낸 간을 파초잎에다 꼭꼭 싸서 칡넝쿨로 칭칭 동여, 영주산 바위 위 계수나무 늘어진 가지 끝에다 매달아 두는 것이옵니다. 이번에도 간을 꺼내 나무에 달아 놓고 계곡 사이를 흐르는 맑은 물에 발 씻으러 내려왔다가 우연히 주부를 만나 수국 흥미가 좋다고 하기로 구경차로 왔나이다."

"그러하면 네 몸에 간을 내고 들이고 하는 표가 있느냐?"

"있습지요." / "어디 보자." / "자, 보시오."

용왕이 들여다보니 빨간 구멍 세 개가 늘어서 있다.

"저 구멍이 모두 무엇 하는 데 쓰이는 것이냐?"

"한 구멍으로는 대변을 보고, 또 한 구멍으로는 소변을 보며, 또 한 구멍으로는 간을 통째로 내고 들이고 하나이다."

㉣"그러면 간은 어떻게 내고 들이고 한단 말이냐?"

토끼가 그제야 큰숨을 쉰다.

"그러면 간을 어디다 두었느냐?"

"예, 간 둔 곳을 말씀드리겠사옵니다. 「인간 세상으로 깊이 들어가면 영주산이라는 산이 있고, 그 산꼭대기에는 천 년 묵은 소나무가 있사옵니다. 그 소나무 늘어진 가지 하나, 둘, 셋째 가지 끝에다 매달아 놓았사옵니다. 칡잎으로 약봉지 싸듯 꽁꽁 싸서 매달아 놓고 왔으니 옥황상제나 떼어 가지, 다른 어떤 사람도 손을 대지 못할 것이옵니다.」

왕이 좌우의 여러 신하를 돌아보며 말한다.

"배를 갈라 간이 있으면 좋거니와 만약 없으면 공연히 불쌍한 목숨만 끊고 간을 구하지 못할 것이니, 토끼를 살려 주는 것이 어떻겠소?"

여러 신하들이 함께 머리를 조아린다.

"전하 하교 마땅하여이다." ▶용왕이 육지에 토끼를 보냄.

이렇게 지도해 주세요! 이 글은 동물을 의인화하여 인간 사회의 문제점을 드러내고 교훈을 전달하는 고전 소설입니다. 죽을 위기에 처한 토끼가 발휘한 꾀에 용왕이 속아 넘어가는 모습에서 헛된 욕심을 부리는 것을 경계해야 한다는 교훈을 이끌어 내도록 지도해 주세요.
• **주제** 헛된 욕심에 대한 경계, 위기를 극복하는 지혜

---

1 이 글의 '수국'은 용왕이 살고 있는 공간으로, 실제로 존재하지 않는 공간입니다. 즉, 공간적 배경이 구체적이지 않으며, 시간적 배경도 드러나 있지 않습니다.

2 토끼는 생명이 위태로운 상황에서도 자신의 간이 육지에 있다고 태연하게 거짓말을 하고 있습니다. 따라서 토끼는 말을 잘하고 능청스러운 성격인 것을 알 수 있습니다.

3 용왕은 토끼에게 자신의 병을 고치기 위해 죽어도 한탄하지 말라고 하며 토끼가 죽는 것을 당연하게 여기고 있습니다. 즉 용왕은 자신의 목숨만을 소중하게 생각하는 이기적인 인물입니다.

오답 풀이
㉮ 용왕은 토끼의 간을 구해서 병을 고치려는 헛된 욕심 때문에 토끼에게 속게 됩니다. 그러나 물질적인 욕심, 즉 돈이나 재산에 대한 욕심을 가진 것은 아닙니다.
㉯ 용왕이 토끼에게 비석을 세우고 제사를 지내 준다고 한 것은 간을 빼앗

기 위해 한 말일 뿐 예의를 중요하게 생각해서 한 말은 아닙니다.

4 토끼는 간을 빼앗겨 목숨이 위태로워질 상황에 처하지만 이를 극복할 꾀를 생각하여 용왕을 속였습니다. 이 상황에는 아무리 어려운 경우에 처하더라도 살아 나갈 방도가 생긴다는 말인 '하늘이 무너져도 솟아날 구멍이 있다.'가 알맞습니다.

오답 풀이
① 쉬운 일이라도 협력하여 하면 훨씬 쉽다는 말입니다.
② 세월이 흐르게 되면 모든 것이 다 변하게 됨을 비유적으로 이르는 말입니다.
③ 자기에게 조금이라도 이익이 되면 지조 없이 이편에 붙었다 저편에 붙었다 함을 이르는 말입니다.
⑤ 아무도 안 듣는 데서라도 말조심해야 한다는 말입니다.

5 자신의 배를 따 보라는 토끼의 말에도 의심하던 용왕은 토끼의 말에 점점 설득당합니다. 토끼에게 간을 내고 들이는 방법을 물어보는 용왕의 모습에서 용왕이 토끼의 말에 속아 넘어갔음을 알 수 있습니다.

6 '용왕'은 병을 고치려는 욕심 때문에 토끼의 간을 빼앗으려고 하지만, '육지'에 간을 두고 왔다는 토끼의 말에 속아 결국 토끼를 풀어 줍니다. 읽는 이는 이 이야기를 통해 헛된 '욕심'을 버려야 한다는 교훈을 얻을 수 있습니다.

✂ 생각 글 쓰기

◆**예시 답안** 권력을 가진 지배층이 약한 사람들을 괴롭히는 사회의 모습을 떠올릴 수 있다.

[이렇게 지도해 주세요!] 용왕은 자신의 목숨만 귀하게 여기고, 토끼의 목숨은 하찮게 여겨 희생해도 된다고 생각하였습니다. 여기에서 나라의 지배층이 자신들이 지켜 주어야 할 힘 없는 백성을 괴롭히고 횡포를 부리는 사회의 모습을 떠올릴 수 있다고 설명해 주세요.

어법 다지기

03 '드러나다'는 '알려지지 않은 사실이 널리 밝혀지다.'라는 뜻이므로, '숨기던 것이 드러나다.'라는 뜻이 있는 '발각되다'와 유의 관계입니다.

오답 풀이
② 발견되다: 미처 찾아내지 못하였거나 아직 알려지지 아니한 사물이나 현상, 사실 등이 찾아내지다.
③ 발명되다: 아직까지 없던 기술이나 물건이 새로 생각되어 만들어지다.
④ 발산되다: 감정 등이 밖으로 드러나 해소되다. 또는 분위기 등이 한껏 드러나다.
⑤ 발현되다: 속에 있거나 숨은 것이 밖으로 나타나다.

31회 유전자 변형 식품의 안전성 문제

▶ 본문 136~139쪽

1 유전자, 안전성   2 ③   3 낮아지는, 높아질   4 ㉮   5 ④
6 장점, 생태계, 알 권리
어휘·어법 다지기   01 (1)-㉣ (2)-㉠ (3)-㉢ (4)-㉡   02 (1) 종속 (2) 교란 (3) 절감   03 (1) 체 (2) 채

유전자 변형 기술은 생명체의 원하는 특성만을 골라서 다른 생명체에 이식하는 기술입니다. 이렇게 만들어진 식품을 <u>유전자 변형 식품(GMO)</u>이라고 부르지요. 사람들은 유전자 변형 기술을 이용해 병충해나 바이러스에 면역을 가진 식물을 만들기도 하고, 열매를 맺는 시기를 원하는 대로 조절할 수도 있게 되었습니다. 따라서 이 기술을 이용하면 더욱더 영양가 있는 작물을 재배할 수 있을뿐더러 ㉠<u>노동력이 절감되어 식량 가격이 낮아지는</u> 효과도 발생할 것으로 예상됩니다.
▶ 유전자 변형 식품의 뜻

하지만 <u>유전자를 조작한 식료품이 인체에 어떤 영향을 미치는지 아직 검증되지 않았고, 알 수 없는 질병을 일으킬 가</u>능성도 무시할 수 없는 상황입니다. _{2번의 근거} 일부에서는 GMO 식품이 알레르기를 유발하고 환경 파괴와 돌연변이를 야기할 위험을 안고 있다고 주장합니다. 같은 종의 식물을 이식해 새 품종을 만드는 기존 방법과 달리 동물 유전자를 식물에 집어넣는 등의 방법을 쓰기 때문에 <u>생태계를 교란한다는 비판도 있습니다.</u> _{5번의 근거} 새롭게 만들어진 어떤 특성이 다른 생물체에 들어가면 생물체 고유의 유전자 기능이 사라지거나 유전자 배열이 불안정해져 새로운 독이 나타날 수도 있기 때문입니다.
▶ 유전자 변형 식품의 단점 ①

그리고 유전자 변형 작물을 키우는 일은 <u>유전자 변형 식물의 씨앗을 판매하는 기업에 농민들이 종속되게 만들 수 있다</u>는 문제도 있습니다. _{2번의 근거} 미국에서는 현재 제초제를 뿌려도 죽지 않는 슈퍼 잡초가 급격하게 퍼져 나가고 있다고 합니다. 처음에는 제초제를 한 번만 뿌려도 잡초가 다 죽었는데, 이제는 두 번, 세 번을 뿌려도 안 죽는 잡초가 생겨난 것입니다. 결국 농민들은 유전자 변형 식물의 씨앗을 판매하는 기업에서 잡초 문제를 해결한 신제품을 내놓으면 더 비싼 돈을 주고 구입해야만 합니다.
▶ 유전자 변형 식품의 단점 ②

이와 같은 <u>유전자 변형 식품에 대한 여러 가지 논쟁 중 사실 무엇보다 중요한 것은 <u>안전성 문제</u>입니다. 우리나라는 소비자에게 제대로 된 정보를 전달하여 선택할 수 있도록 돕는 체계가 너무 허술합니다. 시장에 유통되는 두부에 유전자

변형 콩이 들어 있다는 조사 결과가 발표된 후, 우리나라는 2000년부터 GMO 표시제를 시행해 왔습니다. 그러나 GMO
_{2번의 근거}
표시제가 유명무실하다는 지적이 끊이지 않았습니다. 식품에 가장 많이 들어간 1~5위까지의 원재료 안에 유전자 변형 식품이 포함되지 않거나 최종 제품에 유전자 변형 성분이 존재하지 않는 식용유, 당류, 간장, 주류 등과 같은 식품은 표시 의무를 면제하고 있었기 때문입니다. 면제된 까닭은 이들 제품이 열처리, 발효 등의 정제 과정으로 유전자 변형 DNA 성분이 남아 있지 않아 검사 결과를 알 수 없기 때문이라고 합니다.
▶유전자 변형 식품의 안전성 문제

GMO 표시제에 대한 문제점이 끊임없이 지적되었기 때문에, 우리나라에서는 2017년 2월 4일부터 GMO 표시제를 확
_{2번, 4번의 근거}
대하여 시행하고 있습니다. 2017년 2월 4일 이후 제조·가공되거나 수입되는 식품을 적용 대상으로 하는 이 개정안이 시행되면서, GMO 표시 범위가 '많이 들어간 1~5위 원재료'에서 '모든 원재료'로 확대되었습니다. ⓒ단, GMO 식품을 썼지만 가공 과정에서 유전자 변형 DNA 성분이 남아 있지 않은 식용유, 당류, 간장, 주류 등은 표시하지 않아도 된다고 합니다. 또 유전자 변형 정보가 담긴 글씨 크기를 확대하도록 했습니다.
▶유전자 변형 식품의 표시제

우리나라는 일본에 이어 세계에서 두 번째로 유전자 변형
_{2번의 근거}
식품을 많이 수입하는 나라로, 연간 800톤 이상을 수입합니다. 소비자들은 자신이 먹는 식품에 유전자 변형 식품이 들어갔는지 아닌지를 알 권리가 있습니다. 유전자 변형 식품의 성분을 정확히 표시한 후, 소비자가 그 안전성을 스스로 판단하고 선택할 수 있도록 해야 할 것입니다.
▶유전자 변형 식품을 알 권리

이렇게 지도해 주세요! 이 글은 유전자 변형 식품의 장점과 단점을 설명하고, GMO의 안정성 문제를 근거로 GMO 표시제를 보완해야 한다고 주장한 글입니다. 일상생활에서 유전자 변형 식품의 안전성을 판단하고 선택할 수 있도록 지도해 주세요.
• **주제** 유전자 변형 식품의 안전성 문제와 GMO 표시제

1 이 글은 '유전자' 변형 식품의 '안전성' 문제를 설명하고 GMO의 성분을 보다 정확히 표시할 것을 주장하였습니다.

2 유전자 변형 식물을 키우는 일은 농민들이 유전자 변형 식물의 씨앗을 판매하는 기업에 종속되게 만들 수 있다는 문제가 있습니다.

3 ㉠은 유전자 변형 기술을 이용해 작물을 재배하면 노동력이 절감되어 식량의 가격이 낮아지는 효과가 있을 것이라는 주장입니다. 여기에 대해 유전자 변형 식품을 생산하는 규모가

커지면 처음에는 식료품 가격이 '낮아지는' 것으로 보이겠지만, 거대 기업이 농민들을 몰아낸 뒤 시장을 장악하고 나면 식품 가격을 올릴 것이므로 가격은 언젠가 '높아질' 가능성이 크다고 반론할 수 있습니다.

4 ⓒ은 2017년에 개정된 GMO 표시제에 대한 설명입니다. GMO 표시제가 개정되면서 확대되어 시행되었다고 하였으므로 범위가 축소되어 적용되고 있다는 ㉮는 알맞지 않습니다.

오답 풀이
㉯ GMO 표시제가 개정되었지만 식용유, 당류, 간장, 주류 등은 표시하지 않는다고 하였으므로, 여전히 제외된 식품이 있어서 소비자들의 알 권리가 보장되지 못하고 있다는 의견은 알맞습니다.
㉰ 유전자 변형 DNA 성분이 남아 있지 않더라도 원재료에 GMO 식품을 썼는지를 소비자들이 알 권리가 있으므로 표시해 주어야 한다는 의견은 ⓒ에 대한 알맞은 반응입니다.

5 GMO 식품이 농산물을 대량으로 생산하여 식료품 가격을 낮출 수 있다는 것은 장점에 해당합니다.

6 이 글은 GMO 식품의 '장점'과 단점을 설명하고 있습니다. GMO 식품은 '생태계'를 교란한다는 단점이 있다고 하였습니다. 그리고 이 글에서는 GMO 식품의 안정성 문제를 근거로 GMO 표시제를 강화하여 소비자들의 '알 권리'를 보장해야 한다고 주장하고 있습니다.

✂ **생각 글 쓰기**

◆ **예시 답안** 1~5위까지의 원재료 안에 GMO 식품이 들어가 있지 않거나 최종 제품에 GMO 식품이 들어 있지 않은 제품은 표시 의무가 면제되었기 때문이다.

이렇게 지도해 주세요! 우리나라에서는 2000년부터 GMO 식품 표시제가 실시되고 있었으나, 표시 의무가 면제되는 식품이 많아서 유명무실하다는 지적이 많았습니다. 이를 보완하기 위해 2017년부터 GMO 표시제가 확대되었다는 것을 설명해 주세요.

어법 다지기

03 '채'와 '체'를 헷갈릴 때는 '척'과 바꾸어 써 보면 됩니다. '척'과 바꾸어 쓸 수 있으면 '체'에 해당합니다.
(1) '그는 우리를 보고도 못 본 척 고개를 돌렸다.'는 자연스러운 문장이므로 '체'가 맞습니다.
(2) '우리는 너무 피곤해서 선 척으로 잠이 들어 버렸다.'는 어색한 문장이므로 '채'가 맞습니다.

1 온도 2 높은 물질, 낮은 물질 3 성희 4 ㉠ 5 열전도, 열전도, 열평형, 열평형

어휘·어법 다지기 01 (1)-㉣ (2)-㉢ (3)-㉡ (4)-㉠ 02 (1) 대야 (2) 입자 (3) 온도 (4) 접촉 03 (1) 아니요 (2) 아니요 (3) 아니오

뜨거운 태양이 내리쬐는 여름은 정말 무덥습니다. 외출 후 집으로 돌아오면 종종 냉장고에서 차가운 물을 꺼내 마십니다. 하지만 물을 마신 후에 물통을 냉장고에 넣는 것을 잊어버리는 경우가 있지요. 그렇게 시간이 지난 뒤에 물을 마시려고 하면, 꺼내 놓았던 물은 미지근해져 있습니다. 차가운 물을 마시기 위해서는 다시 냉장고에 물통을 넣고 어느 정도 기다려야 합니다. 냉장고에서 꺼낸 차가운 물은 시간이 지나면 왜 미지근해지는 것일까요? ▶차가웠던 물이 미지근해진 예

각 물질에는 온도가 있고, 그 온도는 물질마다 다릅니다. 온도가 다른 두 물질이 접촉하면 두 물질의 온도는 어떻게 될까요? 뜨거운 물질의 온도는 점점 낮아지게 되고 차가운 물질의 온도는 점점 높아지게 되지요. 열은 이동을 하는 성질이 있는데, 두 물질 사이에서 온도가 높은 물질의 열이 온도가 낮은 물질로 이동하는 것입니다. 이것을 열의 이동이라고 합니다. 또한 두 물질이 접촉하여 있을 때 열이 이동하여 다른 물질에 전달되는 현상을 열전도라고 합니다. 이 열전도 현상 때문에 여름에 냉장고에서 꺼내 두었던 물이 미지근해지는 것입니다. 여름의 뜨거운 열이 차가운 물로 이동하여 생기는 현상이지요. 이렇게 열의 이동은 물질의 온도가 변화하는 원인이 됩니다. 이러한 현상은 또 어떤 경우에 일어나게 될까요? ▶열의 이동과 열전도 현상의 뜻

운동장에 나가면 쇠로 만든 철봉이 있습니다. 그늘에 있는 철봉을 손으로 잡았을 때 차갑게 느껴지지요? 하지만 철봉을 잡은 상태로 시간이 지나면 처음에 잡았을 때만큼 차갑게 느껴지지 않습니다. 눈에는 보이지 않지만 철봉과 손을 이루는 많은 입자들이 서로 부딪치며 열을 전달하고 있는 것입니다. 그래서 철봉보다 온도가 높은 손의 열이 차가운 철봉으로 이동하여, 손으로 잡은 철봉 부분의 온도가 높아지는 것이지요. 이와 달리 철봉이 뜨거운 경우도 있습니다. 햇빛이 비치는 곳에 있는 철봉을 손으로 잡으면 좀 전과는 반대 현상이 일어납니다. 햇볕에 달구어져 뜨거워진 철봉의 열이 철봉보다 온도가 낮은 손으로 전달되는 것이지요. 그래서 여름에 운동장에서 철봉을 잡을 때는 철봉의 열에 손을 델 위험이 있으니 항상 조심해야 합니다. ▶열전도 현상의 예

열전도 현상의 몇 가지 예를 더 살펴봅시다. 달걀의 껍질을 쉽게 벗기기 위해 갓 삶은 달걀을 바로 차가운 물에 담가 둘 때가 있습니다. 이때 달걀과 물의 온도는 어떻게 변할까요? 뜨거운 물에서 금방 꺼낸 달걀은 무척 뜨겁습니다. 이 뜨거운 달걀을 차가운 물에 담그면 뜨거운 달걀의 온도가 차가운 물로 전달되지요. 그렇게 달걀의 온도는 점점 낮아지고 차가웠던 물의 온도는 점점 높아집니다. 어느 정도 시간이 흐르고 달걀을 꺼내려고 할 때, 달걀의 온도는 낮아져 있고 물은 미지근하게 느껴집니다. 달걀과 물의 온도가 같다고 느껴지기도 합니다. 열이 이동하는 성질에 의하여 두 물질의 온도가 같아지면 열은 이동을 멈추게 되기 때문입니다. 이 상태를 열평형이라고 합니다. 이러한 열평형을 이용한 예로 냉장고에 두었던 한약 비닐 봉지를 뜨거운 물에 넣어 데우거나 미지근한 수박을 시원한 계곡물에 담가 시원하게 하는 것을 들 수 있습니다. 냉장고 역시 열평형을 이용한 가전제품인데, 수박을 시원하게 만들기 위해서 낮은 온도가 유지되는 시원한 냉장고에 계속 넣어 두는 것입니다. ▶열평형의 뜻과 예

그렇다면 수박을 시원하게 하려고 할 때, 물의 온도가 같다면 계곡에 담가 두는 수박과 집에 있는 큰 대야에 담가 두는 수박 중 어떤 것이 더 빨리 차가워질까요? 계곡에 담가 두는 수박입니다. 물질의 열이 이동할 때는 물질의 양도 큰 영향을 주는데, 대야에 담긴 물의 양보다 계곡물의 양이 훨씬 많아 수박이 더 빨리 차가워질 수 있는 것이지요. 계곡물에 수박과 참외를 함께 담가 두었을 때는 어떤 것이 더 빨리 차가워질까요? 참외가 빨리 차가워집니다. 같은 온도와 같은 양의 계곡물이지만, 수박과 참외의 크기가 다르기 때문이지요. 수박보다 참외의 크기가 작기 때문에 더 빨리 차가워지는 것입니다. ▶열평형에 영향을 주는 조건

지금까지 두 물질이 접촉할 때 일어나는 온도 변화와 함께 열평형에 대해 알아보았습니다. 우리 주변에서 온도가 다른 두 물질이 접촉할 때 두 물질의 온도가 변하는 예를 더 찾아보고, 이때 열이 어디에서 어디로 이동하였는지도 생각하며 관찰해 보세요. ▶열의 이동 관찰하기

이렇게 지도해 주세요! 이 글은 두 물질이 접촉할 때의 온도 변화에 대하여 설명하고 있습니다. 열은 어디에서 어디로 이동하는 것이며 이러한 현상이 어떻게 일어날 수 있는지 설명해 주시고, 전도와 열평형에 대해서도 알 수 있도록 지도해 주세요.

• **주제** 두 물질이 접촉할 때의 온도 변화와 열평형

1 이 글은 두 물질이 접촉할 때의 '온도' 변화에 대하여 설명하고 있습니다.

2 온도가 다른 두 물질이 접촉하였을 때, 두 물질 사이에서 열은 온도가 '높은 물질'에서 '낮은 물질'로 이동합니다. 이것을 열의 이동이라고 합니다.

3 갓 삶은 달걀을 차가운 물에 담근 후 시간이 지나면 달걀과 물이 미지근해집니다. 이는 뜨거운 달걀의 열이 차가운 물로 이동했기 때문입니다.

4 물질의 온도는 상황에 따라 변화합니다. 예를 들어, 냉장고에 있는 물은 냉장고의 낮은 온도 때문에 시원한 상태가 유지되는 것이고, 실내에 꺼내 놓은 물은 냉장고보다 높은 실내 온도 때문에 냉장고에 있는 물보다 온도가 높은 것입니다.

오답 풀이
ⓒ 물질에는 온도가 있는데 그 온도는 물질에 따라 모두 다릅니다.
ⓒ 두 물질이 접촉하게 되면 온도가 높은 물질의 열이 온도가 낮은 물질로 이동합니다. 그래서 온도가 높았던 물질의 온도는 낮아지고, 온도가 낮았던 물질의 온도는 높아지게 됩니다.

5 이 글은 열의 이동과 열이 전달되는 '열전도', '열전도' 현상의 예, '열평형'의 뜻과 예, '열평형'에 영향을 주는 조건에 대하여 설명하고 있습니다.

생각 글 쓰기

◆ 예시 답안 두 물질이 접촉할 때 온도가 높은 물질의 열이 온도가 낮은 물질로 이동한다. 그 예로 여름에 냉장고에서 꺼내 두었던 물이 미지근해지는 것을 들 수 있다.

이렇게 지도해 주세요! 이 글은 두 물질이 접촉할 때 일어나는 온도 변화에 대하여 설명하고 있습니다. 온도 변화가 일어나는 까닭과 그 과정, 결과에 이르기까지 함께 연결하여 설명해 주시고 그 예도 자세히 설명해 주세요.

어법 다지기

03 '아니오'와 '아니요'는 각각 상황에 맞게 써야 합니다.
(1) 묻는 말에 대답하는 것으로 '아니요'라고 씁니다.
(2) 윗사람이 묻는 말에 그렇지 않다고 대답하는 상황이므로 '아니요'라고 써야 알맞은 문장이 됩니다.
(3) 어떤 사실을 부정하는 뜻을 나타내므로 '아니오'라고 써야 알맞습니다.

33회 프리다 칼로

▶ 본문 144~147쪽

1 프리다 칼로 2 ②, ④ 3 ⑤ 4 뿌리 5 ② 6 (5), (4), (2), (7), (3), (1), (6)
어휘·어법 다지기 01 (1)-㉠ (2)-ⓒ (3)-ⓛ (4)-ⓔ 02 (1) 내성적 (2) 지인 (3) 자화상 (4) 걸작 03 ④

프리다 칼로는 1907년 멕시코시티 교외 코요아칸의 가난한 집에서 태어났습니다. '프리다'라는 이름은 독일어로 평화를 의미하는데, 헝가리계 독일인이며 사진사인 아버지께서 지어 주신 이름이었지요. 프리다는 어머니가 우울증을 앓았기 때문에 유모의 도움을 받고 자랐습니다.
▶프리다 칼로의 출생

1913년 프리다 칼로가 여섯 살 때 소아마비에 걸려 오른쪽 다리가 불편하게 되었습니다. 이때부터 다른 아이들에게 '나무다리 프리다'라고 놀림을 받았지요. 이러한 까닭으로 그녀는 내성적인 성격이 되었습니다. 하지만 매우 똑똑하고 아름다운 소녀로 자라났지요.
▶프리다 칼로의 어린 시절

1921년에는 의사가 되기 위해 멕시코 최고의 교육 기관인 에스쿠엘라 국립 예비학교에 들어갔습니다. 그 무렵, 학교에 벽화를 그리러 온 리베라를 처음 보았고, 점점 그에게 빠져들었습니다. 그렇게 그녀는 리베라의 영향으로 그림에 관심을 갖게 되었지요.
▶리베라와 만남.

1925년 열여덟 살의 프리다 칼로는 교통사고를 당하는 바람에 소아마비에 걸렸던 것보다 더 큰 고난을 겪게 되었습니다. 그녀가 학교에서 집으로 가기 위해 탄 버스가 전차와 부딪힌 것이지요. 그 사고로 크게 다친 그녀를 본 의사들은 살아 있는 것만으로도 기적이라고 말할 정도였습니다. 프리다 칼로는 9개월 동안이나 온몸에 붕대를 한 채 병상에 누워 있어야 했습니다. 오랜 시간을 침대에서 견뎌야 하는 딸을 위해 그녀의 부모님은 전신 거울과 그림 도구들을 마련해 주었습니다. 그때부터 프리다 칼로는 자신의 몸에서 유일하게 자유로운 두 손을 이용해 그림을 그리기 시작했습니다. 즐겨 그린 대상은 바로 자기 자신이었지요. 그녀는 거울에 비친 자신의 모습을 자세히 관찰하며 스스로의 모습을 그려 나가기 시작했습니다. 이때를 계기로 그녀는 자화상에 빠져들었습니다. 프리다 칼로는 자화상에 대하여 "나는 너무나 자주 혼자이기에 또 내가 가장 잘 아는 주제이기에 나를 그린다."라고 하였습니다. 그녀는 미술 교육을 제대로 받은 적이 없었습니다. 그래서 자신의 그림이 어떠한지 평가해 줄 전문가가 필요했지요. 리베라가 그런 전문가가 되어 줄 것이라고 생각한 프리다 칼로는 지인을 통해 그를 만났습니다. 그는 그녀의 그림을 보고 '이 그림을 그린 사람은 진정한 예술가'라고 평가했습니다. 이러한 그의 말은 화가가 되겠다는 그녀의 결심을 굳게 만들었고, 두 사람은 사랑에 빠졌습니다.

▶프리다 칼로가 자화상을 그리게 된 계기

1929년 프리다 칼로는 21세 연상인 리베라와 결혼했습니다. 하지만 결혼 이후 그녀는 유명한 화가인 남편 리베라를 도와주느라 작품 활동을 할 시간이 부족해졌습니다. 또한 프리다 칼로는 10대 때 겪은 교통사고로 인하여 몸이 약했기 때문에 아이를 낳기 어려웠지요. 이러한 까닭으로 두 사람의 결혼 생활은 행복하지 않았습니다. 그녀는 자신의 힘든 마음을 그림으로 표현하기 시작했습니다. 프리다 칼로가 그린 작품 「머리카락을 자른 자화상」은 이러한 그녀의 고통을 표현한 작품이지요. 또한 그녀의 자화상 중에는 동물들을 함께 그린 작품이 많은데, 그녀는 새나 원숭이 같은 동물이 자신의 아픔을 위로해 준다고 생각했습니다. ▶리베라와의 불행한 결혼 생활

그녀는 1939년에는 피에르 콜 갤러리에서 열린 '멕시코전'에 작품을 출품했습니다. ㉠여러 유명 화가들은 그녀의 작품을 그 당시 유럽에서 유행하던 초현실주의 걸작이라고 평가했지요. 하지만 프리다 칼로는 자신의 그림은 유럽의 영향을 받은 것이 아니라 멕시코적인 것에 뿌리를 둔 것이라고 밝혔습니다. <u>4번의 근거</u> 그 이후 그녀의 건강이 계속 나빠졌고, 또 다시 침대에 누워 있어야 했습니다. 그렇지만 그녀는 몸이 불편한 상황에서도 끊임없이 그림을 그렸지요. ▶'멕시코전'에 작품을 출품함.

프리다 칼로의 작품은 유명한 화가인 남편의 명성에 가려 처음에는 많이 알려지지 않았지만, 점차 그녀의 재능을 알아보는 사람들이 많아졌습니다. 예술가들은 그녀의 작품에 깊이 감동하게 되었지요. 또한, 그녀는 프랑스의 루브르 박물관에 작품을 전시한 최초의 멕시코 화가가 되었습니다. 그녀는 지금까지도 세계적인 명성을 얻고 있습니다.

▶세계적으로 유명해짐.

이렇게 지도해 주세요! 이 글은 자신의 힘든 마음을 그림으로 표현한 멕시코의 여성 화가 프리다 칼로에 대하여 쓴 글입니다. 그녀가 어떻게 화가가 되었고, 어떤 작품을 그렸는지 설명해 주세요.
• **주제** 멕시코 화가 프리다 칼로의 삶과 예술

1 이 글은 멕시코의 여성 화가인 '프리다 칼로'의 삶과 예술에 대하여 쓴 전기문입니다.

2 프리다 칼로는 의사가 되기 위해 멕시코 최고의 교육 기관인

에스쿠엘라 국립 예비학교에 들어갔고, 어머니는 프리다 칼로가 어렸을 때 우울증을 앓았습니다.

오답 풀이
① 프리다 칼로는 멕시코의 수도인 멕시코시티에서 태어났습니다.
③ 프리다 칼로는 여섯 살 때 소아마비에 걸려 오른쪽 다리가 불편하게 되었습니다.
⑤ '프리다'라는 이름은 독일어로 평화를 의미하는데, 헝가리계 독일인인 아버지께서 지어 주셨습니다.

3 프리다 칼로는 자기 자신을 즐겨 그렸습니다.

4 프리다 칼로는 자신의 그림이 유럽의 영향을 받은 것이 아니라 멕시코적인 것에 '뿌리'를 둔 것이라고 밝혔습니다.

5 이 글은 프리다 칼로의 삶과 예술에 대하여 쓴 글입니다.

오답 풀이
① 화가가 될 수 있는 방법을 쓴 글은 아닙니다.
③ 프리다 칼로와 리베라의 사랑보다는 프리다 칼로의 삶을 중심으로 쓴 글입니다.
④ 루브르 박물관이 가지고 있는 작품들을 소개한 글은 아닙니다.
⑤ 프리다 칼로의 삶과 함께 작품에 대해서 썼지만 유명 화가의 작품과 비교하지는 않았습니다.

6 '(5) 코요아칸에서 태어남. → (4) 소아마비에 걸림. → (2) 학교에 온 리베라를 처음 봄. → (7) 교통사고로 다치고 그림을 그리기 시작함. → (3) 리베라와 결혼함. → (1) 멕시코전에 작품을 출품함. → (6) 루브르 박물관에 프리다 칼로의 작품이 전시됨.'이 알맞습니다.

생각 글 쓰기

◆예시 **답안** 교통사고를 당해 오랜 시간 누워 있어야 했을 때 전신 거울에 비친 자신의 모습을 자세히 관찰한 일을 계기로 자화상에 빠져들었다.

이렇게 지도해 주세요! 프리다 칼로는 교통사고로 누워 있는 동안 자화상을 그리면서 자신의 힘든 마음을 표현하였습니다. 또한 자화상에 동물들을 함께 그린 것은 자신의 아픔을 위로해 준다고 생각했기 때문이었다고 설명해 주세요.

어법 다지기

03 '왼쪽'과 '오른쪽'은 '방향'을 나타낸다는 공통된 특징이 있으면서 서로 반대되는 뜻을 가지고 있습니다.

1 생각, 마음 읽기 2 ② 3 (1) × (2) ○ (3) ○ 4 ㉢ 5 생각, 컴퓨터, 신체 장애 6 전기 신호, 범죄

어휘·어법 다지기 01 (1) 구현 (2) 탐침 (3) 분비 02 (1) 소환 (2) 분비 (3) 부인 03 ②

가끔씩 거대한 정치 범죄나 경제 범죄가 나라 안팎을 뒤흔들었다는 뉴스가 들립니다. 죄를 지은 것으로 보이는 수많은 사람들이 검찰에 소환되지만, 대부분은 자신의 범죄를 인정하지 않습니다. 그렇게 범죄를 부인하는 사람을 보면 '사람의 마음을 읽어서 모니터에 표시할 수 있다면 얼마나 좋을까?'라는 생각이 들기도 합니다. 생각을 읽을 수 있으면 많은 일이 가능해집니다. 자동차 블랙박스도 필요 없어집니다. 인간의 뇌로부터 자신이 보았던 사고 장면을 재생해서 당시의 상황을 읽어 내면 되기 때문입니다. ▶'마음 읽기' 기술의 필요성

이러한 일들이 일어나기 어려울 것 같지만 어쩌면 생각보다 쉽게 구현될지도 모릅니다. 뇌의 모든 작용은 전기 신호와 화학 물질의 분비로 이루어지므로, 전류와 화학 물질의 양을 측정해 의미 있는 정보로 바꾸면 가능한 것입니다. 이처럼 인간의 생각을 읽어 내는 마인드 레코더가 서서히 개발되고 있다고 합니다. ▶'마음 읽기'의 개발

2004년 미국 브라운 대학교에서 의미 있는 첫걸음을 뗐습니다. 브레인 게이트는 미세한 100개의 전극이 담긴 칩을 뇌에 이식해 인간의 생각을 외부 컴퓨터로 받는 장치입니다. 미국인 네이글은 사고로 머리를 제외한 모든 신체 부위가 마비되었는데, 이 장치로 기적을 경험하게 되었습니다. 브레인 게이트는 네이글의 특정한 생각이 만들어 내는 뇌의 전기 신호 패턴을 분석했고, 이를 기초로 컴퓨터 마우스를 조작하거나 전자 기기의 스위치를 눌렀습니다. ▶'브레인 게이트'의 개발

허친슨 부인 역시 머리를 제외한 신체 모든 부위가 마비된 상태로 타인의 도움 없이는 물 한 잔도 마실 수 없었습니다. 2011년 브라운대와 하버드대 공동 연구진이 지켜보는 가운데, 허친슨 부인은 커피를 먹겠다는 생각을 떠올렸고 이 생각을 읽어 낸 브레인 게이트가 로봇 팔을 움직여서 커피를 마실 수 있었습니다. ▶'브레인 게이트' 활용 예

그렇다면 브레인 게이트를 이용해 생각만으로 글자를 입력하는 것도 가능할까요? 지금은 불가능합니다. 브레인 게

이트의 탐침은 겨우 100개에 불과해 뇌를 구성하는 1,000억 개의 뉴런이 발생시키는 신호를 모두 수집할 수 없습니다. 만약 각각의 뉴런이 동작하는 신호를 알아낼 수 있다면 사람의 생각을 정확하게 읽을 수 있을 것입니다. 생각만으로 로봇을 조종하는 일이 가능해진다는 말입니다. ▶브레인 게이트의 한계

그런데 이러한 마음 읽기 기술을 개발하면 삶의 질까지 높아질까요? 일단 ㉠신체 장애를 가진 사람들의 삶의 질은 크게 개선될 것입니다. 뇌만 살아 있다면 모든 활동이 가능하며, 목소리 없이 대화도 할 수 있기 때문입니다. 개인의 경험, 추억, 감정을 읽어서 데이터로 저장해 둘 수도 있습니다. 예술가와 과학자들이 생각했던 생각의 흐름을 따로 저장해 놓아도 됩니다. 물론 부작용도 있을 것입니다. 강제로 '마음 읽기'를 하여 은행 비밀번호나 국가 기밀을 훔치기 위한 범죄가 증가할 수도 있습니다. ▶브레인 게이트의 장점과 단점

어쩌면 인간의 정신세계를 모두 읽어 내고, 이를 컴퓨터 서버 또는 로봇에 업로드하는 기술이 개발될지도 모릅니다. 인간의 정신과 경험이 모두 기계로 옮겨지면, 인간의 기억과 경험은 기계로 복사될 것입니다. 한걸음 더 나아가 인간의 자아와 의지까지 복사된다면 기계화된 인간의 자아는 인간과 동등하다고 볼 수 있을까요? 만약 이것이 가능하다면 이것은 새로운 인류의 탄생을 의미한다고 볼 수 있습니다. ▶브레인 게이트가 인간의 정신세계를 읽을 때 생길 효과

이렇게 지도해 주세요! 이 글은 인간의 생각을 읽어 내어 컴퓨터로 옮기는 '마음 읽기' 기술을 설명하고, 이러한 기술의 장단점을 제시하고 있습니다. 과학의 발전으로 인해 생기는 편리성과 위험성을 모두 고려할 수 있도록 지도해 주세요.

• **주제** 사람의 마음을 읽는 '마음 읽기' 기술의 원리와 전망

1 이 글은 사람의 '생각'을 읽어 컴퓨터에 저장하거나 기계를 조작할 수 있는 '마음 읽기' 기술을 설명하고 있습니다.

2 미세한 전극 칩을 뇌에 이식해 인간의 생각을 컴퓨터로 받는 브레인 게이트의 원리와 실제 사례는 설명하였지만, 브레인 게이트의 개발 순서는 설명하지 않았습니다.

오답 풀이
① 뇌의 작용은 전기 신호와 화학 물질의 분비로 이루어진다고 하였습니다.
③ 브레인 게이트를 이용한 네이글과 허친슨 부인의 사례가 제시되어 있습니다.
④ '마음 읽기' 기술은 신체 장애를 가진 사람들의 삶의 질을 크게 개선시킬 수 있다고 하였습니다.
⑤ '마음 읽기' 기술로 인해 인간의 정신을 기계에 복사한 새로운 인류가 탄생할 수 있다고 언급하였습니다.

3 브레인 게이트는 2004년 미국 브라운 대학교에서 개발한 장치로, 미국인 네이글과 허친슨 부인에게 사용하였으므로 현

재 사용할 수 있는 기술입니다.

4 '마음 읽기' 기술로 신체 장애를 가진 사람들의 삶의 질이 개선되는 사례가 아닌 것은 ⓑ입니다. ⓑ는 단순히 개인의 생각을 저장하는 것이므로 ㉠에 해당하지 않습니다.

5 인간의 '생각'을 읽어 내는 '마음 읽기' 기술은 인간의 생각을 외부 '컴퓨터'로 받는 장치라고 하였습니다. 이 기술은 앞으로 '신체 장애'를 가진 사람들의 삶의 질을 향상시킬 것으로 전망되고 있습니다.

6 브레인 게이트, '마음 읽기' 기술의 원리는 뇌의 '전기 신호'를 측정해 의미 있는 정보로 바꾸어 저장하는 것입니다. 장점이 많지만 강압적인 방법으로 국가 기밀을 훔치는 등의 '범죄'가 증가할 우려도 있다고 하였습니다.

생각 글 쓰기

◆ 예시 답안 뇌를 구성하는 각각의 뉴런이 동작하는 신호를 모두 알아낼 수 있어야 한다.

이렇게 지도해 주세요! 현재는 브레인 게이트를 이용해 글자를 입력하는 것이 불가능하다고 하였습니다. 뇌를 구성하는 1,000억 개의 뉴런이 발생시키는 신호를 모두 알아낼 수 있다면 글자를 입력하는 것은 물론 생각만으로 로봇을 조종하는 일도 가능하다고 설명해 주세요.

어법다지기

03 '화폐'는 '지폐'와 '동전' 등을 포함합니다. 또한 '미술'은 '판화'를 포함하는 낱말입니다. 따라서 ㉮에는 '동전', ㉯에는 '미술'이 들어가는 것이 알맞습니다.

1 헌법, 의무 2 ② 3 ⑤ 4 ④ 5 ⓒ 6 헌법, 기본권, 균형
어휘·어법다지기 01 (1)-㉠ (2)-㉣ (3)-㉢ (4)-ⓒ 02 (1) 규범 (2) 입문 (3) 방대 (4) 토대 03 (1) 앎 (2) 만듦

사회에 법이 없다면 어떻게 될까요? 자신의 이익만을 생각하고 이기적으로 행동하는 사람들 때문에 사회 질서가 어지러워질 것입니다. 이를 막기 위해 국가에서는 법을 제정하여 따르게 하고 있습니다. 법은 국가 권력에 의하여 강제되는 사회 규범을 뜻합니다. [2번의 근거] 개인의 권리를 보장하고, 사회의 혼란과 문제를 해결하여 사람들이 어려움 없이 살게 하기 위해서는 법이 꼭 필요합니다. 이러한 법은 양이 많고 방대하기에 우리나라에서는 체계에 따라 법을 여러 가지로 분류하고 있습니다. [2번의 근거]
▶법의 필요성

법이 우리의 일상생활을 규제하고 보호한다면 헌법은 법의 전체적인 질서를 나타냅니다. 그래서 헌법을 법 위의 법, 또는 최고의 법이라고 합니다. [2번의 근거] 헌법은 모든 법의 토대가 되며, 모든 국민이 존중받고 행복한 삶을 살아가는 데 필요한 내용을 담고 있습니다. 다시 말해 헌법은 국민이 누릴 수 있는 권리인 기본권과 국민이 지켜야 할 의무, [2번의 근거] 그리고 국가 기관을 조직하고 운영할 때의 기본 원칙을 담고 있습니다. 우리나라는 헌법을 바탕으로 여러 법을 만들기 때문에 모든 법은 헌법과 뜻이 다르거나 헌법에서 벗어난 형태로 만들 수 없습니다. 이렇게 헌법은 국가를 운영하는 데 가장 중요하고 기본적인 내용을 담고 있으므로, 헌법의 내용을 새로 만들거나 바꾸려고 할 때에는 국민 투표를 실시해야 합니다. [2번의 근거]
▶헌법의 뜻과 중요성

기본권이란 헌법에서 보장하는 국민의 기본적인 권리를 말하는데, 크게 다섯 가지로 나눕니다. 먼저 평등권은 모든 사람이 자신의 권리를 법으로 동등하게 보장받아 차별 당하지 않을 권리를 뜻합니다. [4번의 근거] 법은 모든 국민에게 공평하게 적용되며, 사람에 따라 법이 다르게 적용되지 않습니다. 「자유권은 자유롭게 생각하고 행동할 권리를 뜻합니다. 직업을 선택하는 자유나 사는 곳을 옮길 자유, 종교를 가질 자유 등이 「」: 5번의 근거 이에 해당됩니다. 참정권은 국가의 정치에 참여할 권리입니다. 국민은 법률이 정하는 바에 따라 투표권을 행사할 수 있고, 정치에 입문하거나 나라의 공무를 맡아볼 수 있습니다. 사회권은 인간답게 살 수 있도록 국가에 요구할 권리를 말합

니다. 국민들은 누구나 교육을 받으며, 건강하고 쾌적하게 살 권리를 가집니다. 청구권은 앞에서 살핀 기본권들이 침해되었을 때 국가에 어떤 일을 해 달라고 요구할 권리를 뜻합니다. 국민은 법관에 의해 법률에 의한 재판을 받을 권리를 가지며, 국가 기관에 문서로 청원할 권리를 가집니다. 이러한 기본권은 우리나라의 국민이라면 항상 보장받아야 하지만, 국가의 안전이나 공공의 이익 등을 위해 필요한 경우 법률에 따라 제한될 수 있습니다.
4번의 근거
▶국민의 기본권

헌법은 이러한 국민의 권리뿐만 아니라 국민으로서 지켜야 할 의무 또한 제시하고 있습니다. 교육, 납세, 국방, 근로, 환경 보전의 의무가 그것입니다. 모든 국민은 자녀가 일정한 나이가 되면 학교에 나가 교육을 받게 할 의무가 있습니다. 또한 소득을 얻으면 그만큼 나라에 세금을 내야 하는 납세의 의무가 있습니다. 그리고 국민의 안전을 위해 나라를 지키는 의무를 다해야 합니다. 또한 국민은 개인과 나라의 발전을 위해 직업을 가지고 일하며, 환경을 지키고 가꾸는 일에 힘쓸 의무가 있습니다.
▶국민의 의무

국민들은 법으로 보장되는 권리를 누리는 동시에, 이러한 국민의 책임과 의무를 지키기 위하여 노력해야 합니다. 의무를 실천하는 일은 나뿐만 아니라 다른 사람의 기본권을 보장하는 바탕이 됩니다. 국민의 기본권과 의무가 균형을 이룰 때, 다른 사람의 기본권을 보장하고 나라를 유지하며 발전시킬 수 있습니다.
4번의 근거
▶기본권과 의무의 균형

이렇게 지도해 주세요! 이 글은 헌법의 뜻과 헌법에서 보장하고 있는 기본권 및 의무를 설명한 글입니다. 헌법의 뜻과 기본권, 의무가 무엇인지 이해할 수 있도록 예시를 들어 자세히 지도해 주세요.
• **주제** 헌법의 뜻과 그 안에 담겨 있는 기본권 및 의무

1 이 글은 헌법의 뜻과 '헌법'에 담긴 기본권, '의무'에 대하여 설명한 글입니다.

2 헌법은 대통령이 직접 만들고 고칠 수 있는 것이 아니라 국민 투표를 통해서만 새로 만들거나 바꿀 수 있는 것이라고 하였습니다.

3 헌법은 국가 기관을 운영할 때의 원칙을 담고 있지만, 국가들 사이에 지켜야 할 의무를 다루지는 않습니다. 국가들 사이의 문제를 다루는 법은 국제법입니다.

4 기본권과 의무가 균형을 이룰 때 나라가 유지되고 발전한다고 설명하였습니다.

오답 풀이
① 기본권은 국가의 안전과 공공의 이익 등을 위해 필요한 경우 법률에 따라 제한될 수 있습니다.

② 국민들은 기본권을 누리는 동시에 국민의 의무와 책임을 다해야 한다고 하였습니다.
③ 헌법은 국민이 누릴 수 있는 기본권을 명시하고 있습니다.
⑤ 기본권에는 평등권, 사회권, 참정권, 자유권, 청구권의 다섯 가지가 있다고 하였습니다.

5 청구권은 국민이 기본권을 침해받았을 때 국가에 어떤 일을 해 달라고 요구할 권리를 뜻합니다. 진수는 정치를 하고 싶어 입당 신청서를 낸 것이므로 청구권이 아닌 참정권을 행사한 것입니다.

6 이 글은 '헌법'의 뜻과 중요성에 대해 설명한 글입니다. 헌법이 보장하는 국민의 기본적인 권리인 '기본권'과 국민이 지켜야 할 의무를 설명하였고, 기본권과 의무의 '균형'을 통해 나라가 유지되고 발전할 수 있음을 강조하였습니다.

생각 글 쓰기

◆예시 **답안** 국민이 기본권을 누리는 동시에 의무를 지킬 때 나라가 유지되고 발전할 수 있기 때문이다.

이렇게 지도해 주세요! 이 글에서는 기본권과 의무의 균형이 이루어져야 다른 사람의 기본권이 보장되는 한편 나라가 유지와 발전을 이룰 수 있다고 하였습니다. 국민이 의무를 지키지 않고 권리만 주장할 경우 어떤 일이 발생할지 생각해 볼 수 있도록 지도해 주세요.

어법 다지기

03 (1) '알다'에서 '-다'를 빼고 명사를 만드는 '-ㅁ'을 합친 것이므로 '앎'이 됩니다.
(2) '만들다'에서 '-다'를 빼고 명사를 만드는 '-ㅁ'을 합친 것이므로 '만듦'이 됩니다.

> 1 온실가스, 기후 2 ④ 3 (1)-ⓒ (2)-ⓐ (3)-ⓑ 4 (1) × (2) ○
> 5 온난화, 교토 의정서, 선진국
> **어휘·어법 다지기** 01 (1)-ⓐ (2)-ⓑ (3)-ⓒ (4)-ⓒ 02 (1) 주
> 범 (2) 자발적 (3) 체결 03 (1) 가게 (2) 가계

전 세계는 지금 기후 변화로 몸살을 앓고 있습니다. 산업 혁명 이후 인류는 물질적으로 풍요로운 삶을 살게 되었으나, 공장이나 발전소에서의 산업 활동으로 배출된 온실가스는 지구의 온도를 높이는 요인이 되었지요. 화석 연료를 태우는 과정에서 나오는 이산화 탄소가 바로 그 주범입니다. 또 농경지를 넓히기 위해 산림을 파괴하는 과정에서 이산화 탄소를 저장하는 숲의 면적이 줄어들면서 대기 중 이산화 탄소의 농도는 점점 높아졌습니다. 게다가 해양에 녹아드는 이산화 탄소가 많아진 탓에 해양의 산성화가 발생하였습니다.
▶기후 변화 문제 발생

지금처럼 온실가스를 배출한다고 가정한다면 21세기 후반에는 여름철 해빙이 지금과 비교해 94퍼센트 줄어 거의 다 녹을 것입니다. 이렇게 해빙이 녹으면 녹는 만큼 해수면이 상승합니다. 매년 점점 더 많은 양의 극지방의 빙하가 녹아 내리기 시작했고, 이전에 경험하지 못했던 이상 기후는 이제 생명체의 생존을 위협하고 있습니다.
▶이상 기후의 심각성

지구의 기후 변화를 막기 위한 최선의 방법은 각 나라에서 온실가스의 배출을 줄이는 것입니다. 이를 위해 국제 사회는 1992년 브라질에 모여 리우 선언이라는 국제 선언문을 만들었습니다. 이 선언에 지구 온난화를 막기 위한 구체적인 실천 방안이 포함된 것은 아니었습니다. 그러나 리우 선언은 지구 온난화가 전 세계에 미치는 부정적인 영향에 대해 고민하고 이를 해결하기 위해 전 세계가 함께 노력해야 한다고 인식하는 계기가 되었습니다.
▶리우 선언

1997년에는 일본에서 교토 의정서를 채택하고, 온실가스를 효과적으로 감축하기 위해 공동 이행 제도, 청정 개발 체제, ㉠탄소 배출권 거래 제도를 도입했습니다. 하지만 온실가스 감축 목표와 일정 등을 둘러싸고 선진국과 개발 도상국 사이에 갈등이 생겨났습니다. 2001년 미국의 탈퇴 선언을 시작으로 일본, 캐나다, 러시아 등의 선진국들이 연이어 탈퇴를 선언했습니다. 교토 의정서는 산업 개발을 위해 많은 온실가스를 배출하고 있던 중국, 인도를 개발 도상국이라는 이

유로 온실가스 감축 대상에 포함하지 않았다는 문제도 안고 있었습니다.
▶교토 의정서

이에 따라 파리에서 개최된 2015년 21차 유엔 기후 변화 협약 당사국 총회의에서 새로운 기후 변화 협약이 체결되었습니다. 파리 기후 변화 협약은 거의 모든 국가의 서명을 이끌어 냈고, 환경을 보존하는 의무를 전 세계의 국가들이 함께 부담하도록 했습니다. 대신 온실가스를 많이 배출했던 선진국이 개발 도상국의 온실가스 감축을 위해 지원하는 것을 의무화하였습니다. 그리고 중도에 탈퇴하는 국가들을 막기 위해 온실가스 감축 목표치는 각 국가가 자발적으로 설정한다는 내용을 담았습니다.
▶파리 기후 변화 협약

이와 같은 국제 기후 변화 협약의 핵심 내용 중 하나는 '공동의 차별화된 책임'입니다. 이 말의 뜻은 모든 국가가 환경 문제에 책임이 있지만 어떤 국가들은 다른 국가들보다 특별히 더 책임이 있다는 것입니다. 또 다른 핵심 내용인 '오염자 부담의 원칙'은 환경 오염을 일으킨 국가가 환경 오염을 방지하고 해결하는 데 필요한 비용을 부담해야 한다는 뜻입니다. 그런데 오늘날 이산화 탄소 농도가 크게 높아진 데에는 그동안 무분별한 성장을 거듭해 온 선진국의 책임이 더 크다는 견해와, 급속한 산업화와 폭발적인 인구 증가를 겪으며 이산화 탄소를 배출한 개발 도상국의 책임이 더 크다는 견해가 서로 대립하고 있습니다.
▶국제 기구 변화 협약에서 국가 간의 갈등

이렇듯 세계 각국은 기후 변화로 인한 문제를 인식하고 온실가스 배출을 줄여야 하는 것을 인정하면서도, 정작 기후 변화 협약이 자신들에게 경제적인 위협을 가할까 봐 우려하고 있습니다. 이럴 때일수록 우리는 환경 파괴의 대가는 한 국가만이 아닌 전 세계가 부담해야 할 몫이라는 점을 깨닫고, 지구 온난화를 막기 위해 전 국가적 차원의 노력을 기울여야 합니다.
▶전 국가적 차원의 노력 필요

이렇게 지도해 주세요! 이 글은 지구 온난화 문제를 일으키는 온실가스의 배출을 줄이기 위해 전 세계가 맺은 기후 협약을 설명한 글입니다. 기후 협약이 어떻게 변화해 왔는지, 현재 문제점은 무엇인지 알 수 있도록 지도해 주세요.
• **주제** 온실가스 배출을 줄이기 위한 기후 변화 협약

1 이 글은 지구 온난화의 주범인 '온실가스' 배출을 줄이기 위해 전 세계 국가들이 맺은 '기후' 변화 협약을 설명한 글입니다.

2 세계 각국에서는 지구 온난화로 인한 기후 변화 때문에 생기는 문제들을 인식하고 있다고 하였습니다. 이 때문에 온실가스 배출을 줄여야 한다고 인정한 것입니다.

오답 풀이
① 산업 혁명 이후에 산업 활동으로 인한 온실가스가 증가하여 지구의 온도가 올라갔다고 하였습니다.
② 극지방의 빙하가 녹아내리는 등 지구의 이상 기후가 생명체의 생존까지 위협하고 있다고 하였습니다.
③ 대기 중 이산화 탄소의 농도가 높아지면서 지구의 온도가 높아진 것입니다.
⑤ '오염자 부담의 원칙'은 환경 오염을 일으킨 국가가 환경 오염을 방지하고 해결하는 데 필요한 비용을 부담해야 한다는 뜻입니다.

3 (1) 리우 선언에 구체적인 실천 방안이 포함된 것은 아니지만 지구 온난화가 전 세계에 미치는 부정적인 영향에 대해 고민하고 이를 해결하기 위해 전 세계가 노력해야 한다고 인식하는 계기가 되었습니다.
(2) 교토 의정서에는 공동 이행 제도, 청정 개발 체제, 탄소 배출권 거래 제도 등이 포함되었습니다.
(3) 파리 기후 변화 협약은 온실가스 감축 목표치를 각 국가가 자발적으로 설정하도록 하였습니다.

4 ㉠의 탄소 배출권 거래 제도는 온실가스를 배출할 권리를 사고팔 수 있는 제도입니다. 따라서 탄소 배출권이 비싸다면 각 국가가 온실가스를 줄이는 기술을 도입하여 탄소 배출을 줄이려고 노력할 것입니다.

5 리우 선언은 지구 '온난화' 해결을 위해 전 세계가 노력해야 한다는 인식을 심어 주었습니다. '교토 의정서'는 온실가스 감축을 위한 여러 가지 제도를 도입하였습니다. 파리 기후 변화 협약은 '선진국'이 개발 도상국의 온실가스 감축을 위한 지원을 하도록 의무화하였습니다.

✏️ 생각 글 쓰기

◆ **예시 답안** 선진국은 산업 발전을 위해 온실가스를 많이 배출해 왔기 때문에 온실가스 감축에 앞장서야 한다.

이렇게 지도해 주세요! 선진국은 산업 혁명 이후 꾸준히 온실가스를 배출해 온 책임이 있고, 개발 도상국에 온실가스 감축을 위한 기술을 지원할 능력이 있기 때문에 온실가스 감축에 앞장서야 한다고 설명해 주세요.

어법 다지기

03 '가게'와 '가계'는 형태는 비슷하지만 뜻이 다른 낱말입니다. '가게'는 순우리말로, 물건을 파는 집을 이르는 말입니다. 그리고 '가계(家計)'는 한자어로, 가정의 살림을 꾸려 나가는 상태를 뜻합니다. 가정의 수입과 지출을 적는 '가계부'를 떠올리면 가계의 뜻을 쉽게 이해할 수 있습니다.

37회 온도에 따른 물질의 용해도

▶ 본문 160~163쪽

1 온도, 용해도 2 ④ 3 ④ 4 온도, 높여 5 ② 6 용질, 용해, 온도, 용해도
어휘·어법 다지기 01 (1) 균일 (2) 추가 (3) 결합 02 (1) 결합 (2) 추가 (3) 일정 03 ②

달콤한 코코아를 마시고 싶을 때, 물에 코코아 가루를 넣고 열심히 저으면 코코아 가루가 녹는 것을 볼 수 있습니다. 그런데 가루를 많이 넣어서 녹이다 보면 가루가 녹지 않고 바닥에 가라앉습니다. 이때 코코아 가루를 더 녹이기 위해 우리가 할 수 있는 방법은 물을 더 넣는 것입니다. 물을 많이 넣을수록 물에 녹을 수 있는 코코아 가루의 양이 많아지기 때문입니다.
▶용해의 예

그렇다면 물의 양을 늘리지 않고 코코아 가루를 더 많이 녹여서 진한 코코아를 만들고 싶으면 어떻게 해야 할까요? 이러한 궁금증을 해결하기에 앞서 용질, 용매, 용해, 용액이 무엇인지 살펴봅시다. 용질이란 용해의 과정에서 용매에 녹는 물질로, 좀 전의 코코아 가루나 소금, 설탕 등이 용질이 될 수 있습니다. 용매는 물과 같이 용해의 과정에서 용질을 녹이는 물질입니다. 예를 들어 소금물에서 용질은 소금이고, 용매는 물입니다. 그리고 용질과 용매가 서로 만나 골고루 녹아 섞이는 현상을 용해라고 합니다. 즉 소금이 물에 녹거나 설탕이 물에 녹는 일을 용해라고 하는 것이지요. 그리고 소금물과 설탕물처럼 용질이 용매에 균일하게 섞여 있는 것을 용액이라 합니다.
▶용질, 용매, 용해, 용액의 뜻

용해 현상은 용매를 구성하는 입자와 용질을 구성하는 입자가 서로 끌어당기는 힘에 의해 결합하면서 나타납니다. 코코아를 예로 들면 코코아 가루 입자와 물 입자가 서로 끌어당기는 힘에 의해 결합하면 두 입자가 고르게 섞여 녹게 됩니다. 물의 양이 일정할 때 코코아 가루 입자와 결합할 수 있는 물 입자의 수는 한정되어 있습니다. 그런데 코코아 가루 입자가 더 많아지면 결합할 수 있는 물 입자가 모자라기 때문에, 결합하지 못한 코코아 가루 입자들은 물에 녹지 못하고 남아 있게 됩니다. 이때 ㉠물을 더 넣어 준다면 남아 있는 코코아 가루 입자들도 더 녹을 수 있게 될 것입니다. 그렇다면 ㉡물을 추가하지 않고 더 많은 코코아 가루를 녹이려면 어떻게 해야 할까요?
▶용해 현상의 원리

용해도는 일정한 온도에서 용매 100그램 속에 최대로 녹을 수 있는 용질의 그램 수를 말합니다. 오른쪽의 그래프를 보면 섭씨 30도에서 소금, 백반, 붕산의 용해도는 각각 약 37그램, 10그램, 6그램 정도입니다. 섭씨 30도에서 물질의 용해도는 소금이 가장 크고 그다음이 백반, 붕산 순인 것이지요. 그런데 그래프를 보면 온도가 높아질수록 세 물질의 용해도가 증가하는 것을 확인할 수 있습니다. 즉, 온도가 높아지면 물 100그램에 녹을 수 있는 소금, 백반, 붕산의 양이 많아지고 온도가 낮아지면 물에 녹을 수 있는 물질의 양이 적어집니다.

▶용해도의 개념 및 용해도와 온도의 관계

왜 물의 온도가 높아지면 물질의 용해도가 증가하는 것일까요? 물의 온도가 높다는 것은 물을 구성하는 물 입자의 운동 에너지가 크다는 뜻입니다. 운동 에너지가 클수록 입자는 활발히 움직입니다. 물의 온도가 높아지면 물 입자의 운동 에너지가 커지기 때문에 물 입자가 더 활발하게 움직이고, 따라서 더 많은 양의 용질이 들어와도 용질의 입자와 용매의 입자가 서로 잘 섞일 수 있게 되는 것입니다.

▶온도 상승으로 용해도가 증가하는 까닭

위 그래프에 따르면 섭씨 30도의 물 100그램에 백반 20그램을 넣었을 때 물 입자의 에너지가 백반 10그램만 녹일 수 있을 정도이므로 나머지 10그램의 백반은 그대로 남아 있게 됩니다. 하지만 물의 온도를 섭씨 50도 이상으로 올린다면 물 입자의 운동 에너지가 커지면서 남은 10그램의 백반도 모두 녹게 됩니다. 이를 통해 일정한 양의 용매에 많은 양의 물질을 녹이고자 할 때 용매의 온도를 높여 주면 된다는 사실을 알 수 있습니다.

▶용매에 많은 양의 물질을 녹이는 방법

이렇게 지도해 주세요! 이 글은 용질, 용매, 용해, 용액의 개념을 설명하고, 온도가 높아지면 물질의 용해도가 높아지는 까닭을 설명한 글입니다. 각각의 개념을 이해하고 용해도 그래프를 읽을 수 있도록 지도해 주세요.
• **주제** 온도에 따라 물질의 용해도가 변화하는 까닭

1 이 글은 용매의 '온도'에 따라 물질의 '용해도'가 변화하는 까닭을 설명한 글입니다.

2 물의 양이 일정하다면 코코아 가루 입자가 결합할 수 있는 물 입자의 수는 한정되어 있다고 하였습니다. 즉 용매의 양이 일정할 때 일정한 것은 용액이 아닌 용질의 양입니다.

3 물을 더 넣어 주면 코코아 가루 입자와 결합할 수 있는 물 입자가 늘어나기 때문에 남아 있는 코코아 가루 입자들도 더 녹을 수 있게 되는 것입니다.

4 물을 추가하지 않고도 코코아 가루를 더 녹이려면 물의 '온도'를 더 '높여' 주면 됩니다. 온도가 올라가면 물 입자의 운동 에너지가 커져서 입자가 활발히 움직이게 되므로 물 입자와 코코아 가루 입자가 잘 섞이는 것입니다.

5 그래프를 보면 섭씨 70도의 물 100그램에 백반은 약 38그램, 붕산은 약 23그램이 녹는 것을 알 수 있습니다. 따라서 섭씨 70도일 때 붕산보다 백반의 용해도가 더 큽니다.

오답 풀이
① 섭씨 20도에서 소금의 용해도 그래프가 가장 위에 있으므로 용해도가 가장 큽니다.
③ 섭씨 40도에서 붕산의 용해도는 약 10그램이므로, 붕산 5그램을 녹이면 다 녹을 것입니다.
④ 섭씨 50도에서 백반의 용해도는 약 20그램이므로, 백반 15그램을 녹이면 다 녹을 것입니다.
⑤ 섭씨 80도에서 붕산의 용해도는 약 30그램이므로, 붕산 40그램을 녹이면 10그램이 녹지 않고 남게 될 것입니다.

6 이 글에서는 '용질', 용매, 용해, 용액의 개념과 물질이 '용해'되는 현상의 원리를 설명하였습니다. 또한 용해도의 개념 및 용해도와 '온도'의 관계를 밝히고, 온도에 따라 '용해도'가 증가하는 까닭을 설명하였습니다.

생각 글 쓰기

◆**예시 답안** 온도가 낮아지면서 물에 녹아 있던 백반이 다시 뭉쳐져 비커 바닥에 쌓이게 될 것이다.

이렇게 지도해 주세요! 온도가 높아지면 물질의 용해도가 증가한다고 하였습니다. 비커를 얼음물에 넣어 온도가 내려가면 용해도가 낮아지면서 물에 녹아 있던 백반이 다시 뭉쳐져서 비커 바닥에 쌓이게 될 것이라고 설명해 주세요.

어법 다지기

03 **보기**의 '세다'는 '힘이 많다.'라는 뜻으로, '세다'가 가장 중심적인 뜻으로 쓰였습니다. 같은 뜻으로 사용된 것은 '문을 세게 닫고 나갔다.'에서의 '세다'입니다. 다의어의 뜻들은 서로 연관성을 가지지만 문장에서의 쓰임에 따라 약간의 차이를 보인다는 점에 주의해 주세요.

오답 풀이
① 머리카락이나 수염 등의 털이 희어진다는 뜻입니다. **보기**의 '세다'와 연관성이 없는 동음이의어입니다.
③ 물에 광물질 등이 많이 섞여 있다는 뜻으로, **보기**의 '세다'와 약간의 뜻 차이가 있습니다.
④ 사물의 수효를 헤아리거나 끊는다는 뜻입니다. **보기**의 '세다'와 연관성이 없는 동음이의어입니다.
⑤ 능력이나 수준 등의 정도가 높거나 심하다는 뜻으로, **보기**의 '세다'와 약간의 뜻 차이가 있습니다.

38회

㉮ 십 년을 경영하여_송순
㉯ 청산도 절로절로_송시열

▶ 본문 164~167쪽

1 ③ 2 ① 3 ② 4 ⑤ 5 ② 6 ⑤ 7 ②

어휘·어법다지기 01 (1)-ⓒ (2)-㉠ (3)-ⓔ (4)-ⓓ 02 (1) 청산 (2) 산수 (3) 초려 (4) 청풍 03 (1) 너비 (2) 넓이 (3) 넓이

㉮

십 년(十年)을 경영(經營)하여 초려삼간(草廬三間) 지여 내
　　　　　　계획하여, 준비하여　　　세 칸밖에 안 되는 초가
니,

「나 한 간, ㉠달 한 간에 ㉡청풍(淸風) 한 간 맡겨 두고,」
「」: '달'과 '청풍'에게 방 한 칸씩을 내어 주겠다는 새로운 발상

강산(江山)은 들일 곳이 없으니 둘러 두고 보리라.
○: 자연을 상징하는 것　　　　　　▶자연 속에서 자연을 즐기며 사는 삶

㉯

㉢청산(靑山)도 절로절로 ㉣녹수(綠水)도 절로절로
　　　　　　　　자연적으로
산(山) 절로 수(水) 절로 산수간(山水間)에 나도 절로
「그중(中)에 절로 자란 ㉤몸이 늙기도 ㉥절로절로」
산수간(자연)　　자연에 따라 자란　　▶자연의 순리에 따라 사는 삶
□: 'ㄹ'의 반복으로 리듬감을 줌.　「」: 물과 산처럼 자연에 따라 살겠다는 태도

이렇게 지도해 주세요! ㉮는 가난하지만 자연 속에서 자연을 즐기며 사는 삶을 나타낸 시이고, ㉯는 자연에 따라 사는 삶을 나타낸 시입니다. 두 시에서 말하는 이가 자연과 삶을 어떻게 바라보고 있는지 느낄 수 있도록 지도해 주세요.
• **주제** ㉮ 자연 속의 삶
　　　　 ㉯ 자연에 따라 사는 삶

---

1 ㉮, ㉯는 모두 '자연'을 글감으로 하여 쓴 시입니다.

2 ㉮에서 말하는 이는 '십 년을 경영하여 초려삼간 지여 내니' 라고 하였으므로 욕심이 없다는 것을 알 수 있습니다.

　오답 풀이
　② 슬픈 마음은 나타나 있지 않습니다.
　③ 큰 집을 가지고 싶어 하는 마음은 나타나 있지 않습니다.
　④ 임금님을 그리워하는 마음은 나타나 있지 않습니다.
　⑤ 종장에는 강산을 그대로 두고 보겠다는 뜻이 담겼습니다.

3 ㉯는 자연이 흐르는 대로 자신도 그렇게 살겠다는 마음이 담겨 있는 시입니다.

　오답 풀이
　① '산수간'은 '산과 물 사이'로 자연을 뜻합니다.
　③ '절로절로'는 '저절로', '자연스럽게'라는 뜻입니다.
　④ '산수간에 나도 절로'라고 표현한 부분에서 말하는 이의 생각을 알 수 있습니다.
　⑤ '절로 자란 몸이 늙기도 절로절로'라는 표현에서 말하는 이의 생각을 알 수 있습니다.

4 ㉠~㉣은 모두 '자연'을 뜻하는 시어입니다. ㉤은 말하는 이의 '몸'을 뜻합니다.

---

5 시에서 '절로절로'는 자연에 맡기겠다는 뜻입니다.

6 ㉯는 '절로절로'를 반복하여 시에 리듬감을 주고 있습니다.

　오답 풀이
　① 말하는 이는 자신의 마음을 그대로 시에 표현하고 있습니다.
　② 비슷한 문장을 반복하면 시에 담긴 뜻을 강조할 수 있는데 이 시에서 사용한 방법은 아닙니다.
　③ 자연과 도시를 비교하고 있지 않습니다.
　④ 과장하는 표현은 나타나지 않았습니다.

7 ㉮에서 아이가 우는 장면은 필요하지 않습니다.

생각 글 쓰기

◆**예시 답안** ㉮는 '자연 속의 삶', ㉯는 '자연에 따라 사는 삶'을 나타냈다.

이렇게 지도해 주세요! ㉮는 '달', '청풍', '강산'이 자연 전체를 나타내고, ㉯는 '청산', '녹수', '산수간'이 자연 전체를 뜻한다는 것을 이해하며 감상할 수 있도록 설명해 주세요.

어법다지기

03 '너비'는 가로의 길이를 나타내는 말이므로 '폭'으로 바꾸어 쓸 수 있고, '넓이'는 공간이나 범위의 크기를 나타내는 말이므로 '면적'으로 바꾸어 쓸 수 있습니다.
　(1) 안경의 가로 길이가 좁다는 것으로 '너비'가 알맞습니다.
　(2) 텃밭이 다섯 평이라고 하였으므로 공간이나 범위의 크기를 나타내는 '넓이'가 알맞습니다.
　(3) 커튼의 크기를 나타내는 것으로 '넓이'가 알맞습니다.

1 엿장수, 남이 2 ④ 3 ④ 4 옥색 고무신 5 대 6 ④ 7 엿장수, 남이
어휘·어법다지기 01 (1)-ⓒ (2)-ⓛ (3)-㉠ (4)-ⓔ 02 (1) 앙감질 (2) 언저리 (3) 의심 (4) 길목 03 (1) 구름양 (2) 강수량

[앞부분 줄거리] 귀환 동포가 살고 있는 산기슭 마을에 날마다 젊은 엿장수가 찾아와 가난하고 무료한 아이들에게 즐거움을 준다. 어느 날 철수의 두 아들 영이와 윤이는 식모 남이가 무척 아끼는 옥색 고무신을 엿으로 바꾸어 먹는다.

엿장수가 엿판을 길목에 내리자 남이는 ㉠가시처럼 꼭 찌르는 소리로,

"보소!"

엿장수는 놀란 듯 힐끗 한 번 돌아보고는 담을 싼 아이들을 헤치고 남이에게로 오는데 남이는 ⓛ입을 쌜쭉하면서 대뜸,

"내 신 내놓소!"

했다.

엿장수는 걸음을 멈추고 한참 동안 남이를 바라보다 말고 은근한 말투로,

"신은 웬 신요?"

하고는 상대편의 의심을 받을 만큼 히죽이 웃어 보이자, 남이는 ⓒ눈이 까칠해 가지고,

"잡아떼면 누가 속을 줄 아는 가베!"

그러나 엿장수는 수양버들 봄바람 맞듯 연신 히죽거리며,

"뭘요, ㉮그믐밤에 홍두깨도 분수가 있지?"

남이는 발끈하고,

"신 말이오!"

"신을요?"

"어제 우리 집 아이들을 꾀어 간 옥색 고무신 말이오!"

엿장수는 머리를 벅벅 긁으며,

"꾀기는 누가……."

하고는 한 걸음 앞으로 다가서서 길 아래위를 살핀 다음 낮은 소리로,

"그 신이 당신 신이던교?"

"누구 신이든 내 봐요, 빨리!"

엿장수는 또 머리를 긁으면서,

"당신 신인 줄 알았으면야, 이놈이 미친 놈이 아닌 담에야……."

하고 지나치게 고분거리는데 남이는 한결같이 앙살을 부린다.

"내 봐요, 빨리!"

엿장수는 손짓으로 어르듯 달래듯,

"가만 있소. 도가에 가 보고 신이 있으면야 갖다 주고 말고 만일 신이 없으면 새 신이라도 사다 줄게요. 염려 마소!"

하고는 남이의 발을 눈짐작하는데, 이때 난데없이 굵다란 벌 한 마리가 날아와 남이의 얼굴 주위를 잉잉 날아돈다. 남이는 상을 찌푸리고 한 손을 내저어 벌을 쫓고, 목을 돌리고 하는데, 벌은 갑자기 남이 저고리 앞섶에 붙어 가슴패기로 기어오르고 있다.

이것을 조마조마 보고 있던 엿장수는,

"가, 가만……."

하고는 한걸음에 뛰어들어,

"요놈의 벌이."

하고 손바닥으로 벌을 딱 덮어 눌렀다. 옆에서 보기에도 민망스러운 순간이었다.

남이는 당황하면서도 귀 언저리를 붉히고 한 걸음 뒤로 물러서자 함께, 엿장수 손아귀에는 벌이 쥐어졌다. 쥐인 벌은 고스란히 있을 리가 없다. 한 번 잉 소리를 내고는 그만 손바닥을 쏘아 버렸다. 동시에 엿장수는,

"앗!"

하고, 쥐었던 손을 펴 불며 털며 앙감질을 하는 꼴이 남이는 어떻게나 우스웠던지 그만 손등으로 입을 가리고 킥킥 하고 웃어 버렸다. 엿장수는 반은 울상 반은 웃는 상 남이를 바라보는데, 남이의 송곳니가 무척 예뻐 보였다. 남이는 엿장수와 눈이 마주치자 무색해서 눈을 땅바닥으로 떨어뜨렸다. 살을 쏘아 버린 벌이 꽁무니에 흰 실 같은 것을 달고, 거추장스럽게 기어가고 있다. 남이의 시선을 따라온 엿장수 눈이 이것을 보자 그만 억센 발로,

"엥이, 엥이, 엥이."

하고 망깨 다지듯 짓밟고 뭉질러 자취도 없이 해 버리자 남이는 또 웃음이 나올 것만 같아 문을 밀고 안으로 들어가 버렸다.

이렇게 지도해 주세요! 이 글은 남이가 자신의 옥색 고무신을 찾기 위해 엿장수와 만난 장면을 보여 주고 있습니다. 남이와 엿장수의 관계가 시간이 지나며 어떻게 달라지고 있는지 이해할 수 있도록 지도해 주세요.
• **주제** 젊은 남녀가 서로를 순수하게 좋아하는 마음

1 이 글에서는 옥색 고무신을 가져간 '엿장수'와 자신의 옥색 고무신을 찾으려는 '남이'가 대화를 나누고 있습니다.

2 이 글은 일어날 수 있는 일을 꾸며서 쓴 소설입니다.

오답 풀이
① 정보를 전달하는 글은 설명문입니다.
② 운율이 느껴지게 쓴 글은 시입니다.
③ 자신의 의견을 주장하는 글은 논설문입니다.
⑤ 실제 있었던 인물과 사건에 대해 쓴 글에는 전기문, 일기, 역사서 등이 있습니다.

3 남이를 표현한 부분에서 남이가 화가 나 있다는 것을 알 수 있습니다.

오답 풀이
① 엿장수를 좋아하는 마음은 이 글에 아직 나타나 있지 않습니다.
② 엿장수에게 미안한 마음은 나타나 있지 않습니다.
③ 엿장수에게 창피해하고 있지 않습니다.
⑤ 엿장수에게서 자신의 옥색 고무신을 찾으려는 것이지, 엿을 먹고 싶은 것은 아닙니다.

4 남이는 엿장수에게서 자신의 '옥색 고무신'을 찾고 있습니다.

5 엿장수는 남이가 벌에 쏘일까 봐 벌을 잡았고, 자신의 손에 있는 벌에 쏘였습니다. 자신이 벌에 쏘일까 봐 걱정하는 내용은 나타나 있지 않습니다.

6 '그믐밤에 홍두깨'는 갑자기 엉뚱한 말이나 행동을 한다는 뜻입니다.

7 남이는 자신의 옥색 고무신을 가져간 엿장수에게 화가 나 있었습니다. '엿장수'가 남이의 저고리 앞섶에 붙은 벌을 잡아 주어 좋은 감정이 싹텄고, 손으로 잡은 벌에 쏘인 엿장수를 보고 '남이'가 웃었습니다. 이 글에서 벌은 남이와 엿장수의 갈등을 해결하는 역할을 합니다.

🖊 **생각 글 쓰기**

◆예시 **답안** 자신이 벌에 쏘이는 것을 막아 준 엿장수가 고맙다.

이렇게 지도해 주세요! 남이는 엿장수에게 화가 나 있었지만 엿장수가 벌을 잡아주면서 마음이 풀어졌습니다. 벌이 나타나면서 남이의 마음이 변화한 과정을 이해할 수 있게 설명해 주세요.

어법 다지기

03 '량'과 '양'은 한자어 '量'의 두 가지 소리로, 무게나 크기, 수량을 나타내는 말입니다.
(1) '오늘은 어제보다 구름양이 많다.'가 맞습니다. '구름'은 고유어이기 때문에 '양'을 씁니다.
(2) '우리나라 강수량은 겨울보다 여름이 많은 편이다.'가 맞는 표현입니다. '강수'는 한자로 된 낱말이기 때문에 '량'을 씁니다.

40회 괜찮아_장영희

▶ 본문 172~175쪽

1 ③ 2 ③ 3 ① 4 ① 5 다리, 계단, 깨엿장수
어휘·어법 다지기 01 (1)-ㄹ (2)-ㄱ (3)-ㄴ (4)-ㄷ 02 (1) 소외 (2) 흡수 (3) 선의 03 ②

초등학교 때 우리 집은 제기동에 있는 작은 한옥이었다.
▶2번의 근거
골목 안에는 고만고만한 한옥 네 채가 서로 마주 보고 있었다. 그때만 해도 한 집에 아이가 보통 네댓은 되었으므로, 그 골목길만 초등학교 아이들이 줄잡아 열 명이 넘었다. 학교가 파할 때쯤 되면 골목 안은 시끌벅적, 아이들의 놀이터가 되었다.
▶과거 글쓴이의 동네 풍경

어머니는 내가 집에서 책만 읽는 것을 싫어하셨다. 그래서 방과 후 골목길에 아이들이 모일 때쯤이면 어머니는 대문 앞
어머니의 배려
계단에 작은 방석을 깔고 나를 거기에 앉혀 주셨다. 아이들이 노는 걸 구경이라도 하라는 뜻이었다.
▶어머니의 배려

딱히 놀이 기구가 없던 그때, 친구들은 대부분 술래잡기, 사방치기, 공기놀이, 고무줄놀이 등을 하고 놀았지만, 나는 공기놀이 외에는 그 어떤 놀이에도 참여할 수 없었다. 「하지
2번의 근거 – 글쓴이가 몸이 불편한 것을 알 수 있는 부분
만 골목 안 친구들은 나를 위해 꼭 무언가 역할을 만들어 주
「」: 친구들이 글쓴이를 배려함. 5번의 근거
었다. 고무줄놀이나 달리기를 하면 내게 심판을 시키거나, 신발주머니와 책가방을 맡겼다. 그뿐인가. 술래잡기를 할 때는 한곳에 앉아 있는 내가 답답할까 봐 어디에 숨을지 미리 말해 주고 숨는 친구도 있었다.」
▶글쓴이에게 역할을 맡겨 준 친구들

우리 집은 골목 안에서 중앙이 아니라 구석 쪽이었지만, 내가 앉아 있는 계단 앞이 늘 친구들의 놀이 무대였다. 놀이
5번의 근거
에 참여하지 못해도 나는 전혀 소외감이나 박탈감을 느끼지 않았다. 아니, 지금 생각하면 내가 소외감을 느낄까 봐 친구
4번의 근거
들이 배려해 준 것이었다.
▶친구들의 배려

그 골목길에서의 일이다. 초등학교 1학년 때였던 것 같다. 하루는 우리 반이 좀 일찍 끝나서 혼자 집 앞에 앉아 있었다. 그런데 그때 마침 깨엿장수가 골목길을 지나고 있었다. 그 아저씨는 가위를 쩔렁이며 내 앞을 지나더니, 다시 돌아와 내게 깨엿 두 개를 내밀었다. 순간, 그 아저씨와 내 눈이 마주쳤다. 아저씨는 아무 말도 하지 않고 아주 잠깐 미소를 지
4번의 근거
어 보이며 말했다.

"괜찮아."
깨엿장수 아저씨의 배려가 담긴 말 한마디
무엇이 괜찮다는 것인지는 몰랐다. 돈 없이 깨엿을 공짜로

받아도 괜찮다는 것인지, 아니면 목발을 짚고 살아도 괜찮다는 말인지……. 하지만 그건 중요하지 않다. <u>중요한 건 내가 그날 마음을 정했다는 것이다.</u> 이 세상은 그런대로 살 만한
깨엿장수 아저씨의 말이 가져온 긍정적 효과
곳이라고. <u>좋은 사람들이 있고, 선의와 사랑이 있고, '괜찮</u>
4번, 5번의 근거
<u>아.'라는 말처럼 용서와 너그러움이 있는 곳이라고 믿기 시작</u>
<u>했다는 것이다.</u>   ▶ 깨엿장수 아저씨의 "괜찮아."가 준 위로

오래전의 학교 친구를 찾아 주는 프로그램이 있었다. 한번은 어느 가수가 나와서 초등학교 때 친구들을 찾았는데, 함께 축구하던 이야기가 나왔다. 당시 허리가 36인치나 되는 뚱뚱한 친구가 있었는데, 뚱뚱해서 잘 뛰지 못한다고 다른 친구들이 축구 팀에 끼워 주려고 하지 않았다. 그때 그 가수가 나서서 말했다.

<u>"괜찮아. 그럼 얘는 골키퍼를 하면 함께 놀 수 있잖아."</u>
친구를 배려하는 마음이 담긴 가수의 말
그래서 그 친구는 골키퍼로 친구들과 함께 축구를 했고, 몇십 년이 지난 후에도 그 따뜻한 말과 마음을 그대로 기억하고 있었다. 〈중략〉   ▶ "괜찮아."라는 말의 기억

참으로 신기하게도 힘들어서 주저앉고 싶을 때마다 난 내 마음속에서 작은 속삭임을 듣는다. 오래전 따뜻한 추억 속 골목길 안에서 들은 말, '괜찮아! 조금만 참아. 이제 다 괜찮아질 거야.'

<u>그래서 '괜찮아'는 이제 다시 시작할 수 있다는 희망의 말이다.</u>   ▶ "괜찮아."라는 희망의 말

시각 장애인이면서 재벌 사업가로 알려진 미국의 톰 설리번은 자기의 인생을 바꾼 말은 딱 세 단어, <u>"Want to play(함</u>
<u>께 놀래)?"</u>라고 했다. 어렸을 때 시력을 잃고 절망과 좌절감
배려하는 마음이 담긴 이사 온 아이의 말
에 빠져 고립된 생활을 할 때 옆집에 새로 이사 온 아이가 그렇게 말했다고 한다. 그 짧은 말이 자기가 다시 세상 밖으로 나올 수 있는 계기가 되었다고 한다. ▶ 세상 밖으로 나오게 한 말 한마디

어린아이의 마음은 스펀지같이 무엇이든 흡수한다. 그리고 어느 순간에 마음을 정해 버린다. 기준은 '함께'이다. <u>세상이 친구가 되어 '함께' 하리라는 약속을 볼 때, 힘들지만 세상</u>
글쓴이가 이 글에서 전하고 싶은 말
<u>은 그런대로 살 만한 곳이라 여기고, '함께' 하리라는 약속이</u>
<u>없으면 세상은 너무 무서운 곳이라 여긴다.</u> 새삼 생각해 보면 나를 이 세상에 정붙이게 만들어 준 것은 바로 옛날 나와 함께해 주었던 골목길 친구들이다. ▶ 세상에 대한 믿음을 준 친구들

이렇게 지도해 주세요! 이 글은 다리가 불편한 글쓴이가 어릴 때 친구들과 주위 사람들에게 배려를 받고 '괜찮아'라는 말을 들으면서 세상에 대한 믿음을 갖게 된 경험을 쓴 수필입니다. 힘을 주는 말 한마디의 소중함을 알 수 있도록 지도해 주세요.

• **주제** 삶에 긍정적인 힘을 주는 따뜻한 배려와 말

1. 글쓴이는 '괜찮아'라는 말에 담긴 사람들의 배려를 통해 인생을 살아갈 힘을 얻었던 경험을 떠올리며 다른 사람을 배려하고 힘을 주는 말의 소중함에 대해서 이야기하고 있습니다.

2. 이 글의 글쓴이인 '나'는 다리가 불편하여 목발을 짚고 지내야 했습니다. 공기놀이 외에는 그 어떤 놀이에도 참여할 수 없었다는 내용에서 함께 뛰어놀기가 어려웠다는 사실을 알 수 있습니다.

3. '괜찮아'라는 말에는 위로나 용서, 희망 등의 뜻이 담겨 있습니다. 따라서 생일 잔치 초대장을 주는 사람에게 할 말로 어울리지 않습니다.

4. 글쓴이의 집 앞에서 놀며 글쓴이를 배려하는 친구들의 모습과 '나'에게 미소 짓는 깨엿장수 아저씨의 모습을 통해서 따뜻한 분위기를 느낄 수 있습니다.

5. 글쓴이는 어린 시절에 '다리'가 불편했으나 친구들이 글쓴이가 앉아 있는 '계단' 앞에서 함께 놀아 주었기 때문에 소외감을 느끼지 않았습니다. 또 '깨엿장수' 아저씨가 깨엿을 주며 '괜찮아'라고 말해 주었기 때문에 글쓴이는 세상이 선의와 사랑이 있는 곳이라고 믿게 되었습니다.

생각 글 쓰기

◆예시 **답안** 다시 시작할 수 있다는 희망을 떠올리고 힘을 냈다.

이렇게 지도해 주세요! 글쓴이는 힘들어서 주저앉고 싶을 때마다 마음속에서 오래전에 들은 '괜찮아'라는 말을 듣고 이제 다시 시작할 수 있다는 희망을 얻었다고 하였습니다.

어법 다지기

03 '눈을 뜨다'는 ②에서 말 그대로 '감았던 눈을 뜨다.'라는 뜻으로 사용되었습니다. 따라서 관용 표현이 아닙니다.

오답 풀이
① 손가락 하나 까딱 않다: 아무 일도 안 하고 뻔뻔하게 놀고만 있다.
③ 뼈를 깎다: 몹시 견디기 어려울 정도로 고통스럽다.
④ 귀가 뚫리다: 말을 알아듣게 되다.
⑤ 가슴이 무겁다: 슬픔이나 걱정으로 마음이 가라앉다.

실력 진단 평가 **정답**

01 동물원 02 ⑤ 03 ㉠ 04 눈요깃거리 05 국경 없는 의사회 06 ⑤ 07 ⑤ 08 ③ 09 ⑤ 10 현실, 강화 11 강화 12 구속 13 추세 14 인종 15 접목 16 인종 17 접목 18 추세 19 강화 20 구속